C0-ATS-080

LETTRES FESTALES

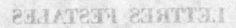

SOURCES CHRÉTIENNES

N° 434

CYRILLE D'ALEXANDRIE

LETTRES FESTALES

XII-XVII

TOME III

TEXTE GREC

PAR

W.H. BURNS

TRADUCTION ET ANNOTATION

PAR

Marie-Odile BOULNOIS et Bernard MEUNIER

Ouvrage publié avec le concours de l'Œuvre d'Orient

LES ÉDITIONS DU CERF, 29 Bd Latour-Maubourg, Paris 7e

1998

La publication de cet ouvrage a été préparée avec le concours de l'Institut des « Sources Chrétiennes » (UPRES A 5035 du Centre National de la Recherche Scientifique) sous la direction de Pierre ÉVIEUX

ISBN 2-204-06079-8
ISSN 0750-1978

AVANT-PROPOS

Ce volume, après deux autres (*SC* 372 et 392), poursuit la publication des *Lettres Festales* de Cyrille d'Alexandrie sous la direction de Pierre Évieux. Comme dans les précédents, le texte grec et l'apparat critique sont l'œuvre du Révérend William H. Burns, qui s'est concerté avec P. Évieux et les traducteurs. Les introductions, la traduction et l'annotation sont l'œuvre de M.-O. Boulnois pour les *LF* XII à XIV, et de B. Meunier pour les *LF* XV à XVII. L'ensemble a bénéficié des remarques de P. Évieux.

ABRÉVIATIONS BIBLIOGRAPHIQUES UTILISÉES DANS LES NOTES

ACO — *Acta Conciliorum Oecumenicorum*, éd. E. Schwartz, Berlin-Leipzig 1927 s.

Adv. Nest. — *Adversus Nestorium*, *ACO* I, 1, 6

BJ — *Bible de Jérusalem* (éd. 1973/1991)

M.-O. Boulnois, *Le paradoxe trinitaire* : M.-O. Boulnois, *Le paradoxe trinitaire chez Cyrille d'Alexandrie. Herméneutique, analyses philosophiques et argumentation théologique*, Paris 1994

CJ — *Contre Julien*, *SC* 322 (Livres I et II) ou *PG* 76

Commentaire sur Isaïe : PG 70

Commentaire sur les Douze Petits Prophètes : éd. P.E. Pusey, Oxford 1968 (réimp. Bruxelles 1965), 2 vol.

Commentaire sur Romains : éd. P.E. Pusey, à la fin de l'*In Io.*

De Adoratione — *PG* 68

De Dogmatum solutione : éd. L.R. Wickham, Oxford 1983

Dial. Trin. — *Dialogues sur la Trinité*, *SC* 231, 237, 246

Glaph. in Gen., in Ex. — *Glaphyra in Genesim, in Exodum*, *PG* 69

GPL — *Patristic Greek Lexicon* (G.W.H. LAMPE)

In Io. — *In Ioannem* (*Commentaire sur l'évangile de Jean*), éd. P.E. Pusey, 3 vol., Oxford 1872 réimp. Bruxelles 1965

Le Christ est Un	*Deux dialogues christologiques, SC* 97
Lettre aux moines	*ACO* I, 1, 1
Lettres à Nestorius	*ACO* I, 1, 1
LF	*Lettres Festales*
PG	*Patrologia graeca* (Migne)
Sur l'Incarnation	*Deux dialogues christologiques, SC* 97
Thes.	*Thesaurus, PG* 75
TOB	*Traduction œcuménique de la Bible*

SIGLES ET ABRÉVIATIONS DE L'APPARAT CRITIQUE

A	*Ottobonianus gr. 448* (s. XI/XII)
B	*Vaticanus gr. 600* (circ. 1556)
C	Bruxelles, Bibliothèque Royale, *8301* (1567/1568)
D	*Vaticanus gr. 601* (circ. 1566)
E	*Vaticanus gr. 1665* (in. med. s. XVI)
F	*Ottobonianus gr. 215* (1565)
G	Paris, B.N., *suppl. gr. 591* (circ. 1590)
H	*Barberinianus gr. 572* (s. XVI ex.)
I	Paris, B.N., *suppl. gr. 217* (1610)
J	Salamanque, Bibl. Univ., *2754* (1577)
K	Escurial, *y-III.11* et *y-III.12* (1577)
L	Augsbourg, *2º cod. 239 a-c* (1578)
M	*Holkham gr. 47* (Bibl. Bodléienne) (1591/1592)
b	= BHI
c	= CJKLM
+	addidit
~	transposuit, per transpositionem
ac	ante correctionem
cett.	ceteri
codd.	codices
coni.	coniecit
corr.	correxit
edd.	editores (= Sal. Aub. Mi.)
fort.	fortasse
in mg	in margine

lat.	latina (versio latina)
leg.	legitur ; legendum
$M^{1, 2, x}$	M prima manu, secunda manu, incognita manu
mg	in margine
oblitt.	oblitteravit
om.	omisit
pc	post correctionem
rell.	reliqui
rest.	restituit, restituimus
sl	(sup. lin.) supra lineam
sup.scr.	supra scripsit
tx	in textu
vers.	in versione (latina)
verss. latt.	versiones latinae (= Sal.^{u} Sch.)
vid.	videtur
Arn.	Ps. Arnobius junior (version latine ancienne, *LF* XVII)
Aub.	Aubert
Mi.	Migne
S.	citations anciennes (*LF* XVII, quelques extraits) dans les *ACO*
Sal.	Salmatia
Sch.	Schott
LXX	*Septuaginta*
NT	*Novum Testamentum*

NOTE SUR L'APPARAT CRITIQUE

Selon les principes de la collection, l'apparat présenté ici est négatif. Il faut attirer l'attention du lecteur sur un point : certains lemmes, qui commencent par la leçon retenue dans le texte, mentionnent parfois un ou plusieurs témoins ; c'est le cas, soit pour indiquer par exemple que le texte édité de la *LXX* donne aussi cette leçon, soit pour mentionner des corrections ou notes marginales, fournissant cette leçon, dans un témoin qui donne en texte principal une leçon variante. En conséquence, les témoins qui donnent la leçon retenue ne se limitent pas dans ce cas à ceux énumérés avant les deux points, mais sont constitués de tous ceux qui ne sont pas cités à l'appui d'une leçon variante.

Exemple : à la p. 26, pour *LF* XII, 1, 27, l'apparat donne le lemme : ἐπουρανίου D (ἐπ' οὐρ-) : οὐρανίου b edd. Il faut comprendre que la leçon retenue ἐπουρανίου est donnée par tous les témoins non cités pour la leçon οὐρανίου, à savoir A D (sous la forme ἐπ' οὐρ.) EFG c (=CJKLM), et non simplement par D.

TEXTE ET TRADUCTION

DOUZIÈME FESTALE
(424)

Introduction

Cette douzième Festale, destinée à annoncer la date de Pâques 424, s'articule autour de la citation de *Philippiens* 3, 13 : « Oubliant le passé, tendus vers l'avant. » Cyrille invite les chrétiens à abandonner leur polythéisme d'autrefois pour se tourner résolument vers la foi monothéiste et trinitaire.

Il commence par les inciter à préparer la fête grâce au combat spirituel, en leur conseillant de ne pas perdre le fondement qu'ils ont découvert, à savoir le Christ, afin de ne pas retomber dans leur incroyance passée. Or celle-ci peut rester tapie dans le cœur, tant que celui-ci demeure partagé. Pour décrire l'ignominie de cette duplicité, Cyrille recourt aux images que lui fournit l'Écriture : l'homme poussé par sa duplicité à reprendre sa conduite passée ne diffère en rien de la truie qui revient à son bourbier ou du chien qui retourne à sa vomissure. Toujours sur le mode imagé, il montre qu'il serait insensé de vouloir retomber dans la maladie du polythéisme pour ceux qui en ont été guéris.

On aborde ainsi le premier volet de cette exhortation à la conversion qui consiste en une critique virulente du retour au polythéisme déguisé en culte des anges. Ce développement est particulièrement intéressant dans la mesure où il révèle la survivance de certaines formes de polythéisme dans l'Égypte du ve siècle, y compris au sein de la communauté chrétienne. Si l'on en croit les mises en garde de Cyrille, il semble en effet y avoir un réel danger que le culte des démons ne se réintroduise subrepticement sous prétexte que l'Écriture attribue aux diverses catégories d'anges les appellations de « Trônes, Principautés, Seigneuries ». La réfutation de cette allégation repose sur la distinction essentielle entre le Créateur et ses créatures, entre celui qui possède l'honneur par nature et ceux qui, par grâce, peuvent le recevoir, si telle est la volonté de Dieu. D'ailleurs les anges ne doivent pas oublier que leur honneur consiste en fait à louer Dieu. Cette première partie s'achève par la réaffirmation vétéro-testamentaire de l'unicité de Dieu qui introduit à l'exposé de la foi chrétienne authentique.

Poursuivant sur sa lancée, Cyrille développe alors les caractéristiques de la foi monothéiste, en invoquant le témoignage d'*Hébreux* 11, 6 : si l'on doit croire que Dieu existe et qu'il est unique, on ne doit pas chercher à savoir de manière indiscrète quelle est son essence. Or après cette ouverture monothéiste, Cyrille passe de manière très abrupte à l'affirmation de la génération du Fils par le Père, sans qu'apparemment celle-ci semble soulever le moindre obstacle à la profession de foi en un Dieu unique [1].

En réalité, c'est dans la suite de la lettre, consacrée à une défense assez technique de la consubstantialité du Fils avec son Père, que l'on trouve un point d'articulation entre foi monothéiste et foi trinitaire. Mais pour bien saisir toutes les étapes du raisonnement cyrillien, il faudrait lire cette lettre en parallèle avec d'autres passages de ses œuvres antiariennes, en particulier les chapitres II et XXXI du *Thesaurus* et le livre II des *Dialogues sur la Trinité*, dont elle est comme un condensé à l'usage du grand public. Cependant, en dépit de ce destinataire plus populaire, l'argumentation logique reste relativement subtile. C'est pourquoi, bien que nous

1. Au contraire dans les *Dialogues sur la Trinité* III, 463 d, il se fait explicitement poser la question de la compatibilité entre la foi monothéiste et l'affirmation de la divinité du Fils.

soyons mal renseignés sur la possibilité d'une résurgence de l'arianisme, sous sa forme eunomienne, dans l'Égypte du Ve siècle, il semble étonnant que Cyrille ait pris la peine d'infliger ces détails techniques à ses ouailles sans l'existence d'une menace réelle.

Avant de présenter cette défense de la consubstantialité, Cyrille prend la précaution d'écarter certaines idées fausses sur la génération divine : contrairement à la génération humaine, elle est exempte d'amputation, parce qu'elle n'est pas soumise aux lois corporelles ; bien plus, elle échappe à toute saisie intellectuelle, étant ineffable même pour les anges. Une fois qu'il a posé ce préalable, il s'engage dans la réfutation de trois objections d'origine eunomienne.

La première consiste à déduire de la différence des termes « inengendré » et « engendré » une différence de nature entre le Père et le Fils. Cyrille y répond en montrant que si, chez les créatures, un rejeton est toujours de même nature que celui qui l'a engendré, à plus forte raison en est-il de même pour Dieu. À la deuxième objection qui remet en cause la réalité de la génération divine, Cyrille oppose le texte d'*Éphésiens* 3, 15 qui fait de Dieu le Père l'archétype de toute paternité. La dernière objection va conduire Cyrille à recourir de manière plus technique encore à la sagesse profane. Elle pourrait se résumer ainsi : puisque « inengendré » désigne la substance du Père et « engendré » la substance du Fils, ce dernier ne peut être de même substance que son Père. Tel David face à Goliath, Cyrille s'excuse alors de devoir prendre des armes auxquels il n'est pas habitué pour réfuter les hérétiques sur leur propre terrain. De fait, bien qu'il ne cite aucun nom, c'est à la logique aristotélicienne qu'il emprunte les fondements de son argumentation :

— Une substance, quand elle est comparée à une autre substance, ne peut lui être contraire.
— Une définition suppose nécessairement un genre et une différence, ce qui n'existe pas en Dieu.

— Une définition doit être positive, alors qu'inengendré est un terme négatif.

La lettre s'achève par la profession de foi en la sainte Trinité qui est consubstantielle, expression qui revient sans cesse dans ses œuvres antiariennes, mais apparaît ici pour la première fois dans le corpus des *Lettres festales*.

Plan

Exorde : Appel à la conversion

— Se préparer à la fête par une conduite droite **1**, 1-26
— S'opposer avec courage au mal 27-57
— Abandonner l'incroyance d'antan 58-81
— Se fonder sur le Christ 82-91
— Traquer la duplicité et les restes de polythéisme 91-138

I. Le culte des anges : un polythéisme déguisé

— Objection : le culte des démons ne fait aucun tort à la foi monothéiste 139-145

1) Recours à des analogies humaines
— On ne peut couronner du même honneur le roi et ses sujets 145-160
— Recevoir la gloire par grâce n'équivaut pas à la posséder par nature 161-183

2) Application à la nature divine
— Distinguer le Créateur de ses créatures 184-203
— Unicité de Dieu et multiplicité de ses serviteurs **2**, 1-27
— L'honneur des anges est de louer Dieu 28-60
— N'adorer que Dieu 61-109
— La duplicité de la foi n'échappe pas à Dieu 110-119

II. La foi authentique

1) Dieu est

— Connaître que Dieu est, sans chercher ce qu'il est **3**, 1-28
— Transcendance de Dieu 29-54

2) Le Père a engendré un Fils

— Le Fils, empreinte du Père, lui est connaturel 55-74
— Une génération exempte des lois corporelles 75-89
— Une génération ineffable, même pour les anges 90-115

3) Le Fils est consubstantiel au Père

— Préalable sur l'inadéquation des images humaines : le Verbe divin a une subsistence, contrairement à la parole humaine **4**, 1-9
— Première objection : la différence des termes induit une différence de nature entre l'engendré et l'inengendré 10-30
— Réponse : l'engendré est forcément de même nature que l'engendrant 31-57
— Deuxième objection : le Père n'a pas vraiment engendré 58-71
— Réponse : Dieu le Père est le seul et le premier à être véritablement Père 72-104
— Troisième objection : puisque « inengendré » désigne la substance du Père et « engendré » celle du Fils, l'un et l'autre ne peuvent être de même substance 105-110
— Réponse :
Une substance n'a rien de contraire à une autre substance **5**, 1-19
Les hérétiques ne connaissent ni l'Écriture ni la sagesse profane 20-37
Une définition est composée d'un genre et d'une différence **6**, 1-15
Une définition doit être positive 16-28

Conclusion :

ΕΟΡΤΑΣΤΙΚΗ ΔΩΔΕΚΑΤΗ

PG 77

(665) **α´.** « Σκιὰν μὲν ὁ νόμος ἔχει τῶν μελλόντων ἀγαθῶν [a] » καὶ τὸ λαμπρὸν τῆς ἀληθείας ὑποπλάττεται σχῆμα, διὰ τύπου καὶ αἰνιγμάτων, τῶν διὰ Χριστοῦ τεθεσπισμένων ὑποφαίνων ἡμῖν τὸ μυστήριον. Τοιγάρτοι διεκελεύετο τοῖς υἱοῖς Ἰσραὴλ
5 λέγων· « Σαλπίσατε ἐν νεομηνίᾳ σάλπιγγι, ἐν εὐσήμῳ ἡμέρᾳ ἑορτῆς ὑμῶν [b]. » Ἡμεῖς δὲ τῶν τύπων ἰόντες ὡς πορρωτάτω καὶ τῶν ἀρχαίων σχημάτων τὴν τῶν καθ' ἡμᾶς πραγμάτων ἀπαλλάττοντες φύσιν, προὐργιαιτέραν ποιώμεθα τῶν θείων καὶ εὐαγγελικῶν ἐνταλμάτων τὴν παίδευσιν. Καὶ ἐπείπερ
10 ἡμῖν ἡ διαφανὴς καὶ εὐσημοτάτη πάλιν ἀνέλαμψεν ἑορτή, τοὺς ὑπὲρ τῆς εὐκοσμίας ἀγῶνας, καθάπερ τι τῶν ὡρίμων, ἑαυτῇ συνεισάγουσα, δότε δή, δότε τὰς τῶν ἁγίων ἰχνηλατοῦντι φωνὰς καθάπερ ἐξ ἱερᾶς ἡμῖν ἀναφωνῆσαι σάλπιγγος· « Ἑτοιμάσατε τὴν ὁδὸν Κυρίου, εὐθείας ποιεῖτε
668 15 τὰς ‖ τρίβους αὐτοῦ [c]. » Τὸ γάρ, οἶμαι, ζῆν ἐπείγεσθαι φιλοθέως, καὶ τοῖς ἐξ ἐπιεικείας αὐχήμασι κατασεμνύνεσθαι φιλεῖν, ἔν γε τῷ παρόντι μάλιστα καιρῷ, τὸ ἑτοιμάζειν ἐστὶ

Mss : A DEFG BHI (= b) CJKLM (= c)
Edd. et Verss : Sal. Aub. Mi. (= edd.) ; Sal.ᵛ Sch. (= verss latt.)

Inscriptio : ἑορταστικὴ δωδεκάτη : ὁμιλία ἑορ. δω. I ἑορ. δω. κυρίλλου J τῷ ἐν ἁγίοις πατρὸς ἡμῶν κυρίλλου ἀρχιεπισκόπου ἀλεξανδρείας ἑορ. δω. G λόγος ιβ' edd.

α´ 6 ὑμῶν A DEFG *vestrae* verss *puto* ὑμῶν I[mg] : ἡμῶν b c edd. *LXX* (cf. LF 2, 1, 27) ‖ 7 καὶ om. Aub. Mi. ‖ 9 καί[2] om. H ‖ 14 ποεῖται F B ‖ 16 κατασεμνήνεσθαι b

---

1 a. He 10, 1 b. Ps 80, 4 c. Lc 3, 4 ; cf. Is 40, 3-4.

DOUZIÈME FESTALE

Se préparer à la fête par le combat spirituel

1. « La Loi présente une ombre des biens à venir [a] » et esquisse la figure lumineuse de la vérité, en nous faisant entrevoir à travers type et énigmes le mystère de ce qui a été annoncé par le Christ. C'est pourquoi la Loi prescrivait aux fils d'Israël l'ordre suivant : « Sonnez de la trompette pour la néoménie, au jour glorieux de votre fête [b]. » Mais pour notre part, éloignons-nous le plus possible des types et débarrassons des figures anciennes notre condition actuelle, pour considérer comme plus utile l'enseignement des préceptes divins et évangéliques. Et puisque la lumière de la fête éclatante et très glorieuse s'est levée à nouveau sur nous, en apportant avec elle, comme des fruits de saison, les combats pour bien ordonner sa conduite, permettez, oui permettez à celui qui veut suivre les voix des saints de proclamer à notre intention comme avec une trompette sainte : « Préparez le chemin du Seigneur, redressez ses sentiers [c]. » Or à mon avis, s'efforcer de vivre en ami de Dieu, aimer à se prévaloir des ornements qui sont ceux de la vertu, surtout dans le temps actuel, c'est

τὴν ὁδὸν Κυρίου καὶ τὴν τοῖς ἑορτάζουσιν πρέπουσαν ἐξ ἀγαθοῦ συνειδότος εἰσδέχεσθαι θυμηδίαν. « Τοῖς μὲν γὰρ
20 ἀσεβέσιν οὐκ ἔστι χαίρειν, λέγει Κύριος [d]. » Πῶς γὰρ ἂν ἢ πόθεν ἁρμόσαι τοῦτο αὐτοῖς, ἐπηρτημένην ἔχουσι τὴν ἐφ' οἷς εὐθύνονται δίκην ; Τό γε μὴν ἐν εὐπαθείαις εἶναι πνευματικαῖς καὶ λιπαρωτάταις ἐλπίσι καταπιαίνεσθαι πρέποι ἂν εἰκότως τοῖς ὅτι μάλιστα βεβιωκόσιν ὀρθῶς καὶ
25 ὥσπερ τινὰ κανόνα τῆς οἰκείας ζωῆς τὸν θεῖον ἀποφήνασι νόμον.

« Ὅθεν, ἅγιοι ἀδελφοί, κλήσεως ἐπουρανίου μέτοχοι [e] », « κατανοῶμεν ἀλλήλους εἰς παροξυσμὸν ἀγάπης καὶ καλῶν ἔργων [f] », κατὰ τὸ γεγραμμένον, διαμεμνημένοι τοῦ
30 λέγοντος· « Σίδηρος σίδηρον ὀξύνει, ἀνὴρ δὲ παροξύνει πρόσωπον ἑταίρου [g]. » Ὅνπερ γὰρ τρόπον οἱ βαρβαρικαῖς ἐφόδοις ἀντεγειρόμενοι καὶ ἀντεξάγειν θέλοντες ὡς ἔνι καλῶς, παραθήγουσι μὲν ἀλλήλοις εὐτολμίαν καὶ παρακροτεῖν ἐπείγονται πρὸς ἐπίδειξιν αὐτοῖς ῥώμης τε καὶ
35 τέχνης, τὸν τοῦ πολέμου καιρὸν εὑρῆσθαι πιστεύοντες, οὕτω τε δεινοὶ καὶ δυσάντητοι, τοῖς δι' ἐναντίας ἐμπίπτουσιν, ὄκνου μὲν ἤδη πως ἀμείνους ὄντες καὶ δείματος, καὶ τῶν ἀνωτάτω κινδύνων κατευμεγεθοῦντες, εἰ τύχοι· οὕτω δὴ χρῆναι, φημί, τοὺς οἵπερ ἂν εἶεν τῆς ὁσιότητος ἐρασταί, τοῖς
40 τοῦ διαβόλου κακουργήμασιν ἀοκνότατα μὲν ἀντιφέρεσθαι φιλεῖν, εὐσθενεστάτην δὲ οὕτω ποιεῖσθαι τὴν ἀντίστασιν ὡς

Mss : A DEFG BHI (= b) CJKLM (= c)

19 συνειδότως I Sal. Aub. ‖ 23 καταπιένεσθαι C[ac] JKL ‖ 24 τοῖς : τῆς BH ‖ 27 ἐπουρανίου D (ἐπ' οὐρ-) : οὐρανίου b edd. ‖ 28 κατανοῶμεν codd. Sal. Aub. Sch.[mg] : κατα[κ]ονῶμεν Mi. *acuamus* Sal.[v] ‖ 30 ὀξύναι I edd. ‖ 31 ἑταίρου : ἑτέρου codd. ‖ 33 καλῶς A (cum signo tach. " super -ως) : καλὸν cum ως superscr. E. ‖ 34 πρὸς : εἰς b M edd. ‖ 36 δυσάντητοι : δυσκίνητοι I edd. ‖ 38 κατ' εὐμεγεθοῦντες CKL ‖ 39 οἵπερ : οἵσπερ codd. Sal. Aub. οἷ[σ]περ Mi.

---

d. Is 57, 21 e. He 3, 1 f. He 10, 24 g. Pr 27, 17.

préparer le chemin du Seigneur et accueillir avec bonne conscience la joie qui convient à ceux qui célèbrent une fête. « Car les impies ne peuvent se réjouir, dit le Seigneur [d] [1]. » En effet, comment ou de quelle manière cela pourrait-il être adapté à ce qu'ils sont, alors qu'est suspendu au-dessus de leur tête le châtiment qu'ils doivent payer pour leurs fautes ? En revanche, vivre dans des délices spirituelles et se rassasier des espérances les plus riches revient à juste titre à ceux qui ont mené une vie aussi droite que possible et qui ont déclaré que la loi divine était comme une règle pour leur propre vie.

« C'est pourquoi, frères saints, nous qui avons part à la vocation céleste [e] », « faisons attention les uns aux autres jusqu'au paroxysme de l'amour et des bonnes actions [f] », comme le dit l'Écriture, en nous souvenant de celui qui dit : « Le fer aiguise le fer, l'homme s'affine au contact de son prochain [g]. » En effet, de même que ceux qui se lèvent pour faire face aux attaques barbares et veulent leur résister du mieux possible, s'incitent mutuellement à l'audace et s'encouragent ardemment à leur faire une démonstration de force et d'habileté technique, lorsqu'ils croient avoir trouvé le moment favorable pour la guerre — alors, terribles et résolus, ils fondent sur leurs adversaires, parce qu'ils ont désormais surmonté hésitation et frayeur, et sont capables de braver les périls les plus graves, s'il s'en présente — de la même façon, selon moi, il faut que ceux qui sont passionnés de sainteté prennent l'habitude de s'opposer, sans aucune hésitation, aux méfaits du diable et de mener une résistance tellement forte que désormais ils puissent dire en toute vérité

1. La modification de l'ordre des mots par rapport à la LXX semble indiquer qu'il s'agit d'une citation de mémoire.

αὐτό που λοιπὸν ἀληθεύοντας ἐκεῖνο φωνεῖν· « Τίς ἡμᾶς
χωρίσει ἀπὸ τῆς ἀγάπης τοῦ Θεοῦ ; Θλῖψις, ἢ στενοχωρία, ἢ
διωγμός, ἢ λιμός, ἢ γυμνότης, ἢ κίνδυνος, ἢ μάχαιρα [h] ; »
45 Κατακομίσαι γὰρ ἂν εἰς δειλίαν ἡμᾶς τὸ σύμπαν οὐδέν, εἰ,
τῆς τῶν ἁγίων ἀρετῆς κατ' ἴχνος ἑπόμενοι, τὴν αὐτὴν
ἐκείνοις ἔχομεν γνώμην, ἀνδριζομένοις τε καὶ λέγουσι·
« Κύριος φωτισμός μου καὶ Σωτήρ μου, τίνα φοβηθήσομαι ;
Κύριος ὑπερασπιστὴς τῆς ζωῆς μου, ἀπὸ τίνος δειλιάσω [i] ; »
50 « Δεῦτε τοιγαροῦν, ἀγαλλιασώμεθα τῷ Κυρίῳ », κατὰ τὸ
γεγραμμένον, « ἀλαλάξωμεν τῷ Θεῷ τῷ σωτῆρι ἡμῶν [j]. »
Καλεῖ γὰρ ἡμᾶς καὶ νῦν ὁ καιρὸς εἰς τριπόθητον ἑορτήν. Καὶ
ἐπείπερ ὁ πᾶσιν ἀπηχθημένος κατηργήθη θάνατος ἐν δυνάμει
Χριστοῦ καὶ ἡ πάλαι δεινὴ καὶ δυσάλωτος ἀνηρέθη φθορὰ διὰ
55 τῆς ἀναστάσεως αὐτοῦ, φέρε, τι μέγα καὶ διαπρύσιον ἱέντες
κήρυγμα τοῖς ἁπανταχόσε λέγωμεν· « Ὁ Κύριος ἐβασί-
λευσεν, ἀγαλλιάσθω ἡ γῆ [k]. »

Καὶ τίς ἂν γένοιτο πάλιν ὁ τῆς ἀγαλλιάσεως τρόπος τοῖς ἐν
Χριστῷ τοῦτο δρᾷν ἑλομένοις ; Ὅτι μάλιστα πρέπων τὸ
60 ἀποφοιτῆσαι μὲν ἢ τάχος τῆς γεωδεστέρας καὶ χαμαιρριφοῦς
ἡδονῆς καί, ἁπαξαπλῶς, ἐπιθυμίας ἁπάσης σαρκικῆς,
ἀνθελέσθαι δὲ μᾶλλον τὰ ἐν μοίρᾳ τῇ κρείττονι, καί, τοῖς
ἐκείνων ἀμείνοσιν ἐπιδιδόντας τὸν νοῦν, ἀποπληροῦν
669 ἐπείγεσθαι, καὶ μάλα προθύ‖μως, τὸ διὰ φωνῆς ἡμῖν τοῦ
65 μακαρίου Παύλου καλῶς τε καὶ ὀρθῶς εἰρημένον· « Τῶν
ὄπισθεν ἐπιλανθανόμενοι, τοῖς δὲ ἔμπροσθεν ἐπεκτεινό-

Mss : A DEFG BHI (= b) CJKLM (= c)

42 αὐτό πουλὶν LM ‖ 43 θεοῦ *NT* (codd. Sin. B) : χριστοῦ b edd. *Christi* verss *NT* (codd. C D F G Ψ Nestle-Aland^{26}) ‖ 44 μάχαιραι A (vid.) ‖ 47 ἀνδριζομένος C^{pc2} I^{pc} ‖ 49 ἀπὸ τίνα KL^{ac} ‖ 53 δυνάμι C ‖ 54 ἡ : οἱ B ‖ φθορὰ : φτορὰ C^{pc2} φορὰ C^{ac} JKLM ‖ 59 δρᾷν : δρακῆ I edd. ‖ 60 ἀποφοιτῆσαν C^{ac} (vid.) KL -σας C^{pc2} I^{pc} Sal.-ῆσαμὲν (sic) J ‖ ἢ Mi. : ἡ C^{pc2} J Sal. Aub. ἥ A DEFG C^{ac} KLM ‖ χαμερριφοῦς I edd. ‖ 63 ἀμείνωσιν D CJKL

h. Rm 8, 35 i. Ps 26, 1. j. Ps 94, 1 k. Ps 96, 1

ceci même : « Qui nous séparera de l'amour de Dieu ? La tribulation, l'angoisse, la persécution, la faim, la nudité, le péril, le glaive [h] ? » En effet, absolument rien ne pourra nous entraîner vers la lâcheté, si, en suivant à la trace la vertu des saints, nous avons les mêmes dispositions que ces derniers, qui combattent avec courage et disent : « Le Seigneur est ma lumière et mon Sauveur, de qui aurai-je crainte ? Le Seigneur est le rempart de ma vie, devant qui tremblerai-je [i] ? » « Venez donc, exultons pour le Seigneur », comme il est écrit, « crions de joie pour Dieu notre Sauveur [j]. » Car le moment nous appelle dès maintenant pour la fête trois fois désirée. Et puisque la mort haïe de tous a été abolie par la puissance du Christ et que la corruption autrefois terrible et inévitable a été anéantie grâce à sa résurrection, eh bien, adressons-nous aux habitants de l'univers, en proclamant d'une voix forte et qui porte au loin : « Le Seigneur a établi son règne, que la terre exulte [k] ! »

Oublier le passé, c'est oublier l'incroyance d'antan

Or quel peut être à nouveau le moyen d'exulter pour ceux qui ont choisi de le faire dans le Christ ? Le moyen le mieux adapté consiste à se détourner au plus vite des plaisirs terrestres et dégradants, en un mot, tout désir charnel, à leur préférer plutôt ce qui est à un rang plus élevé et, en adonnant son intelligence à de meilleures pensées, à tâcher d'accomplir, avec beaucoup d'ardeur, ce que le bienheureux Paul nous a dit de manière appropriée et juste : « Oubliant ce qui est en arrière, tendus

μενοι [l]. » Οὐκοῦν παχείᾳ μὲν ὥσπερ καταχωννύσθω λήθῃ τὰ παριππεύσαντα· καὶ δὴ τῆς ἀρχαιοτέρας ἀβουλίας ἀποφοιτήσαντες, τοῖς ἔμπροσθεν ἐπεκτεινώμεθα, τουτέστιν ἐπὶ τὸν ἐν
70 φρονήσει τέλειον ἰέναι σπουδάζωμεν. Λελατρεύκαμεν « τῇ κτίσει παρὰ τὸν κτίσαντα [m] », « καὶ ἦμέν ποτε σκότος, νῦν δὲ φῶς ἐν Χριστῷ [n] », κατὰ τὸ γεγραμμένον. Κεκλήμεθα γὰρ εἰς ἐπίγνωσιν Θεοῦ, καὶ ταῖς ἡμετέραις διανοίαις τὸ τῆς ἀληθείας ἤστραψε φῶς. Κρηπὶς γὰρ αὕτη παντὸς ἀγαθοῦ,
75 καὶ ἁπάσης ἀρετῆς ἐν ἡμῖν θεμέλιος. Τοιγάρτοι καὶ αὐτὸς ἡμῖν ἄνωθεν ὁ Θεὸς καὶ Πατήρ, διὰ φωνῆς τῶν ἁγίων προφητῶν, αὐτὸ δὴ τουτὶ κατεσήμαινε, λέγων· « Ἰδοὺ ἐγὼ τίθημι εἰς τὰ θεμέλια Σιὼν λίθον ἐκλεκτόν, ἀκρογωνιαῖον, ἔντιμον. Καὶ ὁ πιστεύων ἐπ' αὐτῷ οὐ μὴ καταισχυνθῇ [o]. »
80 Ἄριστα δὲ τοῦτο συνεὶς καὶ ὁ θεσπέσιος ἡμῖν ἐπεφώνει Παῦλος· « Ὡς σοφὸς ἀρχιτέκτων θεμέλιον ἔθηκα [p]. »

Καὶ τίς ὁ θεμέλιος, ἢ ποία τις ἄρα τῶν καθ' ἡμᾶς ἡ κρηπίς, μαθήσῃ παρ' αὐτοῦ βοῶντος ἀναφανδόν· « Θεμέλιον γὰρ ἄλλον οὐδεὶς δύναται θεῖναι παρὰ τὸν κείμενον, ὅς ἐστιν
85 Ἰησοῦς Χριστός [q]. » Οὐκοῦν ὑποβάθραν καὶ θεμέλιον ἔχοντες τῆς ἀληθοῦς θεογνωσίας τὸν Κύριον ἡμῶν Ἰησοῦν τὸν Χριστόν, « κρατῶμεν τῆς ὁμολογίας [r] », ὥς που καὶ Γράμμα φησὶν ἱερόν, καὶ τὴν ἑαυτῶν καρδίαν κατασκεπτώμεθα, μὴ ἄρα τι τῆς θεομισοῦς ἀπιστίας, οἷά τις

Mss : A DEFG BHI (= b) CJKLM (= c)

67 καταχωννύσθω : -ύσθη I^{ac} -ήσθω DE CJKL ‖ 71 κτήσει... κτήσαντα KL ‖ 73-74 (δια)νοίαις — αὕτη om. E ‖ 74 ἤστραψε : ἔγραψε I^{mg} C^{ac} JKLM ἔλαμψε I^{mg} C^{pc2} *illuxit* Sch. ‖ 77 κατεσήμανε HI edd. ‖ 84 τὸν : τὸ I edd. ‖ 87 τὸν om. b c edd.

l. Ph 3, 13 m. Rm 1, 25 n. Ep 5, 8 o. Is 28, 16 p. 1 Co 3, 10
q. 1 Co 3, 11 r. He 4, 14

1. Ph 3, 13 est peu cité par Cyrille. Il y fait une allusion en *LF* I, 1, 51 pour appuyer l'injonction paulinienne de dépouiller le vieil homme, et le cite également en *De Adoratione* 396 C où ce verset sert à illustrer la progression vers l'homme parfait et la migration qui le conduit « de l'ignorance à la connaissance, de la sottise au bon sens et de l'infidélité à la foi ». Ce texte ne se lit pas non plus souvent sous la plume des écrivains des premiers siècles,

vers l'avant [11]. » Que ce qui a été parcouru soit donc comme enseveli dans un oubli épais ; oui, abandonnons l'irrésolution d'antan, tendons vers l'avant, c'est-à-dire efforçons-nous d'aller vers celui qui est parfait en sagesse. Nous avons adoré « la créature au lieu du Créateur [m] », « vraiment nous étions alors ténèbres, mais à présent nous sommes lumière dans le Christ [n] » selon l'Écriture. Car nous avons été appelés à reconnaître Dieu, et la lumière de la vérité a illuminé nos intelligences. Telle est l'assise de tout bien et le fondement de toute vertu en nous. C'est pourquoi, d'en-haut, Dieu le Père lui-même nous signifiait cela, en disant par la voix des saints prophètes : « Voici que je pose pour les fondations de Sion une pierre choisie, angulaire, précieuse. Celui qui croit en elle ne sera pas confondu [o]. » Le divin Paul qui comprenait très bien cette parole, nous disait lui aussi : « Comme un bon architecte, j'ai posé le fondement [p]. »

Les ravages de la duplicité

Or quel est le fondement, quelle est donc l'assise de notre existence ? Tu l'apprendras de celui-là même qui crie ouvertement : « De fondement, en effet, nul ne peut en poser d'autre que celui qui s'y trouve, à savoir Jésus-Christ [q]. » Prenons donc notre Seigneur Jésus-Christ comme support et fondement de la véritable connaissance de Dieu, « tenons ferme notre profession de foi [r] », comme le dit quelque part l'Écriture sacrée, et examinons avec soin notre cœur, de peur que demeure caché, tel un serpent dans un trou, un reste de

mais il est cher à Origène et surtout à Grégoire de Nysse qui se fonde sur lui pour développer le thème de l'épectase. Voir par exemple *Homélies sur le Cantique des Cantiques*, PG 44, 885 C-888 A (éd. H. Langerbeck, Leiden 1960, p. 174). Mais à la différence de Grégoire, Cyrille a moins pour but de décrire un progrès spirituel infini que d'opposer le passé, clairement identifié au polythéisme, à un avenir éclairé par la lumière du Christ.

90 ὄφις ἐν χειᾷ, διαλανθάνῃ λείψανον· « μή τις ῥίζα πικρίας ἄνω φύουσα ἐνοχλῇ [s] », κατὰ τὸ γεγραμμένον. Πονηρὸν γὰρ τὸ χρῆμα καὶ δυσδιαφόρητον νόσημα φαίη τις ἂν εἶναι νοῦ τὴν δυσγενῆ διψυχίαν [t], καὶ οὐκ ἂν ἁμάρτοι τοῦ πρέποντος, ἐπεί τοι τὰ πάντων αἴσχιστα περιέσται δήπου, καὶ οὐχ ἑκοῦσι
95 παθεῖν τοῖς τῇδε διακειμένοις. Εὐκατάσειστον μὲν γὰρ κομιδῇ καὶ εἰς ἄκρον ἥκουσαν τῆς ὅλης, ὡς ἔπος εἰπεῖν, ἀσθενείας, ἐπαθρήσαι τις ἂν οἰκίαν τῆς ἐν ἀρχαῖς ὑποβάθρας ἀπολισθήσασαν, εὐκαταγώνιστον δὲ παντελῶς. Κατὰ τὸν ἴσον τρόπον τῷ πειράζοντι Σατανᾷ τὴν τοῦ ἀνθρώπου ψυχὴν
100 κατίδοι τις ἄν, εἰ τὸν οἰκεῖον ἀφεῖσα θεμέλιον, τουτέστι Χριστόν, καὶ εἰς τὴν τῆς πίστεως ὑποβάθραν ταῖς διψυχίαις ὑβρίζουσα παραλόγως ἁλίσκοιτο.

Καί μοι δοκεῖ περὶ τῶν τοιούτων εἰπεῖν ὀρθῶς τε καὶ ἀνεγκλήτως ὁ Χριστοῦ μαθητὴς ὅτι « Κρεῖττον ἦν αὐτοῖς μὴ
105 ἐπεγνωκέναι τὴν ὁδὸν τῆς ἀληθείας, ἢ ἐπιγνοῦσιν εἰς τὰ ὀπίσω ἀνακάμψαι ἀπὸ τῆς παραδοθείσης αὐτοῖς ἁγίας ἐντολῆς. Γέγονε γὰρ αὐτοῖς τὸ τῆς ἀληθοῦς Παροιμίας· 'Κύων ἐπιστρέψας ἐπὶ τὸ ἴδιον ἐξέραμα [u]', καί· ὗς λουσαμένη εἰς κύλισμα βορβόρου [v]. » Ὥσπερ γάρ ἐστι παμμόχθηρον,
110 ἀδελφοί, τὴν ἀκάθαρτον κύνα τὸν ἴδιον ἔμετον ἀναρροφοῦσαν ἰδεῖν, βδέλυγμα γὰρ εὐθὺς ὁ τοῦτο παθών, — πάντως δήπου
672 καὶ ὁ τὴν ἕξιν ἀστεῖος καταστυγήσει βλέπων τὴν ‖ ὗν, ὅτι μιαρά τε καὶ κάκοσμος, ἐκ πηγαίων εὐθὺς ἀναπηδῶσα

Mss : A DEFG BHI (= b) CJKLM (= c)

90 χειᾷ : χριᾷ I^{mg} ‖ διαλανθάνει HI KLM edd. ‖ 91 ἐνοχλῇ *LXX* (codd. A B) : ἐν χολῇ *LXX* (codd. B^{2} Sin.) ‖ 92 διαφόρητον I edd. ‖ νόσημα A (cum punctis sub -ημα pos.) : νόημα b νούσημα Sal. ‖ 94 τοι : τι I edd. ‖ 96 κομιδοῦν D ‖ 97 ἐπαθροίσαι I Sal. Aub. ‖ ὑποβάθρον I^{sl2} C^{ac} ‖ 104 αὐτοῖς B^{mg} : αὐτῶν E αὐτῷ B ‖ 105 ὀδὴν L^{ac} ‖ 106 τῆς om. b edd. ‖ 107 παροιμίας : παρανομίας CJKL^{ac} ‖ 108 ἐξέρωμα C^{ac} ‖ 112 βλέπω C^{ac} ‖ 113 μιαρά : μακρά I edd. ‖ ἐκ edd. : εἰ codd.

s. He 12, 15 t. Cf. Jc 4, 8 u. Cf. Pr 26, 11 v. 2 P 2, 21-22

cette incroyance que Dieu déteste ; « de peur qu'aucune racine amère n'y pousse et n'y cause du trouble [s] », selon ce qui est écrit. En effet, on peut dire que la vile duplicité [t] [1] est quelque chose de mauvais, une maladie de l'intelligence difficile à supporter, et ce sont bien là les termes qui conviennent puisque ceux qui sont ainsi disposés y gagneront certainement de subir, même contre leur gré, les traitements les plus infâmants. On peut considérer qu'une maison qui a perdu son support d'origine, est facile à secouer de fond en comble et se trouve parvenue, pour ainsi dire, au comble de la fragilité absolue : elle est alors très facile à conquérir. Il en va de même, on peut le voir, pour l'âme humaine face au tentateur : si elle abandonne son propre fondement, c'est-à-dire le Christ, et si, par ses duplicités, elle porte atteinte au support de la foi, elle peut tomber d'une manière imprévue aux mains de Satan.

Il me semble d'ailleurs que le disciple du Christ a parlé de ce type de personnes de manière juste et irréprochable en disant : « Il eût mieux valu pour eux ne pas avoir connu la voie de la vérité, plutôt que, la connaissant, revenir en arrière en abandonnant le saint commandement qui leur avait été transmis. Il leur est arrivé ce que dit en toute vérité le proverbe : 'Le chien est retourné à sa propre vomissure [u]'et la truie à peine lavée se roule dans le bourbier [v]. » En effet, mes frères, il est tout à fait répugnant de voir un chien souillé engloutir à nouveau sa propre vomissure, — car celui qui agit ainsi provoque aussitôt le dégoût, — sans aucun doute aussi, un homme de bon goût éprouvera de la répulsion à la vue d'une truie, parce que souillée et puante, à peine élancée hors [1] des

1. La duplicité dans la foi en lien avec l'idolâtrie a déjà été critiquée en *LF* IX, 4-5 où le terme διψυχία est même utilisé en 5, 233.

ναμάτων, βορβόροις εἰσαῦθις καὶ τοῖς εἰς ἄκρον
115 καταμιαίνουσιν ἑαυτὴν ἐγκαθίησι τέλμασιν· οὕτως, οἶμαι,
πάναισχρόν τε καὶ ἀτοπώτατον, μᾶλλον δὲ ἁπάσης ἀτοπίας
τρέχον ἐπέκεινα, ἀληθὲς εἰπεῖν, τῆς διψυχίας τὸ ἔγκλημα,
παλινδρομεῖν ἀναπεῖθον ἐπὶ τὴν ἐν ἀρχαῖς ἀβουλίαν καὶ ἐπ'
ἐκείνην αὖθις ἰέναι κελεῦον τῆς ἀσεβείας τὴν νόσον, ἣν διὰ
120 πίστεως τῆς εἰς Χριστὸν παραδόξως ἀποκρουσάμενοι τῆς
πνευματικῆς εὐρωστίας ἐπεδραξάμεθα τόν νοῦν τε ὑγιᾶ καὶ
ἀσινῆ ἐσχήκαμεν.

Οὐκοῦν ἀκόλουθον ἐκεῖνο δὴ πάλιν ἡμᾶς διασκεψαμένους
ἰδεῖν. Εἴ τι τῶν τοῦ σώματος ἡμῖν ἐπηρώθη μελῶν καὶ νόσος
125 αὐτὸ δεινὴ κατεβόσκετο· κατεκήλησε δέ τις τῶν ἰατρῶν τὸ
πάθος τοῖς ἐκ τῆς τέχνης εὑρήμασι παρατρέπων εἰς
ἡμερότητα, καὶ οἱονεί πως ἀνασειράζων τοῦ κακοῦ τὸν
ἐπέκεινα δρόμον ἢ καὶ ἀνακόπτων εἰς τὸ παντελές, ἆρά τις εἰς
τοῦτο πεσὼν εὐηθείας ἁλώσεται ὡς μὴ τοῦ παντὸς ἄξιον
130 ἡγεῖσθαι τὸ χρῆμα, παλινδρομεῖν δὲ αὖθις ἐθελῆσαι πρὸς τὸ
νοσεῖν ; καὶ τίς ἄνους τε καὶ βραχυγνώμων ἀνὴρ εἴη ἂν εἰς γε
τοσοῦτον, ὡς ἐνὸν ἑλέσθαι τὸ εὐρωστεῖν, τῶν ἐναντίων ἐρᾶν ;
Ἐπεὶ δὲ οὐχὶ τὸ σαρκίον ἡμῖν τὸ ἐκ γῆς, ἀλλ' αὐτὸ τὸ
κράτιστον, ψυχή τε καὶ νοῦς, ἀρχαίων καὶ μυσαρῶν
135 ἀπήλλακται νοσημάτων, καὶ τὴν τῆς πολυθείας διενηξάμεθα
νόσον, οὐ τριπόθητον ἡγῇ τὸ ὑγιαίνειν, ὦ τᾶν, ἥδιστον δέ σοι
φαίνεται τὸ ἔτι νοσεῖν, καίτοι διακρούσασθαι παρόν, ἂν
ἐθελήσῃς μόνον ;

Mss : A DEFG BHI (= b) CJKLM (= c)

114 βορβόροις : -ως E -ος C[ac] ‖ καὶ : δὲ C[ac] ‖ 118-119 ἐπ' ἐκείνην : -ης I edd. ‖ 121 τε ὑγιᾶ : ὑγιᾶ τε Mi. ‖ 124 ἐπυρώθη I edd. ‖ 126 τοῖς : τῆς C[ac] J ‖ 127 τὸν : τὴν C[ac] ‖ 128 ἆρά τις : ἄρα τίς Mi. ‖ 129 πεσὸν CJKL ‖ 135 νοημάτων I edd. ‖ πολυθείας : πολιτείας b edd. ‖ 136 ἥδυστον I edd.

---

1. Malgré le texte des manuscrits qui portent εἰ, ce qui oblige à faire des deux adjectifs les attributs d'un verbe « être » sous-entendu, nous proposons de corriger en ἐκ, car le raisonnement vise à prouver qu'il est répugnant non pas de voir qu'une truie est souillée, mais de constater qu'à peine sortie de l'eau elle se replonge à nouveau dans la boue, comme un chien qui engloutit

flots d'une source, elle se jette à nouveau dans des bourbiers et des marais extrêmement fangeux ; de même, à mon avis, il est vrai de dire que la duplicité est un crime tout à fait honteux et absurde, qu'il dépasse même l'absurdité absolue, lui qui persuade de retourner vers l'irrésolution des origines et incite à revenir vers cette maladie de l'impiété que nous avons repoussée de manière extraordinaire grâce à la foi en Christ, nous saisissant ainsi de la vigueur spirituelle et gardant notre intelligence saine et à l'abri du mal.

Il convient donc que nous examinions à nouveau la chose suivante. Supposons que l'un des membres de notre corps ait été mutilé et qu'une terrible maladie l'ait dévoré ; si un médecin est parvenu à apaiser la douleur en l'adoucissant grâce aux remèdes de son art et en domptant, pour ainsi dire, la course galopante du mal ou même en l'extirpant complètement, se peut-il que quelqu'un en vienne à un tel point de sottise qu'il oublie que la santé est d'un prix inestimable et veuille revenir à sa maladie ? Quel homme serait assez insensé et peu intelligent pour désirer, alors qu'il peut choisir d'être vigoureux, l'état contraire ? Puisque ce n'est pas ce qui en nous est charnel et tiré de la terre, mais la partie même la meilleure, l'âme et l'intelligence, qui se trouve débarrassée des maladies anciennes et infâmes, et puisque nous avons traversé la maladie du polythéisme, ne penses-tu pas, mon ami, que la santé est hautement désirable et te semble-t-il particulièrement agréable d'être encore malade, alors qu'il te serait possible de l'éviter, si seulement tu le voulais ?

à nouveau sa vomissure ou un impie qui retourne à son polythéisme d'antan. Dans ses autres œuvres, Cyrille cite parfois ce passage de Pierre, mais le plus souvent en se limitant au v. 21 (*LF* IX, 6, 63-65 ; *In Io.* IV, 5, 411 b) ou en ne développant pas comme ici la crudité des images (*De Adoratione* 952 C, 989 A ; *In Io.* IV, 5, 411 b). La plupart du temps, ce texte permet de fustiger les chrétiens qui, après avoir abandonné le culte des créatures pour la vraie foi, décideraient de revenir en arrière, se préparant ainsi un châtiment bien pire encore que celui qui pourrait peser contre les païens (*Commentaire sur Malachie* II, 865 e ; *Dial. Trin.* VII, 633 d ; *Le Christ est Un* 715 b).

Ἀλλ' ἐκεῖνό που πάντως ἀνακεκραγώς τις ἀφίξεται, καὶ
140 ψυχρὸν ἀπὸ καρδίας ἀνήσει λόγον· Καὶ ποῖον ἄρ' ὑμῖν εἰσοίσει
τὸ βλάβος, τὸ πιστεύειν μέν, ἕνα τῶν ὅλων εἶναι Πατέρα καὶ
Γενεσιουργόν, ἀπονέμειν δὲ τὰς τιμὰς καὶ τοῖς ἐγκοσμίοις
δαίμοσι, Θρόνους ἡμῖν καὶ Ἀρχάς, καὶ Δυνάμεις, καὶ
Κυριότητας[w], καὶ αὐτῆς ὀνομαζούσης τῆς ἱερᾶς τε καὶ
145 θεοπνεύστου Γραφῆς ; Πρὸς δὴ τὸν εὐήθη καὶ γραώδη[x]
τουτονὶ λόγον πρέπειν οἶμαι πάλιν ἐκεῖνο εἰπεῖν, ὡς ἔστιν
ἀπίθανον ἀπηχές τε παντελῶς, μᾶλλον δὲ ἤδη καὶ
σφαλερώτατον ταῖς εἰς ἄκρον ἡκούσαις καὶ ἰσομέτροις τιμαῖς
στεφανοῦν ἐπιχειρεῖν, καὶ τὸν τοῖς τῆς ἐπιγείου βασιλείας
150 ἐφιζάνοντα θώκοις, καὶ τοὺς ὑπὸ πόδα κειμένους καὶ δοῦλον
αὐτῷ τὸν αὐχένα ὑπεστρωκότας. Ἦ γὰρ οὐχὶ τὸ μὲν τῶν ὅλων
κρατεῖν τοῖς τοῦτο λαχοῦσιν ὡς ἐξαίρετον ἀνακείσεται ; Τό γε μὴν ὑπεζεῦχθαι φαίη τίς ἂν τοῖς ἄλλοις
ἁρμοδιώτατον ; Ἀλλ' ἐνδοιάσειν οἶμαι μηδένα. Καὶ εἰ μέν
155 τινες εἶεν τῶν τεταγμένων ἐν ὑπηκόοις εὖνοι τε καὶ
γνησιώτατοι, καὶ γερῶν καὶ δόξης ἀξιωθήσονται· εἰ δὲ
ἀπειθεῖς καὶ δυσήνιοι καὶ ἀτιμαγέλαι τινές, ἐν τοῖς ὅτι
μάλιστα πολεμιωτάτοις κατατετάξονται καὶ τῆς ἁπασῶν
ἐσχάτης μεθέξουσι δίκης. Πλὴν ἐκεῖνο ἐν τούτοις
160 κατασκέψασθαι δεῖ.

Mss : A DEFG BHI (= b) CJKLM (= c)

139 ἀφίξεται b^{mg} Mi.^{mg} : ὀφθήσεται b edd. || 140 ἀνοίσει I edd. ἀντίσει LM (-τοί- ἴσ. ambo^{mg}) || ἄρ' : ἄν b edd. || ὑμῖν : ἡμῖν b edd. || 141 τῶν : πῶς D I^{mg} || 149 τὸν τοῖς τῆς : τὸν τῆς b edd. τὸν τοῖς LM || ἐπιγείους G || 150 θάκοις F C^{ac} K || 153 ὑπεξεῦχθω C^{ac}

w. Cf. Col 1, 16   x. Cf. 1 Tm 4, 7

1. Ce danger du culte des anges semble récurrent comme le montrent les diverses réfutations de saint Paul, Col 2, 18 ; Origène, *Contre Celse* V, 5-6, *SC* 147, p. 24-29 ; Théodoret, *Thérapeutique des maladies helléniques*, III, 87-88, *SC* 57 B, p. 196. Il a même fallu que le concile de Laodicée (deuxième partie du IVe siècle) condamne explicitement cette crypto-idolâtrie des anges dans son canon 35 (cf. Hefele-Leclercq, *Histoire des*

Le culte des anges : un polythéisme déguisé

Distinguer le roi de ses sujets Mais très certainement quelqu'un viendra se récrier et fera jaillir de son cœur cette parole froide : « Quel tort cela vous fera-t-il de croire en un seul Père et Créateur de l'univers, tout en attribuant les honneurs également aux démons du monde, puisque l'Écriture sacrée et divinement inspirée les nomme elle-même pour nous Trônes, Principautés, Puissances, Seigneuries [w] [1] ? » En réponse à cette stupide parole de vieille femme [x], je crois qu'il convient de dire à nouveau ceci : il est invraisemblable et totalement choquant, bien plus il est même désormais tout à fait dangereux de chercher à couronner avec les honneurs suprêmes et d'une manière égale à la fois celui qui est assis sur le trône de la royauté terrestre et ceux qui, placés sous ses pieds, lui ont soumis leur cou en esclaves. En effet, la domination sur l'univers ne sera-t-elle pas le privilège de ceux qui ont obtenu cette charge, tandis que la soumission à un joug est, peut-on dire, mieux adaptée aux autres ? Eh bien je crois que nul n'en doutera. Et si parmi ceux qui sont au rang de sujets, certains ont des dispositions d'esprit bienveillantes et très nobles, ils seront jugés dignes de récompenses et de gloire ; mais si certains sont désobéissants, difficiles à maîtriser et méprisants envers leurs pairs, ils seront comptés parmi les plus grands ennemis qui puissent exister et subiront le pire de tous les châtiments. Du reste à ce sujet, il faut examiner avec soin la chose suivante.

conciles I, 2° partie, Paris, 1907, p. 1017). Voir aussi Théodoret, *In Coloss.* 2, 18, *PG* 82, 613 B qui mentionne cette condamnation du concile de Laodicée d'adresser des prières aux anges et déclare qu'à son époque encore on trouvait des églises dédiées à saint Michel en Phrygie et en Pisidie. Le témoignage de Cyrille permet de constater que cet attrait pour le culte des anges était également répandu en Égypte au ve siècle.

Δοίην δ' ἂν ἔγωγε τῆς ἀρίστης εἶναι φρενὸς τὸ εὖ μάλα δύνασθαι κατιδεῖν, ὅτι καὶ τοῖς τῆς γνησιότητος λαχοῦσι τὴν
673 ‖ δόξαν καὶ μαρτυρουμένοις εἰς τοῦτο διὰ πραγμάτων, μέτεστι μὲν εὐκλείας καὶ τῆς ἀνωτάτω τιμῆς ἔσθ' ὅτε, οὐ μὴν
165 οἴκοθεν οὐδ' ἐξ οἰκείας αὐτοῖς ἐξουσίας πεπορισμένης, ἀλλ' ἐκ τῆς τοῦ κρατοῦντος ἐθελουσίου ῥοπῆς. Καὶ πηγὴ μὲν ἅπασι τιμῆς τε καὶ δόξης ἡ βασιλέως θέλησις· οἱ δέ εἰσιν οὐκ ἐν τοῖς ἔχουσι φυσικῶς, ἀλλ' ἐν τοῖς δεχομένοις τὰ γέρα. Καὶ ἕως μὲν ἑστᾶσιν ὀρθῶς φρονοῦντες τὰ βασιλέως,
170 ἐρηρεισμένην ἔχουσι τὴν δυναστείαν καί εἰσι τῆς δόξης ἐν καλῷ. Μετατετραμμένοι δὲ πρὸς τὸ ἐναντίον, ζηλωτοὶ μὲν οὐκ ἔτι, τρισάθλιοι δὲ καὶ παντὸς ἐπέκεινα κακοῦ πεσόντες ἁλώσονται. Εἰ δὲ δήπου τις εἰς τοῦτο μοχθηρῶν καθίκοιτο βουλευμάτων, καὶ ἐξ ἀκράτου μανίας παρατεθηγμένος εἰς
175 ἀπόστασιν καὶ ὅπλων αὐτῶν καὶ τυραννικῶν ἐπιτηδευμάτων ῥιψοκινδύνως ἁψάμενος, πόλεις τε καὶ χώρας ἐξαναστήσειε, καὶ τὸν ἐξ ἀνάγκης ζυγόν τισιν ἐπιρρίψας τὴν τῆς βασιλείας ἐφ' ἑαυτῷ παραβιάζοιτο δόξαν, εἴη ἂν παρά γε τοῖς σώφροσιν, οὐχὶ διὰ τοῦτο τιμᾶσθαι πρέπων, ἀλλ' οὐδὲ τοῖς
180 τῶν ὅλων κρατοῦσι συντετάξεται. Πολλοῦ γε καὶ δεῖ. Πραχθείη δ' ἂν μᾶλλον τῆς ἀπονοίας τοὺς λόγους, καὶ τῶν οὕτως ἀνοσίων ἐγχειρημάτων ἐξαιτοῖτο ἄν, καὶ μάλα εἰκότως, τὴν ἰσοπαλῆ καί, ἵν' οὕτως εἴποιμεν, ἰσήλικα δίκην.

Mss : A DEFG BHI (= b) CJKLM (= c)

161 δοίην ἄν b edd. ‖ 170 ἐρησεισμένην b edd. ‖ 173 καθήκοιτο b edd. ‖ 174 παρατεθηγμένος : - (γ) - Mi. - ημένος Aub. ‖ 176 ῥιψοκινδύνως : -ος C^{ac} ‖ 178 παραβιάζαιτο I Sal. Aub. ‖ 179 πρέπον b edd. ‖ 181 πραχθεὶς I edd.

1. Derrière cette analogie humaine, on voit poindre une distinction, fondamentale chez Cyrille, entre les prérogatives de nature et celles qui proviennent de la grâce divine. Cette opposition a ici pour but de séparer nettement la gloire qui revient à Dieu par nature de celle qui peut être accordée par Dieu à ses anges. Voir par exemple *Thes.* XX, 345 D : Dieu seul

Pour ma part, je concéderais que le propre de la plus haute intelligence est de pouvoir parfaitement se rendre compte que même ceux qui ont obtenu en partage la gloire d'une noble naissance et dont les actes en témoignent, participent, il est vrai, quelquefois à la gloire et à l'honneur suprême ; pourtant ils ne doivent cet honneur ni à eux-mêmes ni à leur propre puissance, mais à la décision volontaire de celui qui détient le pouvoir [1]. Car c'est la volonté de l'empereur qui est pour tous ses sujets source d'honneur et de gloire, tandis qu'eux font partie non pas de ceux qui possèdent par nature les marques d'honneur, mais de ceux qui les reçoivent. Tant qu'ils gardent de bonnes dispositions envers le règne de l'empereur, leur pouvoir reste solidement établi et ils sont bien placés pour obtenir la gloire. En revanche, dès qu'ils se tournent vers le contraire, ils sont non plus enviables, mais très malheureux, et on les verra tomber dans les pires maux. Or sans doute, si quelqu'un en venait à prendre des décisions si mauvaises et si, après avoir été excité à la révolte par une folie démesurée et s'être saisi témérairement des armes elles-mêmes et des pratiques tyranniques, il se mettait à dévaster cités et campagnes et s'arrogeait de force la gloire impériale, en imposant son joug contraignant à certaines d'entre elles, ce n'est pas pour cela qu'il serait jugé digne d'être honoré, du moins par les sages, et on ne le mettra pas non plus au rang des puissants de l'univers. Il s'en faut de beaucoup. Au contraire, on pourra plutôt lui réclamer des comptes sur sa folle témérité et, pour punir des entreprises aussi impies, on aura de très bonnes raisons d'exiger un châtiment équivalent, et pour ainsi dire de même taille.

est immortel au sens propre parce qu'il l'est par nature (φυσικῶς), tandis que les créatures possèdent cet état par grâce (ἀπὸ χάριτος). Dans la polémique antiarienne, cette distinction se trouve appliquée à l'écart qui sépare le Verbe, Fils par nature du Père, et les hommes, devenus fils adoptifs par grâce (cf. *Thes.* XII, 189 C ; *Dial. Trin.* III, 489 a).

Ἀλλὰ ταυτὶ μὲν ἡμῖν ἐκ τῶν καθ' ἡμᾶς πραγμάτων,
185 εἰρήσθω τε ἅμα καὶ ἀναπεπλάσθω χρησίμως, καθάπερ ἐν πίνακι γραφή. Φέρε δὴ οὖν ταῖς ἐπέκεινα τῶν αἰσθητῶν ἐννοίαις προσβαλόντες, ὀξυωπέστερον τὸ θεῖον αὐτὸ κατασκεψώμεθα κάλλος· καὶ τὴν τῶν ὅλων βασιλίδα, κατά γε τὸ ἐγχωροῦν, καταθεώμενοι φύσιν, τήν τε ἄρρητον αὐτῆς
190 δύναμιν καὶ ἐξουσίαν, ὡς ἔνι, καλῶς ἀναλογισάμενοι, τῶν παρ' αὐτῆς γεγονότων καὶ ὑπ' αὐτῇ κειμένων ἐννοήσωμεν τὴν δουλείαν. Εἷς μὲν γὰρ ὁ πάντων ἐστὶ Δεσπότης, καὶ γενεσιουργὸς καὶ τῶν ὅλων Κύριος· ἐπειδὴ δέ ἐστι κατὰ φύσιν ἀγαθός, ἵνα τοῦτο ὑπάρχων καὶ οὐχὶ αὐτῷ καὶ μόνῳ
195 γινώσκοιτο, μετάσχοιεν δὲ καὶ ἕτεροι τῆς ἐνούσης ἡμερότητος αὐτῷ, παρεκόμισεν εἰς τὸ εἶναι τὰ οὐκ ὄντα ποτέ. Καὶ ἀριθμοῦ μὲν κρείττονα πνευμάτων ἁγίων ἔκτισε πληθύν· τάξιν δὲ τοῖς γεγονόσι τὴν ἀρίστην ἐπιτιθείς, τὸ μὲν ὠνόμασεν Ἀρχήν, τὸ δὲ Κυριότητα, Θρόνον δὲ ἕτερον,
200 Ἀρχαγγέλους δέ τινας, καὶ μὴν καὶ Ἀγγέλους. Οὐ γὰρ ἕτερόν τι νοῶν ἢ ὅπερ ἔχει καλῶς τε καὶ ἀμωμήτως πάντη τε καὶ πάντως ἑκάστῳ τῶν γεγονότων τὴν αὐτῷ καὶ μόνῳ δοκοῦσαν ἐπεμέτρησε τιμήν.

β΄. Οὐκοῦν ἀναρίθμιος μὲν ἐν τοῖς οὐρανοῖς ἡ τῶν ἁγίων ἀγγέλων πληθύς, Ἀρχαὶ δέ τινες, καὶ Ἐξουσίαι, καὶ Θρόνοι τέθεινται παρὰ Θεοῦ, οἱονεὶ τὴν πατρὸς ἢ καθηγητοῦ τινος τάξιν ἀποπληροῦσαι τοῖς ἄλλοις. Ἦν γὰρ οὕτω, καὶ οὐχ

Mss : A DEFG BHI (= b) CJKLM (= c)

186 ταῖς : τοῖς I^sl2 c Sal Aub. ‖ 187 προσβαλόντες I^mg : προ- HI edd. ‖ ὀξυωπότερον c

β΄ 1 ἀναρίθμιος leg. putamus cum edd. *innumerabilis series* Sal.^v : ἐν αρίθμιος (sine sp.) A EF (ἀ- ambo) ἐναρίθμιος DG (vid.) b c *annumerata multitudo* Sch.

1. Cyrille insiste souvent sur le statut de créature des anges, en précisant que leur existence a été tirée du néant, y compris pour les plus haut placés dans la hiérarchie comme les Séraphins (cf. *Glaph. in Gen.* I, 3, *PG* 69, 21 D-24 A).

2. Lorsqu'il parle des créatures célestes, Cyrille affirme souvent que Dieu leur a attribué un rang propre à chacune d'elles, sans pourtant adopter un ordre immuable pour les classer. De surcroît, ces listes empruntent à la fois à Col 1, 16 et à Ep 1, 21. Ce qui lui importe plus, c'est de spécifier que toutes

Distinguer le Créateur de ses créatures

Eh bien, ces exemples tirés des réalités que nous connaissons, disons que nous les avons donnés et représentés utilement, comme une peinture sur un tableau. Mais maintenant, passons à des considérations qui dépassent le sensible, examinons avec plus d'acuité la beauté divine elle-même ; en contemplant, dans la mesure de nos possibilités, la nature qui règne sur l'univers, et en conjecturant par analogie, du mieux que l'on peut, sa puissance et son pouvoir ineffables, considérons la servitude des êtres créés par elle et qui lui sont soumis. Car unique est le Maître de toutes choses, Créateur et Seigneur de l'univers ; mais puisqu'il est bon par nature, afin que l'on reconnaisse qu'il est tel non pas seulement pour lui-même, et afin que d'autres participent aussi de la douceur qui lui est inhérente, il a conduit à l'être ce qui n'existait pas autrefois [1]. Il a créé une foule d'esprits saints que l'on ne peut dénombrer ; et attribuant le meilleur rang à ces êtres créés, il a nommé l'un « Principauté », l'autre « Seigneurie », un autre « Trône », certains « archanges », certains encore « anges ». Car c'est en ne pensant pas à autre chose qu'à ce qui est bon et absolument irréprochable qu'il a mesuré pour chacun des êtres créés l'honneur qui revient à lui seul.

Unicité de Dieu et multiplicité des anges

2. La foule des saints anges est donc innombrable dans les cieux et certains ont été établis par Dieu « Principautés, Puissances, et Trônes », parce qu'ils remplissent en quelque sorte le rôle d'un père ou d'un maître envers les autres [2]. C'était en effet ainsi, et non autrement,

les catégories, même les plus élevées, dépendent de Dieu et ont pour rôle de le glorifier (*Dial. Trin.* IV, 526 ae ; V, 575 cd). Ici il précise en outre que l'un des rôles dévolus à ces puissances est de veiller sur les affaires des êtres créés, doctrine que l'on trouve déjà chez Justin, *II Apol.* V, 2 et Athénagore, *Supplique*, 10 : « Le démiurge et le Créateur du monde, Dieu, a par l'intermédiaire de son Verbe réparti et ordonné les anges, pour qu'ils s'occupent des éléments, des cieux, du monde et de ce qui est en lui, et de leur harmonie ».

5 ἑτέρως, ἐξ οὐρίας ὥσπερ τοῖς γεγονόσιν ἰέναι τὰ πράγματα.
676 Ὅταν ‖ τοίνυν τῶν ἱερῶν ἀκούσῃς Γραμμάτων Δυνάμεις, καὶ Θρόνους, καὶ Κυριότητας [a] ἀποκαλούντων τινάς, μὴ πολύθεον ἐντεῦθεν διακηρύττεσθαι πλάνησιν ὑπολάβῃς, ἄνθρωπε, μηδὲ τοῖς ἐξ ἀμαθίας ἐπινηχόμενος λογισμοῖς, τῶν
10 τῆς ἀληθείας παρακομίζου δογμάτων. Ὃ γὰρ ἔφην φθάσας, ἐρῶ πάλιν, ὡς γὰρ ὁ μακάριος γράφει Παῦλος, « ταυτὰ λέγειν ὑμῖν, ἐμοὶ μὲν οὐκ ὀκνηρόν, ὑμῖν δὲ ἀσφαλές [b]. » Εἷς ὁ πάντων ἐστὶ Γενεσιουργὸς καὶ Κύριος, καὶ μυρίαι μὲν μυριάδες ἁγίων ἀγγέλων παρεστήκασιν αὐτῷ [c]· καὶ οὐκ ἔστι
15 τι τῶν παρ' αὐτοῦ γεγονότων, ὃ μὴ τὸν τῆς δουλείας ἔχει ζυγόν. Εἰ δὲ ἀπεσκίρτησάν τινες, καὶ οἷον ἐπὶ τῆς ζεύγλης ἑλκύσαντες τὸν αὐχένα, τετιμώρηνται καὶ πεπτώκασι καὶ τῆς ἀνωτάτω πόλεως εὐλόγως ἀπολισθήσαντες, πεπλανήκασί τινας τῶν ἐπὶ γῆς, τὴν τοῦ Θεοῦ δόξαν εἰς
20 ἑαυτοὺς ἁρπάζειν ἐπιχειρήσαντες· ὧν εἷς καὶ πρῶτος ὁ Σατανᾶς. Οὐχὶ δήπου πάντως καὶ θεοὺς εἶναι κατὰ ἀλήθειαν ὑποτοπητέον αὐτούς. Μία μὲν γὰρ ἡ κατὰ ἀλήθειαν τῶν ὅλων δεσπόζουσα φύσις· πάντα δὲ τὰ παρ' αὐτῆς κεκλημένα πρὸς γένεσιν κτίσματα λογικὰ τὴν οἰκετικὴν ἐπέχοντα τάξιν τοῖς
25 σφίσι πρεπωδεστάτοις ἐπισεμνύνεται μέτροις. Καὶ τοῦτο αὐτοῖς ἀξίωμα καὶ ὑπεροχή· τὸ διασώζειν δύνασθαι τὴν τεταγμένην αὐτοῖς καὶ εἰσποίητον ἀρχήν.

Προσκυνεῖ δὲ σύμπαντα τὸν Δημιουργὸν καὶ ἀκαταλήκτοις εὐφημίαις τὸν τῶν ὅλων Δεσπότην καταγεραίροντα,
30 διὰ πάσης ἄν τις ἴδοι τῆς θεοπνεύστου Γραφῆς. Καὶ γοῦν ὁ

Mss : A DEFG BHI (= b) CJKLM (= c)

9 τοῖς ἐξ : τῆς ἐξ K[ac] τῆς (om. ἐξ) I edd. ‖ 13 μυρία JKL[ac] ‖ 22-23 τῶν ὅλων δεσπόζουσα φύσις ([φύσις] Mi.) : δ. τ. ὅ. φ. B[ac] φύσις om. Aub. (ad finem pag.) ‖ 23 πρὸς Mi.[mg] : εἰς I edd. ‖ 25 σφίσι : φύσει b edd. ‖ 28-29 ἀκαταλήκτοι BI Sal. Aub. ‖ 29 εὐφημέαις L ‖ ὅλον A D

---

2 a. Cf. Col 1, 16 b. Ph 3, 1 c. Cf. Dn 7, 10

---

1. Is 6, 1-3 et Ps 102, 20-21 sont souvent cités ensemble par Cyrille pour prouver que les anges ont le rang de serviteur et que leur rôle propre est de

que les affaires des êtres créés pouvaient avancer comme poussées par un vent favorable. Donc lorsque tu entends les Écritures sacrées appeler certains « Puissances, Trônes et Seigneuries [a] », ne va pas tirer de là, homme, l'idée qu'elles prêchent l'erreur polythéiste et ne te laisse pas entraîner loin des enseignements de la vérité, en te laissant porter sur les flots de raisonnements tissés d'ignorance. Je vais encore répéter ce que je viens de dire, car, comme l'écrit le bienheureux Paul, « vous dire cela ne m'est pas à charge, et pour vous, c'est une sûreté [b]. » Unique est le Créateur et Seigneur de toutes choses, tandis que par milliers, des myriades de saints anges se tiennent à ses côtés [c] ; et parmi les êtres qui lui doivent l'existence, il n'en est pas un qui ne porte le joug de la servitude. Mais si certains se sont rebiffés, en arrachant leur cou qui était comme attaché sous le joug, ils ont été châtiés par leur chute ; et après avoir été précipités, à juste titre, de la cité d'en-haut, ils ont égaré certains de ceux qui sont sur terre, en essayant de s'emparer pour eux-mêmes de la gloire de Dieu ; l'un d'entre eux, et le premier, est Satan. En tout cas, il ne faut absolument pas envisager l'hypothèse que ce sont des dieux véritables. En effet, unique est la nature qui est véritablement maîtresse de l'univers ; tandis que toutes les créatures raisonnables qui ont été appelées par elle à l'être occupent le rang de serviteur et sont glorifiées dans des proportions qui leur sont tout à fait adaptées. Pour elles, l'honneur et l'excellence consistent en ceci : pouvoir conserver la charge qui leur a été fixée et allouée.

L'honneur des anges est de louer Dieu

Toutes choses adorent le Créateur et elles honorent le Maître de l'univers par des louanges incessantes, comme on peut le voir à travers toute l'Écriture divinement inspirée [1]. De fait, le divin prophète Isaïe déclare :

louer Dieu. Cf. *Dial. Trin.* V, 577 ce ; VI, 607 d ; *Contre Julien* III, *PG* 70, 625 D-627 A.

θεσπέσιος προφήτης Ἡσαΐας, « Εἶδον, φησί, τὸν Κύριον
Σαβαὼθ καθήμενον ἐπὶ θρόνου ὑψηλοῦ καὶ ἐπηρμένου· καὶ
Σεραφὶμ εἱστήκεισαν κύκλῳ αὐτοῦ, ἓξ πτέρυγες τῷ ἑνί, καὶ
ἓξ πτέρυγες τῷ ἑνί· καὶ ταῖς μὲν δυσὶ κατεκάλυπτον τὸ
35 πρόσωπον, καὶ ταῖς δυσὶ τοὺς πόδας, καὶ ταῖς δυσὶν
ἐπέτοντο [d] »· καὶ ἀμοιβαδὸν ἀντηχοῦντα, φησίν, ἀλλήλοις,
ἅγιον ἐπεκάλουν τὸν τῶν δυνάμεων Κύριον [e]. Τοῦτο γὰρ
σημαίνει τὸ Σαβαώθ. Ἄθρει δὴ οὖν ὅπως αἱ ἀνωτάτω
δυνάμεις ἅγιαί τε καὶ λογικαί, τουτέστι τὰ Σεραφίμ, μέτρον
40 ἔχοντα τὸ δουλοπρεπές· τὸν θεῖον περιεστᾶσι θρόνον καθάπερ
ἐν ὀφλήματος τάξει τὰς εὐφημίας ἀποτιννύοντα. Ἆρ' οὖν
ἐρήσομαι, ὦ γενναῖε, τίνι μὲν ἂν πρέποι τὸ ἐπὶ θρόνου
καθίζειν ὑψηλοῦ καὶ ἐπηρμένου, τίνι δ' αὖ τὸ παρεστάναι καὶ
λειτουργεῖν ; Ἀλλ' οἶμαί που πάντως ἐκεῖνο ἐρεῖν, ἐξ αὐτοῦ
45 τοῦ πράγματος ἀναπεπεισμένον· ὅτι τεκμηριοῖ μὲν ἡ κάθισις
τὸ ἀξίωμα τὸ δεσποτικόν· μέτρον γε μὴν τὸ δουλοπρεπὲς ἡ
παράστασις. Σύνδρομον δὲ τοῖς Ἡσαΐου λόγοις καὶ αὐτὸν
εὑρήσομεν τὸν μακάριον Δαβίδ· « Κύριος γάρ, φησιν, ἐν τῷ
οὐρανῷ ἡτοίμασε τὸν θρόνον αὐτοῦ, καὶ ἡ βασιλεία αὐτοῦ
50 πάντων δεσπόζει [f]. » Εἶτα τοῖς ἐπὶ τὰ σκῆπτρα διακελεύεται
λέγων· « Εὐλογεῖτε τὸν Κύριον, πάντες οἱ ἄγγελοι αὐτοῦ,
δυνατοὶ ἰσχύϊ, ποιοῦντες τὸν λόγον αὐτοῦ, τοῦ ἀκοῦσαι τῆς
φωνῆς τῶν λόγων αὐτοῦ. Εὐλογεῖτε τὸν Κύριον, πᾶσαι αἱ
677 δυνάμεις αὐτοῦ, λει‖τουργοὶ αὐτοῦ, ποιοῦντες τὸ θέλημα
55 αὐτοῦ. Εὐλογεῖτε τὸν Κύριον, πάντα τὰ ἔργα αὐτοῦ [g]. »

Mss : A DEFG BHI (= b) CJKLM (= c)

32 σαββαὼθ HI L edd : om. *LXX* ‖ 36 φησίν : φωνὴ D ‖ 38 σαββαὼθ HI edd. ‖ ἄθρη b Sal Aub. ‖ 40 τὸ B^{mg}H^{mg} C^{mg} : τοῦ A DEFG BH C ‖ περιεστᾶσι : περιστᾶσι b Sal. Aub. -ι(ι)σ- Mi. περιέσταισι (cum ον supra αι scr.) F ‖ 41 ἀποτιννύντα KLM ‖ 43 αὖ : om. G ἂν I edd. ‖ 44 πάντας c ‖ 45 κάθησις D b edd. ‖ 46 γε codd. edd. : δὲ forte leg. putamus ‖ 50 δεσπόζει *LXX* : δεσπόσει edd.

d. Is 6, 1-2 e. Cf. Is 6, 3 f. Ps 102, 19 g. Ps 102, 20-22

« J'ai vu le Seigneur Sabaoth assis sur un trône haut et élevé ; des Séraphins se tenaient autour de lui, ayant l'un et l'autre six ailes : deux pour se couvrir le visage, deux pour les pieds, deux pour voler [d] » ; et se faisant écho l'un à l'autre, alternativement, dit l'Écriture, ils appelaient saint le Seigneur des puissances [e]. C'est cela que signifie Sabaoth. Observe donc comment les puissances d'en-haut, saintes et raisonnables, c'est-à-dire les Séraphins, conservent la condition qui convient à des serviteurs : ils se tiennent autour du trône divin en acquittant pour ainsi dire leur dette par leurs louanges. Je te demanderai donc, mon cher : à qui peut-il convenir de s'asseoir sur un trône haut et élevé et, inversement, à qui convient-il de se tenir debout auprès de quelqu'un et de servir ? Je pense que, persuadé par la réalité elle-même, tu répondras sans doute la chose suivante : siéger témoigne de la dignité qui revient au maître, tandis que se tenir debout auprès de quelqu'un est la condition qui convient aux serviteurs. Nous trouverons que le bienheureux David est lui aussi d'accord avec les paroles d'Isaïe : « Le Seigneur, dit-il, a disposé son trône dans le ciel, et sa royauté domine sur tout [f]. » Ensuite il donne cet ordre à ceux qui sont soumis à son sceptre : « Bénissez le Seigneur, tous ses anges, puissants par votre force, vous qui exécutez sa parole, pour avoir écouté le son de ses paroles. Bénissez le Seigneur, toutes ses puissances, ses serviteurs, vous qui exécutez sa volonté. Bénissez le Seigneur, toutes ses œuvres [g]. »

Ἰδοὺ δὴ κἀν τούτῳ, τὸν μὲν θεῖον ἐν οὐρανῷ φησιν ηὐτρεπίσθαι θρόνον, χρῆναι δὲ ἅπαντας ἀκαταλήκτως δοξολογεῖν, ἀγγέλους ἡμῖν ὀνομάζων καὶ λειτουργοὺς καὶ δυνάμεις. Ἐπὶ τούτοις ἅπασιν ἐπενεγκὼν τὸ « Εὐλογεῖτε
60 τὸν Κύριον, πάντα τὰ ἔργα αὐτοῦ. »

Ἀμαθὲς οὖν ἄρα, μᾶλλον δὲ καὶ τῆς ἐσχάτης ἀσεβείας ἀνάμεστον τὸ ποιήμασι μὲν τοῖς ἰδίοις ἐναριθμεῖσθαι τὸν ποιητήν, τὸν δὲ τῶν ὅλων Δεσπότην τοῖς οἰκετικοῖς περιβάλλειν μέτροις. Τὸ γὰρ ἀναφέρειν τὸ ποιηθὲν εἰς τὴν
65 τοῦ ποιήσαντος δόξαν οὐδὲν ἕτερόν ἐστιν ἢ εἰς τὴν τῶν ποιημάτων τάξιν κατακομίζειν τὸν ποιητήν. Ὅτι γὰρ ἀθέλητον αὐτῷ καὶ ἀπηχθημένον παντελῶς τὸ τοῖς παρ' αὐτοῦ γεγονόσι συγκατατάττεσθαι· καὶ ὅτι πάνδεινος ἐπήρτηται δίκη τοῖς τὴν θείαν ἀνατιθεῖσι δόξαν τοῖς
70 ἀκαθάρτοις δαίμοσι, συνήσεις εὖ μάλα τοῖς Μωσαϊκοῖς περιτυχὼν συγγράμμασιν. Ἔχει γὰρ οὕτως· « Ἄκουε, Ἰσραήλ, Κύριος ὁ Θεός σου Κύριος εἷς ἐστι [h] », καὶ πάλιν· « Κύριον τὸν Θεόν σου προσκυνήσεις καὶ αὐτῷ μόνῳ λατρεύσεις [i]. » Προσεπιτάττει δὲ λέγων· « Ἐὰν δὲ
75 ἐξολοθρεύσῃ Κύριος ὁ Θεός σου τὰ ἔθνη, εἰς οὓς σὺ εἰσπορεύῃ ἐκεῖ κληρονομῆσαι τὴν γῆν αὐτῶν, ἀπὸ προσώπου σου, καὶ κατακληρονομήσεις αὐτοὺς καὶ κατοικήσεις ἐν τῇ γῇ αὐτῶν, πρόσεχε σεαυτῷ μὴ ἐκζητήσῃς ἀκολουθῆσαι αὐτοῖς μετὰ τὸ ἐξολοθρευθῆναι αὐτοὺς ἀπὸ προσώπου σου·

Mss : A DEFG BHI (= b) CJKLM (= c)

58 λειτουργῷ L^{ac} ‖ 59 δυνάμις C ‖ 61 οὖν om. I edd. ‖ 62 ἀναριθμεῖσθαι I L^{ac} Sal. Aub. ‖ 68 γεγονότι CJKL^{ac} ‖ 75-76 εἰσπορεύῃ *LXX* : εἰσπορεύεις I edd. εἰσπορευσ (sic) B^{ac} πορευη G *puto εἰσπορεύσῃ* I^{mg2}

h. Dt 6, 4 i. Mt 4, 10

1. Alors que Dt 6, 4 et Mt 4, 10 sont des références constamment citées pour prouver le monothéisme contre le polythéisme (cf. *LF* VI, 11, 22), il n'en va pas de même des autres citations qui sont dans notre lettre plus directement tournées vers la condamnation de l'idolâtrie. On retrouve cependant deux d'entre elles dans le même contexte en *De Adoratione* 417

Voici que là encore l'Écriture dit que le trône divin a été préparé dans le ciel et que tous doivent le glorifier sans cesse, en nous les désignant du nom d'anges, serviteurs et puissances. En plus de tout cela, il ajoute : « Bénissez le Seigneur, toutes ses œuvres. »

N'adorer que Dieu

Il est donc stupide, ou plutôt c'est même le comble de la dernière impiété de compter le Créateur au nombre de ses propres créatures et de réduire le maître de l'univers aux mesures de serviteur. En effet, élever ce qui a été fait à la gloire de celui qui a fait n'est rien d'autre que rabaisser le Créateur au rang des créatures. Car être mis au même rang que ses créatures est contraire à sa volonté et lui est totalement odieux ; de plus, un châtiment terrible est suspendu sur la tête de ceux qui accordent la gloire divine aux démons impurs, tu le comprendras très bien, si tu ouvres les livres de Moïse [1]. Car tu trouveras ceci : « Écoute, Israël, le Seigneur ton Dieu est l'unique Seigneur [h] [2] », et encore : « Tu adoreras le Seigneur ton Dieu et tu ne serviras que lui [i]. » Et il ajoute cet ordre : « Lorsque le Seigneur ton Dieu aura exterminé les nations, chez lesquelles tu entres pour hériter de leur terre, loin de ta face, et que tu les auras reçues en héritage et que tu habiteras sur leur terre, garde-toi de chercher à les suivre, une fois qu'elles auront été exterminées loin de ta face ; ne cherche

D-420 A (Dt 12, 19-31) et 420 CD (Dt 13, 2-5). Comme il ne s'agit pas ici d'un contexte trinitaire, Cyrille ne précise pas en quel sens il faut comprendre l'unicité divine, contrairement à d'autres passages comme *Thes.* XII, 184 A et *Dial. Trin.* V, 574 b qui y voient l'unique nature divine.

2. L'emploi par Cyrille de σου au lieu de ἡμῶν qui se trouve dans la *LXX* s'explique peut-être par contamination de la suite du texte : « Tu aimeras le Seigneur ton Dieu » et par l'influence de la citation suivante qui comporte une deuxième personne du singulier. Notons toutefois que Cyrille l'avait cité de cette même manière en *LF* VI, 11, 22-23.

80 μὴ ἐκζητήσῃς τοὺς θεοὺς αὐτῶν λέγων· Πῶς ποιοῦσι τὰ ἔθνη
ταῦτα τοῖς θεοῖς αὐτῶν; Ποιήσω κἀγώ. Οὐ ποιήσεις οὕτω
Κυρίῳ τῷ Θεῷ σου. Τὰ γὰρ βδελύγματα, ἃ Κύριος ἐμίσησεν,
ἐποίησαν τοῖς θεοῖς αὐτῶν· ὅτι τοὺς υἱοὺς αὐτῶν καὶ τὰς
θυγατέρας αὐτῶν κατακαίουσιν ἐν πυρὶ τοῖς θεοῖς αὐτῶν[j]. »
85 Καὶ πάλιν· « Ἐὰν δὲ ἀναστῇ ἐν σοὶ προφήτης <ἢ>
ἐνυπνιαζόμενος ἐνύπνιον, καὶ δῷ σοι σημεῖον ἢ τέρας, καὶ
ἔλθῃ τὸ σημεῖον ἢ τὸ τέρας ὃ ἐλάλησε πρὸς σὲ λέγων·
Πορευθῶμεν καὶ λατρεύσωμεν θεοῖς ἑτέροις οἷς οὐκ οἴδατε·
οὐκ ἀκούσεσθε τῶν λόγων τοῦ προφήτου ἐκείνου ἢ τοῦ
90 ἐνυπνιαζομένου τὸ ἐνύπνιον ἐκεῖνο, ὅτι πειράζει Κύριος ὁ
Θεὸς ὑμᾶς τοῦ εἰδέναι εἰ ἀγαπᾶτε Κύριον τὸν Θεὸν ὑμῶν ἐξ
ὅλης καρδίας ὑμῶν καὶ ἐξ ὅλης τῆς ψυχῆς ὑμῶν. Ὀπίσω
Κυρίου τοῦ Θεοῦ ὑμῶν πορεύεσθε· καὶ ὁ προφήτης ἐκεῖνος ἢ
ὁ τὸ ἐνύπνιον ἐνυπνιαζόμενος, ἐκεῖνος ἀποθανεῖται· ἐλάλησε
95 γὰρ πλανῆσαί σε ἀπὸ Κυρίου τοῦ Θεοῦ σου[k]. »
Οὐκοῦν θάνατος μὲν ἡ δίκη τοῖς ἐφ' ἃ μὴ προσῆκεν
ἀνοσιώτατα παρατρέπουσι τῶν ἀκεραίων τὸν νοῦν. Ὁ δὲ τοῖς
εἰς τοῦτο πεσοῦσιν ἀνοίας ἐπιτιμῶν, δῆλος ἂν εἴη δήπουθεν
συμπροσκυνεῖσθαι μὲν ἑτέροις οὐκ ἀνεχόμενος, ἑαυτῷ δὲ καὶ
100 μόνῳ τὴν τῶν ὅλων βασιλείαν ἐπιμαρτυρῶν. Τοιγάρτοι καὶ
ἔφασκε διὰ φωνῆς ἁγίων· « Ἐγώ εἰμι ὁ Θεός, καὶ οὐκ ἔστιν
ἄλλος· δίκαιος καὶ σωτήρ, οὐκ ἔστι πάρεξ ἐμοῦ[l]. » Ἕνα
680 τοιγαροῦν τὸν ἐπὶ πάντων τε καὶ διὰ ‖ πάντων ὁμολογοῦντες
εἶναι Θεόν, ἕτερον ἐπ' αὐτῷ μηδένα καταλογισώμεθα· μή γε
105 μὴν τὸν τῆς βασιλείας στέφανον ἢ τοῖς ὁρωμένοις κτίσμασιν
ἤγουν ἑτέροις τισὶν ἀπονέμοντες ἁλισκώμεθα. Τὴν μὲν γὰρ
τοῦ Θεοῦ δόξαν οὐ παραλύσομεν, καὶ εἰ τοῦτο δρᾷν

Mss : A DEFG BHI (= b) CJKLM (= c)

85 <ἢ> rest. ex *LXX* putamus : om. codd. edd. ‖ 95 σε rest. I[mg] ex *LXX* : om. codd. edd. ‖ 96 θάνατον c ‖ 104 μή γε : μήτε DFG μηδὲ Mi. ‖ 106 ἀπονέμοντες Mi. *assignantes deprehendamur* Sal.[v] *attribuamus* Sch. : -τας codd. Sal. Aub. ‖ 107 εἰ : εἰς I LM edd.

---

j. Dt 12, 29-31 k. Dt 13, 2-6 l. Is 45, 21.

pas leurs dieux en disant : 'Comment ces nations agissent-elles à l'égard de leurs dieux ? J'agirai de même'. Tu n'agiras pas ainsi à l'égard du Seigneur ton Dieu. Car les abominations que le Seigneur déteste, elles les ont commises pour leurs dieux : elles brûlent par le feu leurs fils et leurs filles pour leurs dieux [j]. » Et encore : « S'il se lève chez toi un prophète ou [1] un homme qui fait un songe, s'il te propose un signe ou un prodige et que survienne le signe ou le prodige dont il t'a parlé en ces termes : 'Allons et rendons un culte à d'autres dieux que vous ne connaissez pas', vous n'écouterez pas les paroles de ce prophète ni de l'homme qui aura fait ce songe, car le Seigneur Dieu vous éprouve pour savoir si vous aimez le Seigneur votre Dieu de tout votre cœur et de toute votre âme. Marchez à la suite du Seigneur votre Dieu ; et ce prophète ou cet homme qui aura fait le songe mourra ; car il a parlé pour t'égarer loin du Seigneur ton Dieu [k]. »

La mort est donc le châtiment qui attend ceux qui détournent l'intelligence des purs pour les pousser vers des conduites totalement sacrilèges et inconvenantes. Celui qui réprimande ceux qui tombent à un tel degré de démence, il est bien évident qu'il ne supporte pas d'être adoré en même temps que d'autres, et qu'il revendique pour lui seul la royauté sur l'univers. C'est pourquoi il déclarait par la voix des saints : « Moi je suis Dieu et il n'y en a pas d'autre ; de juste et sauveur, il n'en est pas en dehors de moi [l]. » C'est pourquoi confessons qu'unique est le Dieu qui est au-dessus de tout et à travers tout, n'en comptons aucun autre après lui ; qu'on ne nous prenne pas à attribuer la couronne de la royauté aux créatures visibles ou à certaines autres. En effet, nous n'affaiblirons pas la gloire de Dieu, même si nous

1. Le manuscrit ne donne pas ἤ entre προφήτης et ἐνυπνιαζόμενος, alors que le texte de la *LXX* le contient et que dans la *LF* XIV, 2, 278 il cite le même texte avec ἤ. Nous avons donc décidé de le restituer ici, d'autant que dans la suite de la citation il dit bien : τοῦ προφήτου ἐκείνου ἢ τοῦ ἐνυπνιαζομένου.

ἐπιχειρήσαιμεν, ἑαυτοὺς δὲ μᾶλλον τοῖς τῆς ἀπωλείας ἐνίεμεν βόθροις.

110 Ἀλλ' ἔσται τις ἴσως λαθραῖος μὲν ἔτι καὶ σκοτεινὸς τοῦ διαβόλου καὶ τῶν δαιμονίων προσκυνητής, ἐξωραΐζεται δὲ τοῖς εἰς εὐλάβειαν σχήμασι, καὶ ὅσον ἧκεν εἰς λόγους, τὸ γνήσιον ὑποπλάττεται. Ἀκουέτω τοιγαροῦν τῆς θεοπνεύστου βοώσης Γραφῆς· « Ὅτι ὁ Θεὸς οὐ 115 μυκτηρίζεται [m] »· καὶ μὴν καὶ τοῦ θείου Δαβὶδ ἀναμέλποντος καὶ λέγοντος· « Σύνετε δή, ἄφρονες ἐν τῷ λαῷ, καὶ μωροί, ποτὲ φρονήσατε. Ὁ φυτεύσας τὸ οὖς οὐκ εἰσακούει ; Ὁ πλάσας τοὺς ὀφθαλμοὺς οὐχὶ κατανοεῖ ; Ὁ παιδεύων ἔθνη οὐχὶ ἐλέγξει [n] » ;

γ´. Ὡς οὖν ἅπαντα τὰ καθ' ἡμᾶς εἰδότος τε ἅμα καὶ ἐφορῶντος Θεοῦ, ἀσφαλῆ καὶ ἱδρυμένην ἔχωμεν τὴν πίστιν· καὶ τὸ ἐκ τῆς διψυχίας αἶσχος ἀποτριψώμεθα, μνημονεύοντες τοῦ μακαρίου Παύλου γράφοντος· « Ὥστε, ἀδελφοί 5 μου, ἑδραῖοι γίνεσθε καὶ ἀμετακίνητοι, περισσεύοντες ἐν τῷ ἔργῳ τοῦ Θεοῦ πάντοτε [a]. » Φέρε τοίνυν τὸ ἐν πίστει γνήσιον ὡς θυσίαν πνευματικὴν προσκομίζοντες τῷ Θεῷ, λέγωμεν ἐξ ἀνυπόπτου καρδίας· « Ἰδοὺ οἵδε ἡμεῖς ἐσόμεθά σοι, ὅτι σὺ Κύριος ὁ Θεὸς ἡμῶν εἶ [b]. » Καὶ πάλιν· « Κύριε, ὁ Θεὸς 10 ἡμῶν, κτῆσαι ἡμᾶς. Κύριε, ἐκτὸς σοῦ ἄλλον οὐκ οἴδαμεν. Τὸ ὄνομά σου ὀνομάζομεν [c]. » Πιστεῦσαι γὰρ δεῖ τοὺς οἵπερ ἂν ἕλοιντο φρονεῖν ὀρθῶς εἰς ὅτι καὶ μόνος ὁ ἐπὶ πάντων τε καὶ διὰ πάντων ἐστὶ Θεός. Οὔτε αὐτὸς ὑφ' ἑαυτοῦ πρὸς τὸ εἶναι

Mss : A DEFG BHI (= b) CJKLM (= c)

108 ἐπιχειρήσωμεν c ‖ 110 ἔσται : ἔστι β edd. ‖ 116 ἀναμέλποντες ... λέγοντες C[ac]

γ´ 2 θεοῦ om. LM ‖ ἔχομεν A DEFG HI CJKL[ac] Sal. ‖ 5 καὶ om. DEFG HI c Sal. *NT* ‖ 8 σὺ om. I edd. ‖ 13 αὐτῆς L

m. Ga 6, 7 n. Ps 93, 8-10.

3 a. 1 Co 15, 58 b. Jr 3, 22 c. Is 26, 13.

1. Cette citation ne vient pas de la liturgie comme le suggère Migne, mais de Jérémie. On la rencontre également dans les *LF* XX, 4, 848 C, XXI, 2, 853

entreprenons d'agir ainsi, mais c'est nous plutôt qui nous précipitons dans les profondeurs de la perdition.

Hypocrisie de la duplicité

Mais peut-être y aura-t-il quelqu'un pour adorer encore en cachette et dans les ténèbres le diable et les démons, tout en se parant des apparences de la piété et en simulant l'authentique (religion), uniquement en paroles. Qu'il écoute donc l'Écriture divinement inspirée qui proclame : « On ne se moque pas de Dieu [m] » ; et le divin David qui chante en ces termes : « Comprenez donc, insensés du peuple, sots, réfléchissez enfin ! Est-ce que celui qui a planté l'oreille n'entend pas ? Et celui qui a façonné les yeux, est-ce qu'il n'observe pas ? Et celui qui éduque les nations, est-ce qu'il ne punira pas [n] ? »

La foi authentique

Dieu est

3. Donc puisque Dieu sait et en même temps voit tout ce qui nous concerne, ayons une foi ferme et stable ; débarrassons-nous de la honte qui s'attache à la duplicité, en nous rappelant ce qu'écrit le bienheureux Paul : « Ainsi donc, mes frères, soyez solides et inébranlables, toujours en progrès dans l'œuvre de Dieu [a]. » Allons, offrons à Dieu une foi authentique en sacrifice spirituel, et disons d'un cœur dénué de soupçon : « Nous voici, nous serons à toi, parce que toi tu es le Seigneur notre Dieu [b] [1]. » Et encore : « Seigneur notre Dieu, prends-nous. Seigneur, en dehors de toi nous n'en connaissons pas d'autre. C'est ton nom que nous prononçons [c]. » Il faut en effet que ceux qui choisissent d'avoir des pensées droites croient que le Dieu qui est au-dessus de tout et à travers tout est le seul et unique. Lui-même n'a pas été

B ; *Adv. Nest.* III, pr. (*ACO* I, 1, 6, p. 53, l. 37-38). Or à chaque fois Cyrille cite ce verset sous la forme : Ἰδοὺ οἴδε alors que la *LXX* a Ἰδοὺ δοῦλοι.

παρακεκομισμένος οὔτε μὴν παρ' ἑτέρου τοῦτο λαχών· ἀλλ'
15 ὢν μὲν ἀεὶ καὶ ὑπάρχων, ἀϊδίως πρὸ παντὸς αἰῶνος καὶ χρόνων· ἄφθαρτος δὲ καὶ ἀνώλεθρος, « φῶς ἀπρόσιτον οἰκῶν [d] », πηγὴ σοφίας καὶ ζωῆς, καὶ αὐτὸ κατὰ φύσιν νοούμενος καὶ ὑπάρχων ὅπερ ἐστι τὸ ἀγαθόν, ῥίζα πάσης ἰσχύος. Καὶ ὅτι μέν ἐστι γινωσκόμενος, τί δὲ κατὰ φύσιν
20 ἐστὶν ἀγνοούμενος. Διακεῖσθαι γὰρ οὕτως ἡμᾶς, καὶ ὁ τοῦ Σωτῆρος ἡμῶν ἔφασκε δεῖν μαθητὴς ὡδί πη λέγων· « Πιστεῦσαι γὰρ δεῖ τὸν προσερχόμενον Θεῷ ὅτι ἔστι, καὶ τοῖς ἐκζητοῦσιν αὐτὸν μισθαποδότης γίνεται [e]. » Ζητεῖν δὲ οὐκέτι. Μὴ γὰρ δὴ κατὰ σαυτὸν ἐνδοιάσῃς, ἄνθρωπε, μηδὲ
25 τοῖς ἐξ ἀμαθίας συνωθούμενος λογισμοῖς εἰς περιεργίαν ἐπισφαλῆ τολμήσῃς εἰπεῖν. Μεμυσταγώγημαι καὶ πεπίστευκα, καὶ Θεὸν τὸν ἕνα δεδίδαγμαι προσκυνεῖν. Ἀλλὰ τί μὴ μανθάνω τοῦ προσκυνουμένου τὴν φύσιν ;

Ἄπαγε τοῖς ὑπὲρ νοῦν καὶ λόγον τὴν ἄκαιρον ἐπιφέρων
30 ζήτησιν. Τί γὰρ ὅλως ἡ ἀνθρώπου διάνοια πρὸς τὴν ἄρρητον ἐκείνην καὶ ἀνέκφραστον φύσιν ; Ἢ τίς ἂν γένοιτο τοσοῦτος εἰς φρόνησιν ὡς ἐκεῖνο δύνασθαι τὸ κάλλος ἀναμετρεῖν ; Ἄκουε τί φησιν ὁ θεσπέσιος προφήτης Ἡσαΐας αἰνιγματωδῶς αὐτό σοι τουτὶ παραδηλῶν· « Τίς ἐμέτρησε τῇ

Mss : A DEFG BHI (= b) CJKLM (= c)

14 παρακεκοσμημένος I Sal. Aub. : -κοσμιμένος JL ‖ 18 ἐννοούμενος I edd. ‖ 20 ὁ om. b edd. ‖ 25 τοῖς C[mg2] : ταῖς C om. J ‖ 32 ἐπιμετρεῖν I edd.

---

d. 1 Tm 6, 16 e. He 11, 6.

---

1. Cf. M.-O. Boulnois, *Le paradoxe trinitaire*, p. 49-54. Comme Athanase (*Lettres à Sérapion* I, 18), Cyrille fonde cette distinction entre l'existence connaissable et l'essence que l'on ne doit pas scruter indiscrètement sur He 11, 6 qui lui permet d'opposer notre ignorance sur ce qu'est Dieu par nature (τὸ τί κατὰ φύσιν ἐστί) et la foi que l'on doit avoir dans le fait qu'il existe (ὅτι ἐστί). Cf. *In Io.* IV, 2, 359 a. Plus loin il en voit une confirmation dans le texte d'Ex 3, 14 qui ne nous dit rien sur la substance divine, mais nous indique seulement que le propre de Dieu est d'exister toujours. Bien que cette

porté à l'être par lui-même et il n'a pas non plus reçu cela d'un autre ; mais il est et existe depuis toujours, éternellement avant tout siècle et temps ; incorruptible et impérissable, « habitant une lumière inaccessible [d] », source de sagesse et de vie, il est lui-même conçu et il est par nature cela même qu'est le bien, racine de toute force. On connaît qu'il existe, mais on ignore ce qu'il est par nature [1]. Telle doit être notre conviction, comme le disait précisément le disciple de notre Sauveur en s'exprimant ainsi : « Celui qui s'approche de Dieu doit croire qu'il existe, et qu'il rémunère ceux qui le cherchent [e]. » Il n'y a plus à chercher. Ne doute pas en toi-même, homme, et ne te laisse pas pousser par les raisonnements tissés d'ignorance vers une curiosité indiscrète au point d'oser dire : « J'ai été initié aux mystères et je crois ; on m'a enseigné à adorer le Dieu unique. Mais pourquoi ne puis-je pas apprendre la nature de celui qui est adoré ? »

Ne pas chercher ce qu'il est

Arrière, toi qui entreprends une recherche déplacée sur des sujets qui dépassent l'intelligence et la parole. Car, en un mot, qu'est-ce que la pensée de l'homme au regard de cette nature ineffable et inexplicable ? Ou bien qui serait doué d'une assez grande sagesse pour pouvoir mesurer cette beauté ? Écoute ce que dit le divin prophète Isaïe, lorsqu'il t'indique cela même de manière énigmatique : « Qui a

distinction ne soit pas nouvelle, puisqu'on la trouve déjà chez Philon (*De Posteritate Caïni* 168) elle avait gagné un regain d'acuité dans la deuxième partie du IVe siècle, lorsque les Cappadociens avaient dû réfuter la prétention des eunomiens à connaître parfaitement l'essence divine. C'est pourquoi Cyrille critique tant cette recherche déplacée (cf. *Dial. Trin.* II, 442 e, 445 b ; VI, 630 a ; VII, 635 e) et manifeste une méfiance qui se fonde à la fois, du côté de l'objet de la connaissance, sur la transcendance divine et, du côté du sujet connaissant, sur la nécessité de garder une attitude de foi pour éviter tout risque d'orgueil. Sur cette opposition entre curiosité indiscrète et foi, voir déjà *LF* VIII, 6, 8-10.

681 35 χειρὶ τὸ ὕδωρ ‖ καὶ τὸν οὐρανὸν σπιθαμῇ ; Τίς ἔστησε τὰ ὄρη σταθμῷ καὶ τὰς νάπας ζυγῷ [f] ; » Μηδὲν τοιγαροῦν πολυπραγμονήσας τῶν ὑπὲρ φύσιν, πρόσιθι διὰ πίστεως, ὅτι μὲν ἔστι καὶ ὑπάρχει, καὶ τῶν ὅλων κρατεῖ, συναινῶν τε καὶ συντιθέμενος· ἐπέκεινα δὲ ὥσπερ τῶν τῆς ἀνθρωπότητος 40 μέτρων ἰέναι τὸν νοῦν σωφρόνως οὐκ ἐφιείς. Οὕτω παρεδέξατο τὴν πίστιν καὶ ὁ θεσπέσιος Μωσῆς. Θεοῦ γὰρ λέγοντος· « Λάλησον τοῖς υἱοῖς Ἰσραήλ, καὶ ἐρεῖς πρὸς αὐτούς· Κύριος ὁ Θεὸς τῶν πατέρων ὑμῶν ἀπέσταλκέ με πρὸς ὑμᾶς », διεπυνθάνετο λέγων· « Ἰδοὺ ἐγὼ πορεύομαι 45 πρὸς τοὺς υἱοὺς Ἰσραὴλ καὶ ἐρῶ πρὸς αὐτοὺς ὅτι· Προσκέκληται Κύριος ὑμᾶς. Ἀλλ' ἐρωτήσουσί με, φησί· τί ὄνομα αὐτῷ ; Τί ἐρῶ πρὸς αὐτούς [g] ; » Καὶ τί πρὸς ταῦτα Θεός ; « Τάδε ἐρεῖς τοῖς υἱοῖς Ἰσραήλ· Ὁ ὢν ἀπέσταλκέ με πρὸς ὑμᾶς. Τοῦτό μού ἐστι τὸ ὄνομα, καὶ μνημόσυνον 50 αἰώνιον γενεῶν γενεαῖς [h]. » Ἴδιον γὰρ τὸ εἶναι καὶ ὑπάρχειν ἀεὶ τῷ κατὰ φύσιν Θεῷ. Τὸ δὲ ὂν καὶ ὑπάρχον ἀνάρχως τε καὶ ἀκαταλήκτως καὶ τὸν ἐκ τοῦ πεποιῆσθαι διαφεύξεται μολυσμόν· καὶ ὅτι μὴ παρ' ἑτέρου τὴν ὕπαρξιν ἔχει, αὐτὸ δι' ἑαυτοῦ μαρτυρηθήσεται.

55 Ἔστι γὰρ ἄκτιστος καὶ ἀγέννητος ὁ Θεὸς καὶ Πατήρ, συμφυᾶ καὶ συναΐδιον ἔχων τὸν ἐκ τῆς οὐσίας αὐτοῦ γεννηθέντα Υἱόν, « δι' οὗ καὶ ἐποίησε τοὺς αἰῶνας [i] »· καὶ τοῖς οὐκ οὖσί ποτε τὴν εἰς τὸ εἶναι δωρεῖται πάροδον καὶ ζωογονεῖ μὲν ἅπαντα, ὅσα πάρεστι τοῦ ζῆν δεκτικά· φωτὶ δὲ 60 τῷ θείῳ καὶ νοητῷ καταλαμπρύνει πάλιν τὰ φωτὸς ἐπιδεᾶ. Καὶ τοῦτο εἰδὼς καὶ διδάσκων ὁ θεῖος ἡμῖν ἀναμέλπει Δαβὶδ πρὸς τὸν τῶν ὅλων Πατέρα Θεόν· « Ὡς ἐπλήθυνας τὸ ἔλεός σου, ὁ Θεός. Οἱ δὲ υἱοὶ τῶν ἀνθρώπων ἐν σκέπῃ τῶν

Mss : A DEFG BHI (= b) CJKLM (= c)

40 μέτρον C.

---

f. Is 40, 12 g. Ex 3, 13 h. Ex 3, 14.15 i. He 1, 2.

---

1. Voir aussi *Contre Julien* I, 30, *SC* 322, p. 166, 19 qui cite le verset d'Ex 3, 14 pour montrer que Dieu échappe au monde de la création, qu'il est,

mesuré l'eau dans sa main et le ciel avec un empan ? Qui a pesé les montagnes avec un poids et les vallons avec une balance [f] ? » Ne te mêle donc pas indiscrètement de ce qui dépasse la nature, accepte-le par la foi, en accordant et en convenant que (Dieu) est et existe, et qu'il gouverne l'univers ; et, si tu es sage, ne laisse pas ton intelligence dépasser pour ainsi dire les mesures humaines. C'est de cette manière que le divin Moïse a lui aussi accueilli la foi. En effet, lorsque Dieu lui a dit : « Va parler aux fils d'Israël, et tu leur diras : 'Le Seigneur, le Dieu de vos pères, m'a envoyé vers vous' », Moïse s'informa en ces termes : « Voici, je m'en vais vers les fils d'Israël et je leur dirai : 'Le Seigneur vous a appelé'. Mais ils me demanderont, dit l'Écriture : 'Quel est son nom ?' — Que leur dirai-je [g] ? » Et qu'est-ce que Dieu répond à cela ? « Tu parleras ainsi aux fils d'Israël : *Celui qui est* m'a envoyé vers vous. Tel est mon nom, un souvenir éternel de générations en générations [h]. » Le fait d'être et d'exister toujours est le propre de celui qui est Dieu par nature [1]. Et ce qui est et existe sans commencement ni fin échappera à la souillure qui vient du fait d'avoir été créé ; d'ailleurs, il témoignera par lui-même du fait qu'il ne tient pas son existence d'un autre.

Le Fils est connaturel au Père

En effet, Dieu le Père est incréé et inengendré, ayant engendré de sa substance son Fils connaturel et coéternel « par qui aussi il a fait les siècles [i] » ; il donne accès à l'être à ceux qui n'étaient pas encore et fait vivre tout ce qui est susceptible de recevoir la vie ; il illumine à nouveau de la lumière divine et intelligible ce qui manque de lumière. Le divin David, qui connaît et enseigne cela, entonne pour nous ce chant adressé à Dieu le Père de l'univers : « Comme tu as multiplié ta pitié, ô Dieu ! Et les fils des hommes espéreront

comme le dit Platon, « l'être éternel qui ne connaît pas de naissance » (*Timée* 27 d-28 a). Sur l'utilisation cyrillienne d'Ex 3, 14 dans cette problématique ontologique, voir *Le paradoxe trinitaire...*, p. 232-236.

πτερύγων σου ἐλπιοῦσι. Μεθυσθήσονται ἀπὸ πιότητος τοῦ
65 οἴκου σου· καὶ τὸν χειμάρρουν τῆς τρυφῆς σου ποτιεῖς
αὐτούς. Ὅτι παρά σοι πηγὴ ζωῆς, καὶ ἐν τῷ φωτί σου
ὀψόμεθα φῶς [j]. » Καὶ μὴν ὁ σοφώτατος Ἰωάννης· « Ἦν,
ἔφασκε, τὸ φῶς τὸ ἀληθινὸν ὃ φωτίζει πάντα ἄνθρωπον
ἐρχόμενον εἰς τὸν κόσμον [k]. » Ἔστι γάρ, ἔστιν ὁ μονογενὴς
70 τῆς τοῦ Θεοῦ καὶ Πατρὸς οὐσίας ἀπαραποίητος χαρακτήρ,
ὅλον ἔχων ἐν ἰδίῳ κάλλει τὸν Γεννήτορα· καὶ ἐξ ὧν ἐστιν
αὐτός, τὴν τοῦ τεκόντος φύσιν ἄριστα ζωγραφῶν. Τοιγάρτοι
καὶ ἔφασκεν, ὅτι « Ἐγὼ ἐν τῷ Πατρὶ καὶ ὁ Πατὴρ ἐν ἐμοί
ἐστι [l]. »[1]
75 Πατέρα δὲ ὅταν ἀκούσῃς καὶ Υἱόν, ἀναχώρει σωμάτων·
καὶ τῆς περὶ τούτων ἐννοίας ἀποδραμὼν φρόνησον ἃ δεῖ·
σύνες τε ὅτι οὐ περί τινος τῶν ἐν γενέσει καὶ φθορᾷ λόγος ἡμῖν
εἰς τὸ παρόν. Ἀσώματόν τι καὶ ὑπερούσιον ἡ τῶν ὅλων
κατεξουσιάζουσα φύσις. Οὐκοῦν ἐξίτω σωμάτων ὁ νοῦς,
80 ὅταν τι μανθάνῃ περὶ Θεοῦ. Τὸ δὲ οὐσίας ἁπάσης σωματικῆς
ἐπέκεινά τε καὶ ἀνωτάτω νοούμενον οὔτ' ἂν εἴη τόπῳ
περιληπτὸν οὔτε μὴν ταῖς τῶν σχημάτων ἰδέαις ὑποκείμενον.
Ἀλλὰ καὶ ὅταν λέγηται « γεννᾶν », οὐκ ἀπορροίαις τισὶν ἢ

Mss : A DEFG BHI (= b) CJKLM (= c)

64 τοῦ *LXX* : om. HI edd. *LXX* (cod. A) ‖ 66 σοὶ *LXX* : σου I edd.

---

j. Ps 35, 8-10 k. Jn 1, 9 l. Jn 14, 10.

---

1. La mutuelle immanence du Père dans le Fils et du Fils dans le Père n'est ni d'ordre corporel ni d'ordre moral, mais d'ordre substantiel : elle est le signe de l'identité de substance des deux personnes. C'est parce que le Fils est la propre image de la substance paternelle qu'il porte le Père tout entier en lui. Cf. *Thes.* XII, 181 A, 185 B ; *In Io.* IX, 779 d, 784 e. Cyrille utilise ici à la fois l'image de l'empreinte et celle de la peinture (voir aussi *Dial. Trin.* III, 476 ab ; *In Io.* II, 6, 222 e) pour montrer leur identité de substance, mais aussi, sur un plan gnoséologique, pour exprimer l'idée qu'à partir du Fils on

à l'abri de tes ailes. Ils s'enivreront de la graisse de ta maison ; et tu les abreuveras au torrent de tes délices. Car c'est près de toi qu'est la source de vie, et dans ta lumière nous verrons la lumière [j]. » Du reste, le très sage Jean disait aussi : « Il était la lumière véritable qui illumine tout homme venant dans le monde [k]. » Le Fils unique est en effet, oui il est l'empreinte non-contrefaite de la substance de Dieu le Père, ayant en sa propre beauté la totalité de celui qui l'a engendré [1] ; et à partir de ce qu'il est lui-même, il peint parfaitement la nature de celui qui l'a enfanté. C'est pourquoi il disait : « Moi, je suis dans le Père et le Père est en moi [l]. »

Une génération exempte des lois corporelles

Mais lorsque tu entends parler de « Père » et de « Fils », éloigne ton esprit des corps ; détourne-toi rapidement de leur notion et pense comme il faut ; comprends qu'il n'est pas question dans notre présent propos d'une chose soumise à la génération et à la corruption. La nature qui exerce son autorité sur l'univers est incorporelle et sursubstantielle [2]. Par conséquent, que l'intelligence sorte des corps, lorsqu'elle apprend quelque chose de Dieu ! Ce qui est conçu comme étant au-delà et au-dessus de toute substance corporelle ne peut être circonscrit par un lieu ni non plus être le substrat des formes figuratives. De plus, lorsqu'il est dit « engendrer », on ne va pas lui imputer d'être soumis à des écoulements ou à des coupures,

peut passer à la connaissance du Père. L'empreinte est qualifiée de « non-contrefaite » (ἀπαραποίητος), comme ailleurs elle peut être dite ἀκριβής, ἀκραιφνής, ἀπαράλλακτος pour empêcher que l'on ne conçoive une ressemblance purement extérieure là où il faut parler d'identité totale de la substance.

2. Ὑπερούσιος désigne ici une supériorité incomparable de Dieu sur les créatures et sur toute substance. Cette transcendance absolue explique que Dieu surpasse toujours les analogies humaines qui ne peuvent présenter que des images inexactes des réalités divines.

ἀποτομαῖς ὑποπίπτον ἁλώσεται — πολλοῦ γε καὶ δεῖ.
85 Ἄνθρωποι μὲν γάρ, ἤγουν ἕτερόν τι τῶν ἐνσωμάτων ζῴων,
684 τίκτουσιν ἐξ ἑαυτῶν καὶ προβολαῖς ταῖς εἰς ‖ ἕτερον ἰδικῶς
ἔχει τὰ ἐξ ἑαυτῶν γεννήματα· ὅ γε μὴν ἀσώματος καὶ ἁπάσης
ἐννοίας τῆς ἐν ἡμῖν ἐπέκεινα Θεός, τίκτει μὴ μεριζόμενος·
γεννᾷ, μὴ τεμνόμενος.
90 Ἀλλ' εἰ μέ τις βούλοιτο τὸν τῆς γεννήσεως τῆς θείας
ἀφηγήσασθαι τρόπον, ἔροιτό τε προσιών· Πῶς οὖν ἡ θεία
γεγέννηκε φύσις ; οὐδὲν ἐρυθριάσας ἐρῶ· Καὶ ποῖός σοι νοῦς
νοήσει τὰ ὑπὲρ νοῦν ; ἢ ποῖος ἂν ἡμῖν διερμηνεύσαι λόγος τὰ
ὑπὲρ λόγον ; Ὁ μὲν γὰρ μακάριος γράφει Παῦλος· « Ἡ
95 εἰρήνη τοῦ Χριστοῦ ἡ ὑπερέχουσα πάντα νοῦν φρουρήσει τὰς
καρδίας ὑμῶν [m]. » Ἀνέκφραστα δὲ παντελῶς τὰ τοιαῦτα
δεικνὺς καὶ ὁ σοφώτατος ἔφη Σολομών· « Δόξα Κυρίου
κρύπτει λόγον [n]. » Ὅτι δὲ καὶ αὐτοὺς τοὺς ἁγίους ἀγγέλους
καίτοι τοσοῦτον ὄντας ὑπὲρ ἡμᾶς ὁ τῆς τοῦ Υἱοῦ γεννήσεως
100 τρόπος διαλανθάνει, ἀναπείθει λέγων ὁ μακάριος Ἡσαΐας·
« Τὴν γενεὰν αὐτοῦ τίς διηγήσεται [o] ; » Σαφέστερον δὲ πάλιν
ὁ προφήτης Ἀββακοὺμ ἐξηγεῖται λέγων· « Ἐκάλυψεν
οὐρανοὺς ἡ ἀρετὴ αὐτοῦ [p]. » Τί γὰρ ἂν βούλοιτο δηλοῦν τὸ
καὶ αὐτοὺς καλύψαι τοὺς οὐρανοὺς τὴν ἀρετὴν τοῦ Υἱοῦ, εἰ μὴ
105 καὶ ὅτι μείζων ἐστὶ καὶ αὐτῆς τῆς ἄνω πληθύος καὶ τῶν ἁγίων

Mss : A DEFG BHI (= b) CJKLM (= c)

90 μέ τις : μή τις J *puto μέν τις* Mi[mg] ‖ 92 γεγέννηκε : γεγέννηται L[ac] γεγένηκε (sic) Sch.[mg] ‖ 93 νοήσοι L[ac] ‖ διερμηνεύσαι leg. putamus ex διερμηνεῦσαι A D(δι' ἑρμην-) EF (-σε) G b c Sal. : -ύσει Aub. διερμην[ε]ύσει[ε] Mi. ‖ τὰ C[pc2] : τὴν C[ac] ‖ 105 ὅτι καὶ G I edd.

---

m. Ph 4, 7 n. Pr 25, 2 o. Is 53, 8 p. Ha 3, 3.

---

1. Ce développement répond en fait à l'une des objections ariennes qui cherchait à prouver l'absence de génération divine grâce au syllogisme suivant : toute génération entraîne une fragmentation ou un écoulement ; or

— il s'en faut de beaucoup [1]. Les hommes, eux, ou tout autre être vivant corporel, donnent naissance à partir d'eux-mêmes et leur propriété est d'engendrer les rejetons qui sont issus d'eux en éjaculant leur semence dans un autre ; au contraire, Dieu, qui est incorporel et au-delà de tout ce que nous pouvons concevoir, donne naissance sans se partager ; il engendre sans être coupé.

Une génération ineffable, même pour les anges

Mais si quelqu'un voulait que j'expose en détail le mode de la génération divine, et si l'on s'avançait pour demander : Comment la nature divine a-t-elle donc engendré ? sans rougir du tout, je répondrai : Quelle intelligence, dis-moi, pourra concevoir ce qui dépasse l'intelligence ? Ou bien quel discours pourra nous interpréter ce qui dépasse le discours ? En effet, le bienheureux Paul écrit : « La paix du Christ, celle qui surpasse toute intelligence, veillera sur vos cœurs [m]. » Le très sage Salomon montrait lui aussi que de telles choses sont tout à fait inexprimables, en disant : « La gloire du Seigneur éclipse le discours [n]. » Le mode de la génération du Fils échappe aussi aux saints anges eux-mêmes, bien qu'ils nous soient tellement supérieurs, comme le bienheureux Isaïe nous en persuade par ces paroles : « Sa génération, qui la racontera [o] ? » De son côté, le prophète Habaquq l'expliquera assez clairement lorsqu'il dit : « Sa vertu a caché les cieux [p]. » Que peut vouloir dire le fait que la vertu du Fils ait caché les cieux eux-mêmes, si ce n'est que tout discours sur lui

Dieu est inaltérable ; donc il ne peut avoir engendré. Cf. *Dial. Trin.* II, 448 cd et *Thes.* VI, 76 C : « Or comme Dieu dépasse et transcende toutes choses, il est impossible qu'il ne surpasse pas également le mode de génération de l'intelligence et qu'il subisse une quelconque émission ou un écoulement de quelque chose qui lui préexisterait. » Voir aussi *LF* XI, 8, 28-34 où il refusait déjà l'idée que l'engendrement du Fils se soit fait « par émanation, coupure ou passion » en se fondant sur l'incorporéité de Dieu, et *LF* XV, 3, 21-22.

ταγμάτων ὁ περὶ αὐτοῦ λόγος ; Οὐκοῦν ἄρρητος μὲν ἁπάσῃ τῇ κτίσει καὶ ἀπερινόητος παντελῶς ἡ τοῦ Χριστοῦ γέννησις. Ἑπόμενοι δὲ ταῖς θείαις Γραφαῖς, καὶ « καθάπερ ἐν ἐσόπτρῳ καὶ αἰνίγματι [q] » βλέποντες, καὶ γεννηθῆναί φαμεν
110 καὶ συνυπάρχειν αὐτὸν ἀϊδίως κατὰ τοιούσδε τινὰς τρόπους. Καὶ μικρὰ μὲν οἶδ' ὅτι τὰ παραδείγματα καὶ οὐ διαρκῶς ἡμῖν, ὅπως ἔχει, τὴν τοῦ Θεοῦ φύσιν καὶ τὸν τῆς γεννήσεως τρόπον κατασημῆναι δυνάμενα. Ἐννοεῖν δὲ ἀκόλουθον, ὡς οὐδέν ἐστιν ἐν τοῖς γεγονόσιν, ὅπερ ἄν τις ἴδοι τῆς τοῦ Θεοῦ
115 δόξης οὐχ ἡττώμενον.

δ΄. Οὐκοῦν καθάπερ τινὰ τύπον αἰσθητὸν τοῖς θεωρήμασι προϋποθέντες τὸ παράδειγμα, ἐπὶ τὸ ἀσυγκρίτως ὑπερτεροῦν ἀναθρώσκωμεν, καὶ ὡς ἔνι μάλιστα καλῶς, κατά γε τὸ ἐφικτόν, ἐπ' αὐτὸ τῆς θείας φύσεως ἰόντες τὸ κάλλος,
5 ἐννοῶμεν ὅτι <ὁ> λόγος μὲν ὁ ἀνθρώπινος, καὶ μὴν καὶ τὸ εἶδος ὅπερ ἂν ἐννοοῖτο τυχὸν σώμασιν ἐνυπάρχειν, ἀνύπαρκτά

Mss : A DEFG BHI (= b) CJKLM (= c)

107 ἀπερινόητος C^{pc2} : ἀπερινοήτους A DEF C^{ac} ἀπερινόητος τοὺς JKL ‖ 112 γεννήσεως : γνώσεως A DEFG c ‖ 114 ὅνπερ I edd.

δ΄. 2 προϋποτίθεντες I edd. ‖ 3 ἀναθρώσκομεν E H c ‖ 4 ἰόντες : οἰόντες C^{ac} J ‖ 5 ἐννοοῦμεν H ἐννιῶμεν $CJKL^{ac}$ ‖ <ὁ[1]> leg. ex I edd. putamus : om. A DEFG BH c

---

q. 1 Co 13, 12.

---

1. Autant Pr 25, 2 et Is 53, 8 sont des versets fréquemment cités par Cyrille pour illustrer le caractère ineffable de Dieu et en particulier de la génération divine, autant Ha 3, 3 ne se rencontre dans aucune de ses trois grandes œuvres antiariennes. Dans l'*Adv. Nest.* III, 1, 68 a et IV, 6, 117 c, ce texte est cité pour prouver contre Nestorius que le ciel et la terre adorent le Christ, même une fois qu'il est devenu homme. Mais il n'y est pas question de théologie négative. Quant à son *Commentaire sur Habacuc* 3, 3 il n'interprète pas non plus ce texte comme ici en identifiant les cieux aux anges et ne cite d'ailleurs pas en parallèle les versets des *Proverbes* et d'*Isaïe*. Comme nous n'avons trouvé de semblable interprétation que chez Isidore de Péluse

dépasse même la foule d'en-haut et les saints ordres [1] ? La génération du Christ est donc ineffable pour toute créature, et totalement inconcevable. Mais en suivant les divines Écritures et en regardant « comme dans un miroir et en énigme [q] », nous déclarons qu'il a été engendré et qu'il coexiste éternellement sous des modes que je vais dire. Certes je sais bien que les exemples sont médiocres et ne peuvent nous suffire à indiquer quelle est la nature de Dieu et son mode de génération. Mais il convient d'avoir dans l'esprit qu'il n'est aucun des êtres créés qui n'apparaisse inférieur à la gloire de Dieu.

Défense de la consubstantialité du Fils avec le Père

Première objection des hérétiques : différence entre inengendré et engendré

4. En prenant d'abord l'exemple comme une figure sensible qui servira de point de départ [2] à nos spéculations, élançons-nous vers ce qui est incomparablement supérieur, et du mieux possible, — du moins autant qu'on le peut —, allons vers la beauté même de la nature divine en songeant que, si la parole humaine et plus précisément la forme qui peut être conçue comme existant dans des corps, sont dépourvues d'existence et n'ont en

(*Lettre* IV, 211, *PG* 78, 1305 AB) et que de surcroît il la rapproche lui aussi de Pr 25, 2, ce passage nous semble un témoignage particulièrement intéressant des contacts que Cyrille a pu avoir avec le moine de Péluse.

2. Cf. *Dial. Trin.* II, 450 c : « Comme sur une prairie gracieuse et fleurie, parée des pousses multicolores de la saison, voltigeons comme des abeilles et, prenant appui sur les exemples les plus convenables à notre propos, donnons une image du mode de génération qui passe tout langage et tout esprit. »

τέ ἐστι καὶ οὐδαμόθεν ἰδίως ὑφεστηκότα· τὸ δὲ θεῖόν τε καὶ ὑπερκόσμιον γέννημα, τουτέστιν ὁ Υἱός, ὑφέστηκεν, ἰδικῶς γεννηθεὶς ἐκ Πατρὸς τοῦ ἀγεννήτως ὑφεστηκότος.

10 Θορυβείτω δὲ μηδένα τῶν λέξεων ἡ διαφορά. Οὐ γὰρ δὴ παραδεξόμεθα τάς τινων εἰκαιοβουλίας, « τὰ ἀπὸ καρδίας αὐτῶν λαλούντων, καὶ οὐκ ἀπὸ στόματος Κυρίου [a] », κατὰ τὸ γεγραμμένον. Οἷς ἀκόλουθον ἐπιφθέγξασθαι καὶ εἰπεῖν· « Ἐκνήψατε, οἱ μεθύοντες, ἐξ οἴνου αὐτῶν [b]. » Ἢ τάχα που, 15 μᾶλλον δὲ καὶ ὡς ἀληθὲς εἰπεῖν, τὰ καθ' ἑαυτοὺς οὐ 685 γινώσκοντες, « ἐπαί‖ρουσι μὲν εἰς ὕψος τὸ κέρας, λαλοῦσι δὲ κατὰ τοῦ Θεοῦ ἀδικίαν [c] », ὡς καὶ αὐτὸς ἡμῖν ὁ θεῖος ἀναμέλπει Δαβίδ. Συνείροντες γὰρ ἀσυνέτως τὰ ἐξ ἀνθρωπίνων ἐννοιῶν εὑρήματα, καὶ ἰσχνοῖς ὥσπερ τισὶ 20 διαλογισμοῖς « ἱστὸν ἀράχνης ὑφαίνοντες [d] », κατὰ τὸ γεγραμμένον, τὰς τῶν ἁπλουστέρων ψυχὰς ἀνοσίως καταληΐζονται, μετατιθέντες εἰς πλάνησιν καὶ τοῖς τῆς ἀπωλείας ἐνιέντες βόθροις. Ἀκουέτωσαν τοιγαροῦν τῆς θεοπνεύστου βοώσης Γραφῆς· « Οὐκ ἔστιν ἡ σοφία αὕτη 25 ἄνωθεν κατερχομένη, ἀλλ' ἐπίγειος, ψυχική, δαιμονιώδης [e]. » Τί γὰρ δὴ καί φασιν οἱ τάλανες, τῆς πρὸς Πατέρα Θεὸν ὁμοουσιότητος, τὸ ὅσον ἐφ' ἑαυτοῖς, ἐξέλκοντες τὸν Υἱόν ; Καὶ πῶς ἂν δύναιτο τῷ ἀγεννήτῳ Πατρὶ ταὐτὸν εἶναι

Mss : A DEFG BHI (= b) CJKLM (= c)

11 παραδεξώμεθα D I edd. ‖ 15 ἀληθὲς I^{mg} : ἀληθῶς I edd. ‖ ἑαυτοὺς b^{mg} : ἑαυτὰς A DEFG b CJKL edd. ‖ 17 αὐτὸς L^{mg2} : αὐτοὶ I^{mg} αὐτὸν CJKL ‖ 19 ἀνθρωπίνην C^{ac} ‖ 22 καταληΐζεται L^{ac}.

4 a. Jr 23, 16 b. Jl 1, 5 c. Ps 74, 6 d. Is 59, 5 e. Jc 3, 15

1. Pour l'orthographe de ce mot, nous adoptons la position de B. SESBOÜÉ, *L'Apologie d'Eunome de Cyzique et le Contre Eunome (I-III) de Basile de Césarée,* Excerpta gregoriana, Rome, 1980, p. 87, n. 72 qui, estimant que les dictionnaires français ne connaissent le terme de subsistance qu'au sens de ce qui sert à assurer l'existence matérielle, lui préfère l'orthographe

aucune manière de subsistence[1] propre, le rejeton divin et supracosmique, c'est-à-dire le Fils, lui, a une subsistence, ayant été proprement engendré du Père qui subsiste sans avoir été engendré.

Mais que la différence entre les termes[2] ne trouble personne. En effet, nous n'admettrons pas les stupidités de certains qui parlent « à partir de leurs cœurs, et non à partir de la bouche du Seigneur[a] », comme il est écrit. Et on aura bien raison de s'adresser à eux en disant : « Dégrisez-vous, ivrognes, de votre vin[b]. » Ou bien peut-être, et à dire vrai c'est même plutôt le cas, comme ils ne connaissent pas les choses qui les concernent, « ils lèvent haut leur corne et profèrent contre Dieu l'iniquité[c] », comme nous le chante lui-même le divin psalmiste David. En effet, ils mettent bout à bout, sans intelligence, les inventions issues de réflexions humaines et, au moyen de raisonnements ténus, pourrait-on dire, ils « tissent une toile d'araignée[d] » selon ce qui est écrit, pour s'emparer comme d'une proie, de manière impie, des âmes des simples[3], en les transportant dans l'erreur et en les jetant dans les profondeurs de la perdition. Qu'ils écoutent donc l'Écriture divinement inspirée s'écrier : « Cette sagesse ne descend pas d'en-haut : elle est terrestre, psychique, démoniaque[e]. » En effet, que disent précisément les misérables, lorsqu'ils arrachent le Fils, pour autant qu'ils le peuvent, à sa consubstantialité avec Dieu le Père ? — « Comment

« subsistence » pour désigner le fait de susbsister. Si Cyrille utilise volontiers des analogies pour parler de la Trinité, il ne manque pas de préciser les limites de ces comparaisons. Ainsi, il met en garde contre l'idée que le Verbe serait dépourvu de subsistence propre, à la manière d'une parole proférée. On peut penser qu'il vise ici des tenants de l'erreur sabellienne comme Marcel d'Ancyre ou Photin pour lesquels, aux dires de Cyrille lui-même, le Verbe de Dieu « serait tout simplement une parole — au sens où la parole n'a d'être que pour autant qu'on la profère ». *Sur l'incarnation* 679 c et 686 b. Cf. aussi *In Io.* V, 5, 527 d.

2. Cette différence de termes sera reprise un peu plus loin ; il s'agit de la différence entre engendré et inengendré sur laquelle s'appuient les adversaires de la consubstantialité, plus précisément les eunomiens, pour en déduire la différence de substance.

3. Cf. *CJ* adresse 4, *SC* 322, 106, 17-20.

κατὰ φύσιν τὸ γεννητόν ; Πλείστη γάρ ἐστι μεταξὺ τῶν
30 λέξεων ἡ διαφορά.

Φαίην δ' ἂν ἔγωγε πρὸς τοῦτο εὐθύς, ὅτι διάφορον μὲν
ὁμολογουμένως τὸ ἐκ τῶν λέξεων ἡμῖν ὑποδηλούμενον, οὐ
μὴν καὶ ἀποτεμεῖν τῆς πρὸς τὸν Πατέρα Θεὸν ὁμοουσιότητος
τὸν Υἱόν. Οὐδεὶς γὰρ ἡμᾶς ἀναπείσει λόγος, καθάπερ ἐξ
35 ἀνάγκης ὁμολογεῖν ἑτεροφυὲς εἶναι πάντως τοῦ γεννῶντος τὸ
γεννώμενον· ἀλλ' ἔστ' ἂν ὅλως γεγεννῆσθαι πιστεύηται, κατά
γε τὸν ἀληθῆ τῆς γεννήσεως τρόπον, ὁμοφυὲς ἔσται καὶ
ὁμοούσιον τῷ γεγεννηκότι. Εἰ μὲν οὖν κατὰ τὸ ἀληθὲς
γεγέννηκεν ὁ Πατήρ, οὕτω τε ἔχειν καὶ αὐτοὶ τὴν τοῦ
40 πράγματος ὁμολογοῦσι φύσιν, κατὰ τίνα δὴ τρόπον ὀθνεῖός
τε ἔσται καὶ ἑτερογενὴς ὁ ἐξ αὐτοῦ κατὰ φύσιν ἀναλάμψας
Υἱός ; Ἐλεγχθήσεται γάρ, εἴπερ οὕτως ἔχοι καθάπερ ἐκεῖνοι
ληροῦντές φασιν, ἡ θεία παθοῦσα φύσις ὃ μηδὲ αὐτὴ παθεῖν ἡ
κτίσις ἠνέσχετο. Ἀνθρώπου γὰρ ἄνθρωπος γέννημα. Καὶ
45 μὴν καὶ ἕκαστον τῶν ὅσα τὸν τοῦ δύνασθαι γεννᾷν
παρεδέξατο νόμον, ὁμοειδῆ τε καὶ ὁμοούσια πάντως ἕξει τὰ
ἐξ ἑαυτῶν. Καὶ οὔτ' ἂν ἄνθρωπος ἵππον, οὔτ' ἂν ἵππος
ἀποτέκοι κύνα. Ἐπειδὴ δὲ πολὺ τῶν καθ' ἡμᾶς ὁ Θεὸς καὶ
Πατὴρ ἐν ἀμείνοσιν, ὑπερκείσεται δήπου καὶ κατὰ τοῦτο καὶ
50 ὁμοούσιον ἑαυτῷ τὸν ἴδιον ἔχων Υἱὸν νοηθήσεται. Πάθοι γὰρ
ἂν οὐδαμῶς ὃ καὶ αὐτὴ τῶν γενητῶν ἡ φύσις παθεῖν
αἰσχύνεται. Εἰ μὲν οὖν ἄριστα ἔχειν ἐδοκίμασεν ἐν ἀρχαῖς τὰ
πάντα δημιουργῶν τὸ δεῖν ἕκαστον τῶν πεποιημένων
ὁμοούσιον ἑαυτῷ τὸ ἐξ αὐτοῦ τικτόμενον ἔχειν, τί τῶν
55 καλλίστων ἑαυτὸν ἀποστερεῖ μὴ οὕτως ἔχων αὐτός ; Εἰ δὲ

Mss : A DEFG BHI (= b) CJKLM (= c)

29 ἐστι I edd. : ὅση A DEFG BH c ‖ 31 δ' ἄν : γὰρ I edd. ‖ 34 ἀναπείσοι CJKL ἀναπείθει I edd. ‖ 40 ὀθνεῖός : ὁ θεῖος H LM ‖ 44 κτίσις I^{mg} : φύσις b edd. ‖ 46 ὁμοούσιον I Aub. Mi. ὁμούσια (sic) I^{mg} Sal. ‖ 51 αὐτὴ I : αὐτὸ HI^{mg} c ‖ 54 ἑαυτῷ : ἐν ἑαυτῷ J ἐν αὐτῷ CKLM ‖ τικτώμενον A DEF CJKL

1. Sur ce recours à l'analogie avec la consubstantialité humaine entre un père et son fils, voir aussi *In Io.* IX, 774 a et 783 de.

l'engendré peut-il être le même par nature que le Père inengendré ? En effet, la différence entre les termes est très grande. »

Réponse : l'engendré est forcément de même nature que l'engendrant

Pour ma part, je répondrais aussitôt à cela : si, bien entendu, une différence nous est signifiée par ces termes, ce n'est certes pas couper le Fils de sa consubstantialité avec Dieu le Père. En effet, aucun raisonnement ne nous persuadera de reconnaître, comme par nécessité, que l'engendré est d'une nature absolument autre que l'engendrant ; au contraire, tant que l'on croira qu'il a été vraiment engendré, en tout cas sous le mode véritable de la génération, il sera de même nature et de même substance que celui qui l'a engendré. Donc si le Père a véritablement engendré et si eux-mêmes reconnaissent que la réalité est bien celle-là, de quelle manière le Fils, qui a resplendi en sortant de lui par nature, pourra-t-il être étranger et hétérogène ? Car s'il en va comme ces hommes le disent dans leur sottise, la nature divine se trouvera convaincue de subir ce que pas même la création, elle, n'a eu à subir. En effet, le rejeton d'un homme est un homme. Ainsi, chacun de ceux qui ont reçu la capacité d'engendrer aura assurément des rejetons issus de lui qui seront de même espèce et de même substance. Un homme ne peut mettre au monde un cheval, ni un cheval un chien. Puisque Dieu le Père est de beaucoup supérieur à ce qui existe chez nous, il sera évidemment au-dessus de nous dans ce domaine aussi et l'on concevra qu'il a son propre Fils qui lui est consubstantiel [1]. Car il ne pourrait en aucun cas subir ce que la nature des êtres soumis au devenir a elle-même honte de subir. Si donc, lorsqu'il a créé toutes choses au commencement, il a jugé excellente la nécessité pour chacune des créatures d'avoir un enfant issu d'elle qui lui soit consubstantiel, pourquoi voudrait-il se priver des plus belles choses en n'étant pas lui-même dans ce cas ? Et s'il est

τοῦτο ἄτοπον νοεῖν ἢ φράσαι, — πάντα γὰρ αὐτῷ μετεῖναι πρέπει τὰ ἐξαίρετα —, προσέσται δήπου καὶ τοῦτο.

Εἰ δὲ οἴονται κατὰ ἀλήθειαν οὐ γεγεννηκέναι τὸν Θεόν, τί τὸ τῶν λέξεων διάφορον ὡς ἀναγκαῖον προτείνουσι καὶ
60 παραλύειν ἐπιχειροῦσι τὴν τοῦ γεννήματος δόξαν, ἑτεροφυὲς εἶναι λέγοντες αὐτὸ παρὰ τὸν ἀγεννήτως ὄντα Πατέρα ; Εἰ γὰρ μὴ γεγέννηκεν ὅλως ὁ Θεὸς καὶ Πατήρ, οὐδὲ γεννητὸς ἔτι κατ' αὐτούς ἐστιν ὁ Υἱός. Οὐκοῦν λελύσθω τὸ ζήτημα καὶ παυέσθωσαν ἡμῖν ἐπιτειχίζοντες ὡς ἄμαχον πρόβλημα τῶν
65 λέξεων τὴν διαφοράν· καὶ εἰ μὴ γεγέννηκεν ὁ Πατήρ,
688 διδασκόντων αὐτοὶ τίς ἄρα ἐστὶν ‖ ὁ Μονογενὴς περὶ οὗ φησιν ὁ Θεὸς καὶ Πατήρ· « Ἐκ γαστρὸς πρὸ ἑωσφόρου ἐγέννησά σε [f]. » Φησὶ δὲ τὸ « ἐκ γαστρός », πεποίηται γὰρ ὡς ἐπ' ἀνθρώπων ὁ περὶ τούτων λόγος, ἵν' ἐκ τῶν καθ' ἡμᾶς
70 τὸ ὑπὲρ ἡμᾶς ἐννοήσαντες, ἐξ αὐτῆς γεγεννῆσθαι τῆς τοῦ Πατρὸς οὐσίας πιστεύωμεν τὸν Υἱόν.

Θαυμάζω δὲ ὅπως, καίτοι πικροὺς ὄντας λίαν καὶ ὡς οἴονται σοφούς, κακεῖνο διέλαθεν. Ὁ μὲν γὰρ θεσπέσιος Παῦλος, καίτοι τῶν θείων ἡμῖν μυστηρίων ταμίας [g] ὑπάρχων
75 καὶ εἰς τοῦτο κεχειροτονημένος « ἀφωρίσθη γὰρ εἰς Εὐαγγέλιον Θεοῦ [h] », δεικνύων ὅτι πρῶτός τε καὶ μόνος καὶ ἀληθῶς Πατὴρ ὁ Θεὸς καὶ καθ' ὁμοιότητα τὴν πρὸς αὐτὸν τὰ γεγονότα παρ' αὐτοῦ τῇ τοῦ Πατρὸς κλήσει τετίμηται, γράφει περὶ αὐτοῦ· « Ἐξ οὗ πᾶσα πατριὰ ἐν τῷ οὐρανῷ καὶ

Mss : A DEFG BHI (= b) CJKLM (= c)

68 δὲ : γὰρ b edd. ‖ 74 ταμείας b ‖ 75 ἀφορίσθη H CJKL

f. Ps 109, 3 g. Cf. 1 Co 4, 1 h. Rm 1, 1.

1. Cf. *Dial. Trin.* II, 443 e. L'insistance sur la réalité de cette filiation substantielle permet de réfuter l'idée qui sera évoquée plus loin d'une filiation purement adoptive.

absurde de penser ou de parler ainsi, — car il convient que lui échoie tout ce qu'il y a de mieux —, de toute évidence, cela aussi lui reviendra.

Deuxième objection : Le Père n'a pas vraiment engendré

Mais s'ils croient que Dieu n'a pas véritablement engendré, pourquoi brandissent-ils comme nécessaire la différence entre les termes et pourquoi essaient-ils d'affaiblir la gloire de l'engendré, en disant qu'il est d'une autre nature que le Père qui est inengendré ? Si en effet Dieu le Père n'a pas vraiment engendré, le Fils n'est plus, lui non plus, un engendré, selon leur thèse. Que ce soit donc une question résolue et qu'ils cessent de nous opposer comme un problème insoluble la différence entre les termes. Et si le Père n'a pas engendré, qu'ils enseignent eux-mêmes qui est donc le Monogène à propos duquel Dieu le Père déclare : « De mon sein avant l'étoile du matin je t'ai engendré [f] [1]. » Il dit « de mon sein » parce que cette parole a été prononcée comme si elle s'appliquait à des hommes, afin qu'en comprenant ce qui nous dépasse à partir de ce qui nous ressemble, nous croyions que le Fils a été engendré de la substance même du Père.

Réponse : Dieu le Père archétype de toute paternité

Je m'étonne qu'à des hommes pourtant aussi pénétrants et prétendument sages, il ait aussi échappé la chose suivante : le divin Paul, qui est pour nous l'intendant des mystères divins [g] et a été choisi pour cette tâche — en effet, « il a été mis à part pour annoncer l'Évangile de Dieu [h] » —, montre que Dieu est le premier et le seul qui soit véritablement Père et que c'est à sa ressemblance que les êtres soumis au devenir ont été honorés par lui de l'appellation de « Père » [2] ; de fait, il écrit au sujet de ce dernier : « C'est de lui que toute

2. Cf. *Dial. Trin.* II, 432 e s. Voir ATHANASE, *Oratio contra Arianos* I, 23, *PG* 26, 60 C. Cf. M.-O. BOULNOIS, *Le paradoxe trinitaire...*, p. 349-350.

80 ἐπὶ γῆς ὀνομάζεται [i]. » Οἱ δὲ ἀκριβεῖς τῶν ὑπὲρ νοῦν καὶ λόγον ἐρευνηταί, τὸν μὲν τῶν ὅλων Πατέρα Θεὸν τῶν ἰδίων ἐκπέμποντες ἀγαθῶν, οὐ γεγεννηκέναι φασὶ κατὰ ἀλήθειαν τὸν Υἱόν, ψευδώνυμον δὲ Πατέρα ὑπάρχειν, εἰσποίητον ἔχοντα τὸν Μονογενῆ.

85 Οὐκοῦν, ὦ βέλτιστοι, φαίη τις ἂν αὐτοῖς καὶ μάλα εἰκότως· εἰ μὴ φύσει καὶ ἀληθείᾳ Πατήρ ἐστιν ὁ Θεός, καὶ εἰ μὴ γεγέννηκεν ἐξ ἑαυτοῦ, τουτέστιν ἐκ τῆς οὐσίας αὐτοῦ, τὸν ἴδιον Υἱόν, ἡμεῖς δέ ἐσμεν κατὰ ἀλήθειαν πατέρες ἐξ ἑαυτῶν ἔχοντες τὰ ἴδια τέκνα, πῶς ἔτι παρ' αὐτοῦ « πᾶσα πατριά », 90 κατὰ τὸ γεγραμμένον ; Καθ' ὁμοιότητα γὰρ αὐτὸς τὴν πρὸς ἡμᾶς κέκληται Πατήρ, καὶ οὐχ ἡμεῖς ἔτι δι' αὐτὸν πατέρες. Ἅπας γάρ, οἶμαι, καὶ μάλα ὀρθῶς ἀναγκάσει λόγος τοὺς δι' ἐναντίας καὶ οὐχ ἑκόντας εἰπεῖν, ὡς ἀεί πως ἔστι· δεύτερον μὲν τοῦ φύσει τὸ κατὰ θέσιν· νεώτερον δὲ τοῦ κατὰ ἀλήθειαν 95 τὸ κατὰ μίμησιν καὶ ὁμοιότητα τὴν πρὸς αὐτό. Πρῶτοι τοιγαροῦν ἡμεῖς μὲν πατέρες, οἱ φύσει τοῦτο καὶ ἀληθείᾳ διὰ πραγμάτων ὁρώμενοι· δεύτερος δὲ καὶ μεθ' ἡμᾶς καθ' ὁμοιότητά τε καὶ μίμησιν ὁ Θεός. Εἶτα πῶς ἔτι πᾶσα πατριὰ παρ' αὐτοῦ λοιπὸν ἐν οὐρανῷ καὶ ἐπὶ γῆς ὀνομάζεται ; Ἀλλ' 100 οὐ ταῖς ἐκείνων ἀθυρογλωττίαις, ταῖς δὲ τῶν ἁγίων προσεκτέον φωναῖς. Οὐκοῦν ψευδομυθήσει μὲν οὐδαμῶς ὁ θεσπέσιος Παῦλος, πρῶτος δὲ καὶ ἀληθῶς Πατὴρ ὁ Θεὸς δηλονότι, καὶ ὁμοούσιον ἔχει τὸν ἐξ αὐτοῦ γεννηθέντα Υἱόν· τοῦτο γὰρ ὁ τῆς ἀληθοῦς γεννήσεως κατασημαίνει τρόπος.

Mss : A DEFG BHI (= b) CJKLM (= c)

81 ἐρευνηταὶ I^{mg2} L^{mg2}M : ἐρανηταὶ I^{mg} CJKL ἐνευνηταὶ BI edd. *ἴσως ἐρευνηταὶ vel ἐρασταὶ* C^{mg2} *scrutatores, amatores* Sch. *indagatores* Sal.^{v}. ‖ 82 ἀποπέμποντες I edd. ‖ 85 αὐτοῖς L^{mg2} : τοῖς L ‖ 91 δι' αὐτῶν I^{mg} ‖ 94 νεώτεροι A DE $B^{ac}H^{ac}I^{pc}$ CJKL ‖ 101 ψευδομυθήσει Mi. *mentietur* Sal.^{v} : -μαθήσει codd. Sal. Aub. *falsa docet* Sch.

---

i. Ep 3, 15

paternité reçoit son nom au ciel et sur terre [i]. » Ceux qui font des investigations pointilleuses dans des domaines qui dépassent l'intelligence et le discours expropient de ses biens Dieu le Père de l'univers, en prétendant qu'il n'a pas véritablement engendré le Fils, que son nom de Père est usurpé et qu'il a adopté le Monogène.

Voici donc, très chers, ce qu'on pourrait leur dire, à très juste titre : si Dieu n'est pas Père par nature et en vérité, et s'il n'a pas engendré à partir de lui-même, c'est-à-dire à partir de sa substance, son propre Fils, et si, au contraire, c'est nous qui sommes véritablement pères et possédons nos propres enfants à partir de nous-mêmes, comment « toute paternité », selon ce qui est écrit, pourra-t-elle encore venir de lui ? En effet, c'est alors à notre ressemblance qu'il a lui-même été appelé Père, et non plus nous qui sommes pères à cause de lui. À mon avis, n'importe quel raisonnement contraindra, en toute justesse, nos adversaires à avouer, même contre leur gré, qu'il en va toujours ainsi : ce qui est par convention est second par rapport à ce qui est par nature ; et par rapport à ce qui est de manière véritable, ce qui est par imitation et ressemblance est postérieur. Par conséquent, nous sommes, nous, les premiers pères, si l'on voit que nous sommes tels par nature et en vérité, d'après la réalité ; tandis que Dieu est second et nous suit, étant à notre ressemblance et imitation. Mais alors, comment toute paternité tire-t-elle encore son nom de lui au ciel et sur terre ? Non, ce n'est pas aux bavardages sans retenue de ces hommes qu'il faut être attentif, mais aux voix des saints. Donc le divin Paul ne racontera aucun mensonge, et Dieu est évidemment le premier et véritable Père, et le Fils qu'il a engendré lui est consubstantiel. Voilà ce que veut dire le mode de la génération véritable.

105 Ἀλλ' ἴσως ἡμῖν ἑτέρους ἀντεξάγοντες λογισμούς, καὶ προστιθέντες ἁμαρτίας ἐφ' ἁμαρτίαις [j], κατὰ τὸ γεγραμμένον, τῆς μὲν τοῦ Θεοῦ καὶ Πατρὸς οὐσίας εἶναι σημαντικὸν τὸ ἀγέννητον ἐροῦσι, τῆς δὲ τοῦ Μονογενοῦς τὸ γεννητόν, ὅμοιον δὲ οὐκ εἶναι κατὰ τὴν φύσιν τῷ γεννητῷ τὸ 110 ἀγέννητον.

ε'. Ἐγὼ δέ, ἀγαπητοί, τεθαύμακα μὲν τῆς ἐνούσης αὐτοῖς ἀποπληξίας τὸ μέγεθος, ἐπιδείξω δὲ οὐκ εἰς μακρὰν μὴ 689 εἰδότας ἃ λέγουσι μήτε περὶ τίνων ‖ διαβεβαιοῦνται.

Εἰ γὰρ μήτε τὸ « ἀγέννητον » ἐπὶ Θεοῦ καὶ Πατρὸς τὸ 5 μηδὲν γεννηθῆναι σημαίνει μήτε μὴν τὸ « γεννητὸν » ἐφ' Υἱοῦ τὸ γεννηθῆναι δηλοῖ, ἀλλ' οὐσιῶν εἶναι σημαντικὰ τὰ ὀνόματά φασι, πόθεν ἄρα μεμαθήκασι τοῦ Υἱοῦ τὴν πρὸς Πατέρα διαφοράν ; Σημαινούσης γὰρ ἕτερον οὐδὲν τῆς λέξεως ἢ ὅτι μόνον οὐσία ἐστί, τίς ἄρα διαμεμήνυκεν ὡς ἔστιν 10 ὀθνεῖος τοῦ Πατρὸς ὁ Υἱὸς κατά γε τὸ ἐν οὐσίᾳ ταὐτόν, κατ' οὐδένα τρόπον αὐτῷ συναπτόμενος ; Οὐκοῦν εἰ μὴ βούλονται νοεῖν τοῦ μὴ γεννηθῆναι σημαντικὸν τὸ « ἀγέννητον », μήτε μὴν τοῦ γεννηθῆναι τὸ « γεννητόν », ἀλλ' οὐσίας ἁπλῶς ἀμφότερα — μηδεμιᾶς ἐντεῦθεν ὁρωμένης διαφορᾶς — 15 πόθεν ἡ ἑτερότης ἔσται καταφανής ; Οὐσία γὰρ ὡς πρὸς οὐσίαν καθὸ μόνον οὐσίαι νοοῦνται, οὐδὲν ἕξουσιν ἀλλήλαις τὸ ἐναντίον. Τί οὖν ἔτι κωλύσει τὸν Υἱὸν ὅμοιον εἶναι κατ' οὐσίαν τῷ Πατρί, εἰ μὴ ἀλλήλοις ἀντίκειται τὰ ἐκ τῶν λέξεων σημαινόμενα ;

Mss : A DEFG BHI (= b) CJKLM (= c)

106 προστιθέντες M *adnectentes* Sal.[v] *addentes* Sch. : προ- A DEFG b CJKL edd.

ε'. 6-7 τῷ ὀνόματι c ‖ 7 πρὸς + τὸν b edd. : om. A DEFG c ‖ 9 διαμεμήνηκεν BH c ‖ 10 γε om I edd. ‖ 15 καταφανής I[mg] : διαφανής I edd.

---

j. Cf. Is 30, 1.

---

1. Le raisonnement est le suivant : si inengendré ne signifie pas le fait de ne pas être engendré, mais désigne une substance, on ne voit plus apparaître de différence entre le Père et le Fils, car une substance ne peut rien avoir de contraire par rapport à une autre substance, selon ARISTOTE, *Catégories* 5, 3 b24-25. Cf. *Dial. Trin.* II, 430 e-431 a et *Thes.* II, 32 B.

Troisième objection : inengendré désigne la substance de Dieu

Mais peut-être qu'en nous opposant d'autres raisonnements et en ajoutant péchés sur péchés [j], selon ce qui est écrit, ils diront que l'inengendré signifie la substance de Dieu le Père et l'engendré celle du Monogène, et que l'inengendré n'est pas semblable à l'engendré selon la nature.

Réponse

5. Pour ma part, bien aimés, je suis stupéfait de l'amplitude de leur folie et je montrerai en peu de mots qu'ils ne savent pas ce qu'ils disent ni à propos de qui ils se prononcent si catégoriquement.

Une substance n'a rien de contraire à une autre substance

Si le terme « inengendré » ne signifie pas pour Dieu le Père le fait de ne pas avoir été engendré et si celui d'« engendré » ne désigne pas pour le Fils le fait d'avoir été engendré, mais s'ils prétendent que les noms signifient des substances, d'où tirent-ils donc leur connaissance de la différence entre le Père et le Fils ? En effet, si le terme ne signifie rien d'autre que l'existence d'une substance, qui leur a donc indiqué clairement que le Fils est étranger au Père, du moins selon l'identité de substance, alors qu'il ne lui est attaché d'aucune manière ? Donc s'ils ne veulent pas concevoir qu'« inengendré » signifie le fait de ne pas avoir été engendré, et « engendré » le fait d'avoir été engendré, mais si, pour eux, ces deux termes signifient simplement des substances, — étant donné qu'on ne voit à partir de là aucune différence —, d'où apparaîtra alors l'altérité ? En effet, si on compare une substance à une substance, dans la mesure où on ne les conçoit que comme des substances, elles n'auront rien de contraire l'une par rapport à l'autre [1]. Dans ces conditions, qu'est-ce qui empêchera encore le Fils d'être semblable au Père selon la substance, si ce qui est signifié par ces termes n'est pas en opposition mutuelle ?

20 Ἐπειδὴ δὲ ἀφέντες τὸ ἐν ἁπλότητι πολιτεύεσθαι καὶ πιστεύειν ἀζητήτως τοῖς Ἑλλήνων λογάσιν ἑαυτοὺς προσνέμουσι, κἀκεῖθεν ἡμῖν ἐξοπλίζονται κατὰ τὸν ἀλαζόνα Γολιάθ, οὕτω τε ἐξονειδίζουσι τὴν συναγωγὴν Κυρίου καθάπερ ἐκεῖνος, φέρε καὶ ἡμεῖς, κοσμικῆς μὲν σοφίας καὶ
25 πολυπλόκων συλλογισμῶν ἑαυτοὺς ἀπαλλάττωμεν, κατὰ τὸν μακάριον λέγοντες Δαβίδ· Οὐκ εἴθισμαι ἐν τούτοις [a]. ῥάβδον δὲ ὥσπερ δυνάμεως ἔχοντες τὸν Χριστὸν καὶ λίθον ἐκλεκτόν, ὡς ἐν βραχεῖ καδίῳ τῷ νῷ προσίωμεν ἀγριαίνουσι. Καὶ δὴ καὶ βραχὺ τῆς ἐκκλησιαστικῆς ἁπλότητος διὰ τὴν
30 χρείαν ἐκθέοντες, ἐν οἷς εἶναι νομίζουσι δεινοὶ καὶ δυσάντητοι, παραφρονοῦντας ἐλέγχωμεν, ἵνα, μήτε τὴν παρὰ Θεοῦ σύνεσιν ἔχοντες μήτε μὴν τῆς ἔξω σοφίας ἐφικόμενοι κατὰ λόγον, δικαίως ἀκούσειαν· « Ἕως πότε χωλανεῖτε ἐπ' ἀμφοτέραις ταῖς ἰγνύαις ὑμῶν ; ἢ Βάαλ, Βάαλ· ἢ Θεῷ,
35 Θεῷ [b]. » Ὅτι γὰρ ἀμαθῶς οὐσίας εἶναι σημαντικόν φασι τὸ « ἀγέννητον », κἀντεῦθεν ἔσται καταφανές, καί μοί τι δότε βραχὺ τῶν παρὰ πολλοῖς φιλοσοφουμένων εἰπεῖν.

Mss : A DEFG BHI (= b) CJKLM (= c)

24 σοφίας I^{mg} : αἰτίας b edd. ‖ 25-ς´ 6 κατὰ — ποταπὸν om. J (unum folium perditum esse vid.) ‖ 29 βραχεῖ I Sal Aub. ‖ τὴν : τοῦ Sal. Aub. ‖ 30 ἐκθέοντες L^{mg2} *recedentes* Sal.^{v} *removentes* Sch. : ἐκθέντες D I^{mg} L ἐνθέντες I edd. ‖ 36 ἀγένητον C.

---

5 a. Cf. 1 S 17, 39 b. 1 R 18, 21.

---

1. La même comparaison se retrouve en *Dial. Trin.* II, 419 e ; elle permet de justifier que Cyrille ait recours à un développement particulièrement technique, pour battre son adversaire sur son propre terrain.

2. La deuxième partie du verset est très elliptique chez Cyrille par rapport au texte de la *LXX*. Cette modification lui permet de faire de « Baal » et de « Dieu » les deux jarrets sur lesquels les hérétiques boîtent, puisqu'ils ne

Les hérétiques « boiteux des deux jarrets » Mais puisqu'en refusant de se comporter avec simplicité et de croire sans poser de questions, ils se rangent aux côtés de l'élite des Grecs, et de là se dressent en armes contre nous, à la manière du fanfaron Goliath [1], et lancent comme lui des reproches injurieux à l'assemblée du Seigneur, eh bien nous aussi, débarrassons-nous d'une sagesse du monde et de syllogismes entortillés, en disant comme le bienheureux David : « Je n'ai pas l'habitude de ces choses [a] » ; avançons contre ces excités, en portant le Christ comme un bâton de puissance et en ayant dans notre esprit, comme dans une petite besace, une pierre choisie. En nous éloignant un peu, par nécessité, de la simplicité ecclésiastique, accusons-les de déraisonner dans les domaines où ils se croient habiles et difficiles à combattre : ainsi, comme ils n'ont pas la connaissance qui vient de Dieu et ne parviennent pas non plus à la sagesse du dehors en suivant la raison, ils mériteront de s'entendre dire : « Jusques à quand serez-vous boiteux des deux jarrets ? Si c'est Baal, Baal, si c'est Dieu, Dieu [b] [2]. » En effet, prétendre qu'« inengendré » signifie une substance est une preuve d'ignorance, comme cela apparaîtra clairement dans ce que je vais dire. Permettez-moi donc de parler brièvement de sujets qu'étudient nombre de philosophes.

connaissent bien ni la sagesse profane ni la sagesse divine. Cette manière tronquée de citer *1 Rois* 18, 21 se trouve également dans le *De Adoratione* III, 281 C, VI, 413 B, VI, 476 D où il s'agit de fustiger ceux qui ont le cœur partagé entre foi et polythéisme. Il n'y a que dans le *Commentaire sur Osée* II, 40 e que Cyrille donne à la fois la formulation complète de la *LXX* et la formule abrégée de notre lettre, en l'introduisant par ces mots : « ce qui est dit ailleurs ». Pourtant comme il ne s'agit pas d'un autre passage biblique, on peut se demander où Cyrille a pris ce texte qui n'est pas un simple raccourci épisodique. Par ailleurs, ce verset est assez peu souvent cité par les auteurs des premiers siècles si l'on en croit les *indices* de la *Biblia Patristica* et aucun d'entre eux ne donne cette leçon.

ϛ΄. Ἐπυθόμην ὅτι ὅρους εἶναί φασί τε καὶ ὀνομάζουσι τὰ
δι' ὧν αἱ τῶν ὄντων οὐσίαι σημαίνονται· καὶ δοκεῖ τοὺς ὅρους
ἀναπλέκειν αὐτοῖς ἐκ γένους καὶ διαφορᾶς ἢ διαφορῶν. Γένος
μὲν γὰρ εἶναί φασι τὴν σημαινομένην ἁπλῶς οὐσίαν, οἷον
5 φέρε εἰπεῖν τὸ ζῷον, διαφορὰν δ' αὖ τὸν παραδεικνύντα
λόγον, ποταπὸν ἂν εἴη τὸ ζῷον, λογικὸν ἢ ἄλογον. Ἄνθρωπον
μὲν γὰρ καὶ ἵππον εἴ τις ὁρίσασθαι βούλοιτο, ἐρεῖ μὲν ἁπλῶς
ὅτι ζῷον. Ζῷον γὰρ ὁμοίως ὅ τε ἄνθρωπος καὶ ὁ ἵππος.
Ἐπιφέρων δὲ τῷ γένει τὴν διαφοράν, περὶ μὲν ἀνθρώπου,
10 πάντως ἐρεῖ, ὅτι ζῷον λογικὸν θνητόν, περὶ δὲ ἵππου, ὅτι
ζῷον χρεμετιστικόν. Οὐκοῦν εἰ τὸ ἀγέννητος ὄνομα τὴν
οὐσίαν ἡμῖν ὁρίζει τοῦ Θεοῦ καὶ ὅρου δύναμιν ἡ λέξις ἔχει,
ὑπὸ γένος ἔστω καὶ διαφοράν. Εἶτα τί πρὸς τοῦτό φασι ; ὑπὸ
ποῖον ἔσται γένος ὁ ὑπὲρ πάντα Θεός ; Ἢ ποίαν παρ' ἐκεί- ‖
692 15 νων ἐπιδέξαιτο τὴν διαφοράν ;

Ἄλλως τε σαφῶς τε καὶ ἀκολούθως αἱ οὐσίαι
κατασημαίνονται, οὐκ ἀφ' ὧν οὐκ εἰσίν, ἀλλ' ἐξ ὧν εἶναι
πιστεύονται. Οἷον εἴ τις ἔροιτο τί ἐστι πῦρ, ἀποκρίνεται
καθηκόντως τὸ θερμὸν καὶ ξηρὸν καὶ καυστικὸν καὶ
20 φωτιστικόν. Ἀφ' ὧν γάρ ἐστι, ποιεῖται τὴν δήλωσιν. Εἰ δὲ
λέγοι πῦρ εἶναι τὸ μὴ ψυχρόν, οὐκ ἀφ' ὧν ἐστιν, ἀλλ' ἐξ ὧν
οὐκ ἔστι δηλοῖ. Ἀτεχνὲς δὲ τοῦτο καὶ ἀλογώτατον. Εἰ τοίνυν
ἐπὶ Θεοῦ τὸ « ἀγέννητος » ὄνομα τὸ μὴ γεννηθῆναι δηλοῖ, οὐκ

Mss : A DEFG BHI (= b) CJKLM (= c)

ϛ΄. 1 φησί I Sal. Aub. ‖ 8 ὅτι Sal. Aub. : ὅ τε codd. Mi. ‖ 11 ζῷον B^{mg}I^{mg} : τὸ B^{sl}I edd. ‖ 14 πάντων E I^{pc} C^{pc}JKLM edd. πάντω (sic) C^{ac} ‖ 14-15 ἐκεῖνον b edd. ‖ 21 λέγοις I Sal.

---

1. Qu'il s'agisse d'un souvenir de ses études ou d'un recours plus récent à des manuels de logique, Cyrille montre qu'il est très au fait des arguments aristotéliciens sur la définition et sur la substance, ce que confirment les développements parallèles, plus complets encore, que l'on peut lire dans le *Thesaurus* et les *Dialogues sur la Trinité*. Il s'agit ici d'Aristote, *Topiques*, I, 8, 103 b15 utilisé également en *Thes* II, 29 B ; *Dial. Trin.* II, 425 e.

2. Aristote, *Topiques*, VI, 6, 143 b11-23. Cf. *Thes* II, 29 CD, XXXI, 444 C ; *Dial. Trin.* II, 427 e-428 c.

Une définition est composée d'un genre et d'une différence

6. À ce que j'ai appris, ils disent et appellent définitions ce par quoi les substances des êtres sont signifiées ; et ils pensent que les définitions se composent d'un genre et d'une différence ou de différences [1]. Ils disent que le genre est la substance signifiée simplement, par exemple l'être vivant, et que la différence, elle, est le terme qui montre de quelle sorte est l'être vivant, raisonnable ou dépourvu de raison. En effet, si on veut définir un homme ou un cheval, on dira d'abord simplement que c'est un être vivant. Car l'homme et le cheval sont semblablement un être vivant. Mais en ajoutant la différence au genre, on dira forcément, à propos de l'homme, que c'est un être vivant raisonnable mortel, et, à propos du cheval, que c'est un être vivant qui hennit. Donc si le nom d'inengendré définit pour nous la substance de Dieu et si ce terme a le pouvoir de définir, eh bien, qu'il soit rangé sous un genre ou une différence. Alors que répondront-ils à cela ? Sous quel genre sera rangé le Dieu qui est au-dessus de tout ? Ou quelle différence pourrait-il bien recevoir d'eux ?

Une définition doit être positive

En outre, les substances sont signifiées clairement et de manière cohérente, non pas à partir de ce qu'elles ne sont pas, mais à partir de ce qu'on croit qu'elles sont [2]. Par exemple, si quelqu'un demande ce qu'est un feu, il conviendra de répondre que c'est quelque chose de chaud, sec, brûlant et lumineux. Car c'est à partir de ce qu'il est qu'on en fait la description. Si au contraire on dit que le feu est ce qui n'est pas froid, on le désigne non à partir de ce qu'il est, mais à partir de ce qu'il n'est pas. Or c'est malhabile et tout à fait irrationnel. Donc si à propos de Dieu, le nom d'« inengendré » désigne le fait de ne pas avoir été engendré, il indique

ἐξ ὧν ἐστιν ὁ Θεός, ἀλλ' ἐξ ὧν οὐκ ἔστι, διαμεμήνυκεν
25 ὅτι γὰρ μὴ γεγέννηται, σημαίνει τὸ ὄνομα. Πῶς οὖν κατ' αὐτοὺς ὅρου δύναμιν ἡ λέξις ἔχει ὅπως οὐσίας ἔσται σημαντική, καὶ οὐχὶ μᾶλλόν τινος τῶν τῇ οὐσίᾳ προσεῖναι πεπιστευμένων ;

'Αλλὰ ταυτὶ μὲν ἡμῖν πρὸς ἐκείνους· εἰρήσεται δὲ πρὸς
30 ὑμᾶς ὡς ἔστιν ἁπλοῦν τῆς 'Εκκλησίας τὸ κήρυγμα. Βεβαπτίσμεθα γὰρ εἰς Πατέρα καὶ Υἱὸν καὶ ἅγιον Πνεῦμα· ὁμοούσιον δὲ εἶναι τὴν ἁγίαν Τριάδα πιστεύοντες, μίαν ἐν αὐτῇ προσκυνοῦμεν θεότητα· εὐχαριστοῦντες τῷ Θεῷ καὶ Πατρί, ὅτι τῆς ἡμετέρας ἕνεκα σωτηρίας καὶ ζωῆς
35 ἐξαπέστειλεν ἐξ οὐρανοῦ τὸν ἴδιον Υἱόν, γενόμενον ἐκ γυναικός [a], καὶ τὴν καθ' ἡμᾶς ὁμοίωσιν ὑποδεδυκότα, καὶ ἀληθῶς γενόμενον ἄνθρωπον, ἵνα θριαμβεύσας τὰς 'Αρχὰς καὶ τὰς 'Εξουσίας [b] τῷ ἰδίῳ σταυρῷ προσηλώσῃ, κατὰ τὸ γεγραμμένον, τὸ καθ' ἡμῶν χειρόγραφον [c], καὶ ἁπάσης μὲν
40 ἡμᾶς αἰτίας ἀπηλλαγμένους καθαροὺς ἀποφήνῃ, τῶν πάλαι πταισμάτων ἀπονίψας τὸν μολυσμόν· διακηρύξῃ δὲ « καὶ τοῖς ἐν ᾅδου πνεύμασιν, ἀπειθήσασί ποτε [d] », κατὰ τὸ

Mss : A DEFG BHI (= b) CJKLM (= c)

24 διαμεμήνυκεν C[pc] Mi[mg] : διαμεμέν κεν (sic) B -μεμένηκεν HI edd. -μεμήνηκεν D C[ac] JKL ‖ 27 σηματικὸν I σημαντικὸν edd. ‖ προσμεῖναι I edd. ‖ 28 πεπιστευμένον CJKL[ac] -ους G ‖ 41 διακηρύξει G KL[ac]

---

6 a. Cf. Ga 4, 4 b. Cf. Col 2, 15 c. Cf. Col 2, 14 d. 1 P 3, 19-20.

---

1. C'est la première fois qu'est employée dans les *Lettres Festales* cette expression technique « la sainte Trinité est consubstantielle », alors qu'on la trouve fréquemment dans d'autres œuvres. Voir par exemple : *Glaph. in Ex. PG* 69, 456D ; *Dial. Trin.* III, 465 d, 472 d ; *In Io.* I, 4, 36 b, 39 a, 39 c ; XI, 2, 936 c ; XI, 8, 968 b, 969 c ; XI, 11, 987 b ; *Contre Julien* I, 47. Cf. M.-O. BOULNOIS, *Le paradoxe trinitaire...*, p. 238-239. D'une part, le terme τριάς n'est pas employé dans les *LF* précédentes et ne l'est que rarement par la suite en *LF* XV, 3, 50 et *LF* XXI, 4, 856 C. Si Cyrille cite parfois ensemble le nom des trois personnes divines (*LF* IX, 6, 10 : « le Père par le Fils dans

Dieu non à partir de ce qu'il est, mais de ce qu'il n'est pas. Car le nom signifie qu'il n'a pas été engendré. Dans ces conditions, comment ce terme a-t-il, selon eux, valeur de définition pour signifier une substance et non pas plutôt un des attributs dont on croit qu'ils s'ajoutent à la substance ?

Kérygme de l'Église

Mais en voilà assez, à notre avis, contre nos adversaires ; pour vous, au contraire, nous dirons que le kérygme de l'Église est simple. Nous avons été baptisés dans le Père, le Fils et le Saint-Esprit ; et croyant que la sainte Trinité est consubstantielle [1], nous adorons en elle une unique divinité ; nous rendons grâce à Dieu le Père, parce qu'il a envoyé du ciel, pour notre salut et notre vie, son propre Fils, qui est né d'une femme [a], a revêtu notre ressemblance, est devenu véritablement homme, afin de triompher des Principautés et des Puissances [b], et de clouer sur sa propre croix la cédule de notre dette [c], comme le dit l'Écriture, afin de nous débarrasser de toute accusation et nous rendre purs, en lavant la souillure de nos fautes passées ; afin de prêcher « même aux esprits des enfers autrefois incrédules [d] », comme il est écrit,

l'Esprit », qui est une formule typiquement cyrillienne pour résumer la place des trois ; X, 3, 7 : « Esprit du Père et du Fils » ; XI, 8, 19-21 : « croire en un seul Dieu le Père tout puissant, en un seul Seigneur Jésus-Christ son Fils et en l'Esprit Saint »), il ne les réunit presque jamais ensemble sous le terme de Trinité. D'autre part, l'adjectif ὁμοούσιος n'a pas été employé dans les *Lettres Festales* précédentes. Auparavant il a employé des formules équivalentes pour qualifier le Fils comme : ταὐτότητα τῆς οὐσίας (*LF* X, 2, 111), ou τὸ ἐν οὐσίᾳ ταὐτόν (*LF* X, 2, 118). Et dans les suivantes, on ne trouve que deux fois l'adjectif ὁμοούσιος appliqué au Fils (*LF* XXIV, 3, 893 B, *LF* XXV, 1, 901 C). Cyrille semble donc avoir une certaine réticence à utiliser ce terme technique, car même dans les dernières *Lettres* où il multiplie les résumés de foi qui insistent sur l'égalité du Fils avec son Père, Cyrille préfère recourir à d'autres expressions : ὁμοφυᾶ καὶ ἰσουργόν (*LF* XXVIII, 4, 953 B), ταὐτότητα τῆς οὐσίας, ἰσοκλέης (*LF* XXIX, 1, 961 C). Il n'y a que dans la *LF* XXI, 4, 856 C que nous trouvons comme ici l'adjectif ὁμοούσιος appliqué à la Trinité toute entière.

γεγραμμένον, οὕτω δὲ λοιπὸν τὸν ἁπάντων ἐχθρὸν καταργήσῃ θάνατον, ἐγηγερμένος ἐκ νεκρῶν· καὶ μὴν καὶ τὰς
45 ἄνω τοῖς ἐπὶ γῆς ἀναπετάσας πύλας, οὐρανοῦ πολίτην ἐργάσηται τὸν πάλαι δραπέτην. Ἥξει γάρ, ἥξει κατὰ καιροὺς καί, καθάπερ αὐτὸς ἔφη [e], παραλήψεται πάντας ἡμᾶς μεθ' ἑαυτοῦ τοὺς ὀρθῇ διαπρέποντας πίστει καὶ πολιτείᾳ λελαμπρυσμένους εὐαγγελικῇ.

50 Καὶ τοῦτο εἰδότες, ἀγαπητοί, πάντα ῥύπον ἀπονιψάμενοι, « καθαρίσωμεν ἑαυτοὺς ἀπὸ παντὸς μολυσμοῦ [f] »· καὶ « γενώμεθα οἰκτίρμονες, ὡς ὁ Πατὴρ ἡμῶν ὁ οὐράνιος οἰκτίρμων ἐστίν [g] »· ἐπαμύνοντες δέ, κατὰ δύναμιν, τοῖς ἐν ἐνδείᾳ, χήρας καὶ ὀρφανοὺς ἀνακτησώμεθα [h],
55 γυμνοὺς καὶ ἀστέγους εἰς τὸν οἶκον εἰσάγωμεν· καὶ ἁπαξαπλῶς, πᾶν εἶδος ἐπιτηδεύσωμεν ἀρετῆς. Οὕτω γάρ, οὕτω νηστεύσομεν καθαρῶς, ἀρχόμενοι μὲν τῆς ἁγίας Τεσσαρακοστῆς ἀπὸ τριακάδος τοῦ Μεχὶρ μηνός, τῆς δὲ ἑβδομάδος τοῦ σωτηριώδους Πάσχα ἀπὸ πέμπτης τοῦ
60 Φαρμουθὶ μηνός, καταπαύοντες μὲν τὰς νηστείας τῇ δεκάτῃ τοῦ αὐτοῦ Φαρμουθὶ μηνός, ἑσπέρᾳ βαθείᾳ, κατὰ τὸ εὐαγγελικὸν κήρυγμα· ἑορτάζοντες δὲ τῇ ἑξῆς ἐπιφωσκούσῃ Κυριακῇ τῇ ἑνδεκάτῃ τοῦ αὐτοῦ Φαρμουθὶ μηνός· συνάπτοντες ἑξῆς καὶ τὰς ἑπτὰ ἑβδομάδας τῆς
693 65 Πεντηκοστῆς. Οὕτω γάρ, ‖ οὕτω πάλιν τοῖς θείοις ἐντρυφήσομεν λόγοις, ἐν Χριστῷ Ἰησοῦ τῷ Κυρίῳ ἡμῶν, δι' οὗ καὶ μεθ' οὗ τῷ Πατρὶ σὺν τῷ ἁγίῳ Πνεύματι τιμὴ καὶ δόξα καὶ κράτος εἰς τοὺς αἰῶνας. Ἀμήν.

Mss : A DEFG BHI (= b) CJKLM (= c)

44 ἐγηγερμένος I^{ac} : ἐγειγερ- I^{pc} Sal. Aub. ‖ 45 ἄνω om. C ‖ 47 καὶ C^{pc2} : ἢ E C^{ac} ‖ 47-48 μεθ' αὐτοῦ b Sal. (αὐτοῦ) μετ' αὐτοῦ Aub. Mi. καθ' ἑαυτοῦ F ‖ 51 καθαρίσωμεν G (-ριψ-) L^{pc} : -ομεν CJL^{ac} ‖ 51 μολυσμοῦ : λογισμοῦ I ‖ 53 οἰκτίρμον BI ‖ 57 νηστεύσωμεν G I edd. ‖ 64 ἑξῆς I^{mg} : εὐθὺς I edd.

---

e. Cf. Jn 14, 3 ; 1 Th 4, 16-17 f. 2 Co 7, 1 g. Lc 6, 36 h. Cf. Jc 1, 27

et ainsi d'anéantir à jamais la mort qui est l'ennemie de tous, une fois ressuscité des morts ; bien plus, ouvrant les portes d'en-haut à ceux qui sont sur terre, afin de faire citoyen du ciel celui qui était un esclave fugitif. Car il viendra, il viendra en temps opportun et, comme il l'a dit lui-même [e], il nous emmènera tous avec lui, si nous nous distinguons par une foi droite et nous illustrons par un genre de vie évangélique.

Exhortation finale et comput pascal

Sachant cela, bien aimés, lavons-nous de toute tache, « purifions-nous de toute souillure [f] » et « soyons miséricordieux, comme notre Père du ciel est miséricordieux [g] [1]. » Secourons, dans la mesure du possible, ceux qui sont dans le besoin, faisons droit aux veuves et aux orphelins [h], conduisons chez nous ceux qui sont nus et sans toit. En un mot, pratiquons toute forme de vertu. Ainsi, en effet, nous accomplirons un jeûne pur, en commençant le saint Carême le trente du mois de mechir, et la semaine de la Pâque salutaire, le cinq du mois de pharmouthi, rompant le jeûne le dix du même mois de pharmouthi, en fin de soirée, selon le kérygme évangélique ; célébrant la fête dès l'aube du dimanche suivant, le onze du même mois de pharmouthi [2] ; en ajoutant à la suite les sept semaines de la Pentecôte. Car c'est ainsi qu'à nouveau nous ferons nos délices des paroles divines, dans le Christ Jésus notre Seigneur par qui et avec qui honneur, gloire et puissance soient au Père avec le Saint-Esprit, pour les siècles. Amen.

1. Cyrille dit « notre Père du ciel » au lieu de « votre Père », de la même manière qu'en *LF* XI, 4, 34-36 qui contient les mêmes modifications textuelles sur « notre » et « du ciel ».

2. Le 6 avril 424.

TREIZIÈME FESTALE
(425)

Introduction

Cette treizième *Lettre Festale*, qui annonce la fête de Pâques 425, est toute entière centrée sur le mystère de l'Incarnation et de la rédemption. Elle commence par un diptyque qui décrit successivement la tyrannie exercée par Satan et la miséricorde divine grâce à laquelle nous en sommes libérés. Ce double mouvement est repris de manière imagée à travers l'exégèse allégorique d'*Isaïe* 52, 6-7 que Cyrille applique à l'Incarnation : le Christ est en effet comparé à la bonne saison qui, en chassant l'hiver, permet aux plantes d'éclore à nouveau, et aux pieds du messager qui annonce aux pays en proie aux attaques barbares la bonne nouvelle de la paix.

Poursuivant sa recherche des préfigurations vétéro-testamentaires de l'Incarnation, Cyrille entreprend une exégèse typologique de deux passages de l'*Exode*. En *Exode* 30, 12-15, la loi qui prescrit de verser au Seigneur une contribution d'un didrachme pour deux personnes contient en fait l'ombre du mystère de la rédemption : c'est le Christ qui est le véritable didrachme offert pour le rachat non seulement d'Israël, mais aussi des nations. En reconnaissance pour ce sacrifice, nous devons à notre tour nous offrir à Dieu, de même que les Israélites ont dû consacrer à Dieu leurs premiers-nés, en compensation de la mort des premiers-nés égyptiens qui leur a valu leur libération (Ex 13, 11-15).

Vient alors un développement christologique qui poursuit les mises en garde déjà présentes dans les *Lettres Festales* VIII et XII concernant un certain nombre de positions hérétiques :

— Ce n'est pas parce que le Verbe s'est fait homme que nous ne l'adorerons plus comme Dieu ;
— Il n'est pas venu dans un homme, mais il s'est fait chair ;
— Il ne s'est pas transformé en chair, car le changement est étranger à la nature divine ;
— Il est à la fois de substance divine et homme complet ;
— Il n'a pas été divinisé alors qu'il était homme, mais étant Dieu il s'est fait homme.

Cyrille n'attribue pas nommément ces doctrines à tel ou tel hérétique et ne mentionne expressément que les juifs. Mais outre les ariens qui refusent la divinité du Christ et qui sont d'ailleurs parfois assimilés par Cyrille aux juifs dans ses œuvres antiariennes, on peut penser qu'il vise aussi d'autres erreurs christologiques que l'on retrouve réfutées par exemple dans le traité *Sur l'Incarnation* que G. M. de Durand date d'avant la période antinestorienne[1] : incarnation-métamorphose, apollinarisme, dualisme. Nous tenterons de distinguer ces différentes tendances en comparant les formules employées dans cette *Lettre Festale* avec celles du traité *Sur l'Incarnation*.

Cette méditation sur les bienfaits de l'Incarnation se termine, de manière assez naturelle, par l'affirmation qu'elle nous ouvre l'accès au ciel, avant d'annoncer le comput pascal.

1. CYRILLE D'ALEXANDRIE, *Deux dialogues christologiques*, *SC* 97, p. 55.

Plan

Introduction

— Tyrannie du péché et de Satan **1**, 1-25
— Miséricorde de Dieu qui nous envoie son Fils pour nous libérer 26-54

I. Préfigurations de l'Incarnation

A. Application d'*Isaïe* 52, 6-7 à l'Incarnation

— Le Christ est « comme la bonne saison sur les montagnes » **2**, 1-28
— Le Christ est « comme les pieds du messager qui annonce la nouvelle de la paix, en messager de bonnes nouvelles » 29-94

B. Exégèse typologique du didrachme : *Exode* 30, 12-15

— Le Christ, et à sa suite les chrétiens, ne devrait pas avoir à payer le tribut, car étant Fils de Dieu, il en est exempt **3**, 1-44
— Quel est le mystère caché derrière cette loi ? Le Christ, véritable didrachme, est offert pour le salut d'Israël et des nations 45-60

C. La libération de l'esclavage en Égypte

— Consécration des nouveaux-nés d'Israël en compensation de la mort des premiers-nés égyptiens 61-86
— Nous devons nous aussi nous consacrer à Dieu à qui nous sommes redevables de notre salut 87-97

II. Réalité de l'Incarnation

— Voués à la malédiction à cause de nos fautes, nous en sommes libérés grâce au Christ **4**, 1-32
— Réfutation de certaines erreurs christologiques :
  — Le Fils ne perd pas sa qualité de Dieu 33-56
  — Le Fils n'est pas venu dans un homme 57-61
  — Le Fils ne s'est pas transformé en chair
  Le Fils est Dieu et homme complet 62-78
  — Le Fils n'est pas un homme qui se divinise, comme le disent les juifs 79-101
— La résurrection du Fils nous ouvre l'accès au ciel 102-126

Conclusion

— Exhortation finale au jeûne et aux bonnes actions 127-137
— Date de Pâques 138-151

ΕΟΡΤΑΣΤΙΚΗ ΤΡΙΣΚΑΙΔΕΚΑΤΗ

(693) α'. Καλόν, ὡς οἶμαι, μᾶλλον δὲ ἤδη καιρὸς ἀρχομένους ἡμᾶς
προσφωνήσας λόγους ἔχειν τε εἰς μέσον καὶ τὴν ἐγγὺς καὶ
πανεύφημον ἡμῶν ἑορτὴν προαναφωνεῖν λέγοντας·
« Χάρις ὑμῖν καὶ εἰρήνη ἀπὸ Θεοῦ Πατρὸς καὶ Κυρίου ἡμῶν
5 Ἰησοῦ Χριστοῦ τοῦ δόντος ἑαυτὸν ὑπὲρ τῶν ἁμαρτιῶν ἡμῶν,
ὅπως ἐξέληται ἡμᾶς ἐκ τοῦ αἰῶνος τοῦ ἐνεστῶτος πονηροῦ,
κατὰ τὸ θέλημα τοῦ Θεοῦ καὶ Πατρὸς ἡμῶν, ᾧ ἡ δόξα εἰς
τοὺς αἰῶνας τῶν αἰώνων. Ἀμήν. »
Ἐπειδὴ γὰρ μὲν τοῖς πάλαι κειμένοις ἡ ἁμαρτία καὶ
10 κατεστρατεύετο τυραννικῶς ἀπὸ τῆς σαρκὸς ἐχθρῶν κινήματα,
ποταμοῦ ὑδάτων δίκην, τὰς πάντων ψυχὰς εἰσερχομένης
ἐπὶ τῆς ἐσχάτου καὶ ἀγρίας [illegible] καὶ κατωθοῦντες ἀεὶ πρὸς
τὸ δεῖν ἐλέσθαι φρονεῖν τὰ ἐπὶ τῆς γῆς. Καὶ ταχύτερον τῆς
ἁπάντων ἀσθενείας ἐπιμελῶν ὁ θάνατος καὶ τὴν τῷ
15 διαβόλῳ προσπομπήν τε καὶ φθορὰν ὑπερβολὴν νοσῶν, μετ'
ἐκεῖνο ἀνακεκλῖσθαι λέγων « Ἰδοὺ [illegible]

Mss : ADEFG BHI (= b) CJKLM (= c)
Edd : t Verss. : Sal. Auth. Mi. (= edd.) ; Sal. Sch. (= vers. lat.)

Inscriptio [illegible] ἑορταστικὴ [illegible] 13 [illegible]
Kl. [illegible] D edd. ‖

α 1 [illegible] ‖ 2 [illegible] ‖ 3 [illegible] ‖ 12 [illegible] ‖ 15 [illegible] DHFG CJL

ΕΟΡΤΑΣΤΙΚΗ ΤΡΙΣΚΑΙΔΕΚΑΤΗ

(693) **α΄.** Καλόν, ὡς ἔοικε, μᾶλλον δὲ ἤδη καιρὸς ἁγίοις ἡμᾶς προσεροῦντας λόγοις ἥκειν τε εἰς μέσον καὶ τὴν ἁγίαν καὶ πανεύφημον ἡμῶν ἑορτὴν προανακηρύττειν λέγοντας· « Χάρις ὑμῖν καὶ εἰρήνη ἀπὸ Θεοῦ Πατρὸς καὶ Κυρίου ἡμῶν 5 Ἰησοῦ Χριστοῦ τοῦ δόντος ἑαυτὸν ὑπὲρ τῶν ἁμαρτιῶν ἡμῶν, ὅπως ἐξέληται ἡμᾶς ἐκ τοῦ αἰῶνος τοῦ ἐνεστῶτος πονηροῦ, κατὰ τὸ θέλημα τοῦ Θεοῦ καὶ Πατρὸς ἡμῶν, ᾧ ἡ δόξα εἰς τοὺς αἰῶνας τῶν αἰώνων. Ἀμήν [a]. »

Ἐπετώθαζε μὲν γὰρ πάλαι κειμένοις ἡ ἁμαρτία καὶ 10 κατεστρατεύετο τυραννικῶς τὸ τῆς σαρκὸς ἔμφυτον κίνημα, ποταμίου νάματος δίκην, ταῖς ἁπάντων ψυχαῖς εἰσχεομένης ἀεὶ τῆς ἀκράτου καὶ ἀγρίας ἡδονῆς καὶ κατωθούσης ἀεὶ πρὸς τὸ δεῖν ἑλέσθαι φρονεῖν τὰ ἐπὶ τῆς γῆς. Καὶ τάχα που ταῖς ἁπάντων ἀσθενείαις ἐπιμειδιῶν ὁ θάνατος, καὶ τὴν τῷ 15 διαβόλῳ πρέπουσάν τε καὶ φίλην ὑπεροψίαν νοσῶν, μετ' ἐκείνου ἀνακεκράγει λέγων· « Τὴν οἰκουμένην ὅλην

Mss : A DEFG BHI (= b) CJKLM (= c)
Edd. et Verss. : Sal. Aub. Mi. (= edd.) ; Sal.^{v} Sch. (= verss. latt.)

Inscriptio : ἑορταστικὴ τρισκαιδεκάτη : ὁμιλία ἑορ. τρισ. I ἑορ. κυρίλλου τρισ. KL λόγος ιγ΄ D edd. ||

α΄. 1 ἁγίοις I^{mg} : ἅγιος I edd. || 2 προσεροῦντας leg. putamus (cf. X, 1,1-5) : προσαιροῦντας Aub. Mi. προσεροῦντα A DEFG BH c *prodire aliquem... qui nos... excitet* Sch. προσαιροῦντα I Sal. || καὶ^{1} : κα (sic) Mi. || 3 λέγοντας Mi. *denuntiantes* Sal.^{v} : λέγοντα A DEFG b CJK λέγοντι LM || 12 τῆς — ἀεὶ I^{mg} : τῆς — ἀεὶ om. b || 15 φίλον DEFG CJL^{ac}

---

1 a. Ga 1, 3-5.

TREIZIÈME FESTALE

Annonce de la fête. Tyrannie de Satan

1. Il est bon, semble-t-il, ou plutôt c'est maintenant le moment de nous avancer pour prononcer cette salutation [1] par de saintes paroles et de proclamer notre sainte et illustre fête, en ces termes : « Grâce et paix vous viennent de Dieu le Père et de notre Seigneur Jésus-Christ qui s'est livré pour nos péchés, afin de nous arracher à ce siècle actuel qui est mauvais, selon la volonté de Dieu notre Père, à qui soit la gloire pour les siècles des siècles ! Amen [a]. »

Jadis en effet le péché se moquait de ceux qui gisaient à terre, et le mouvement naturel de la chair leur faisait la guerre en les tyrannisant, car, comme le courant d'un fleuve, le plaisir immodéré et sauvage ne cessait de se répandre dans les âmes de tous et de les inciter à choisir les pensées terrestres. Peut-être d'ailleurs que la mort, se riant des faiblesses de tous et atteinte par la maladie du dédain qui sied au diable et lui est cher, s'est écriée avec lui en ces termes : « La terre

1. Bien que les manuscrits contiennent προσεροῦντα, nous corrigeons ici en προσεροῦντας, car il semble difficile de supposer qu'un τινα sous-entendu ait pour rôle de nous (ἡμᾶς) adresser cette salutation, alors que de manière habituelle les *Lettres Festales* commencent par dire que c'est à « nous » qu'il revient de proclamer la fête. Cf. *LF* X, 1, 5 : λέγοντας πρόσρημα suivi d'une citation très semblable (Rm 1, 7).

καταλήψομαι τῇ χειρὶ ὡς νοσσιάν, καὶ ὡς καταλελειμμένα ᾠὰ ἀρῶ· καὶ οὐκ ἔστιν ὃς διαφεύξεταί με ἢ ἀντείπῃ μοι [b]. » Ἐπειδὴ δὲ εἰς τοῦτο ταλαιπωρίας κατώλισθέ τε καὶ
20 κατεσείσθη τὰ καθ' ἡμᾶς, ταῖς ἁπάντων συμφοραῖς μονονουχὶ καὶ ἐπιστυγνάζων ὁ φιλοικτίρμων Θεός, διὰ φωνῆς Ἡσαΐου φησί· « Τοίνυν αἰχμάλωτος ὁ λαός μου ἐγενήθη· καὶ πλῆθος ἐγενήθη νεκρῶν, διὰ τὸ μὴ εἰδέναι αὐτοὺς τὸν Κύριον· καὶ ἐπλάτυνεν ὁ ᾅδης τὴν ψυχὴν αὐτοῦ,
25 καὶ διήνοιξε τὸ στόμα αὐτοῦ, ὥστε μὴ διαλιπεῖν [c]. »

Ἀλλ' εἰ καὶ « κατέπιεν ὁ θάνατος ἰσχύσας, ἀλλ' ἀφεῖλεν ὁ Θεὸς πᾶν δάκρυον ἀπὸ παντὸς προσώπου· τὸ ὄνειδος τοῦ λαοῦ ἀφεῖλεν ἀπὸ πάσης τῆς γῆς [d]. » Παρακομισθέντες μὲν γὰρ εἰς παράβασιν καὶ παρακοήν, καὶ τοῦ ζῆν ἐννόμως ἐκ
30 φιλοσαρκίας ἡμαρτηκότες, πλατὺ γελῶντα καὶ ὀνειδίζοντα τὸν φιλεγκλήμονα Σατανᾶν καὶ τὸ πονηρὸν τῶν δαιμονίων εἴχομεν στῖφος. Ἔστι γάρ, ἔστιν ἐχθρὸς καὶ ἐκδικητής [e], κατὰ τὸ γεγραμμένον. Καὶ μὴν ἐπὶ τούτοις καὶ τοῖς ἀπὸ τοῦ συνειδότος ἐλέγχοις ἐπερυθριῶντες οἱ τάλανες, καὶ τὴν πρὸς
35 Θεὸν παρρησίαν διὰ τοῦτο παρῃρημένοι, καὶ τί γὰρ οὐχὶ τῶν ἀτόπων νενοσηκότες, διετρίβομεν ἐπὶ τῆς γῆς. Ἐπειδὴ δὲ ὁ πάντων Δημιουργὸς ἠλέει κειμένους καὶ παντὸς εἰς λῆξιν ἐληλακότας κακοῦ, παρεκάλει λέγων διὰ τῶν ἁγίων προφητῶν· « Μὴ φοβοῦ, ὅτι κατῃσχύνθης· μὴ δὲ ἐντραπῇς,
40 ὅτι ὠνειδίσθης [f] ». « Ἐγώ εἰμι, ἐγώ εἰμι ὁ ἐξαλείφων τὰς ἀνομίας σου, καὶ οὐ μὴ μνησθήσομαι [g]. » Ἔπεμψεν ἡμῖν ἐξ οὐρανοῦ τὸν μονογενῆ Θεὸν Λόγον, « γενόμενον ἐκ
696 γυναικὸς [h] » καὶ ἐκ σπέρματος Ἀβραάμ [i], ‖ ἵνα κατὰ πάντα

Mss : A DEFG BHI (= b) CJKLM (= c)

26 ἀλλ'² : ἀλλὰ b edd. ‖ 31 δαιμόνων b edd. ‖ 34 ἐπερυθριῶντες I^{mg} : ὑπ- I edd. ἐπερι- K^{ac} ‖ 35 διὰ τοῦτο I^{mg} Aub^{mg} : ἐν τούτῳ b edd. ‖ 38 ἐληλακότος b edd. ‖ 39 κατηχύνθης C ‖ μὴ δὲ : μηδὲν b edd. μηδὲ G CM *LXX*

---

b. Is 10, 14 c. Is 5, 13-14 d. Is 25, 8 ; cf. Ap 21, 4 e. Cf. Ps 8, 3
f. Is 54, 4 g. Is 43, 25 h. Ga 4, 4 i. Cf. He 2, 16.

entière, je la prendrai dans ma main comme un nid, et comme des œufs abandonnés, je l'emporterai ; et il n'est personne qui m'échappera ou me contredira [b] [1]. » Mais comme nos affaires s'étaient dégradées et s'étaient effondrées à ce degré de misère, le Dieu miséricordieux, allant presque jusqu'à s'attrister des malheurs de tous les hommes, déclare par la voix d'Isaïe : « Mon peuple a été fait prisonnier ; il y a eu une foule de cadavres, parce qu'ils n'ont pas connu le Seigneur ; l'Hadès a élargi son âme et a ouvert sa bouche, afin de ne pas cesser d'exister [c]. »

Miséricorde divine

Pourtant même si la mort a englouti, quand elle était puissante, « Dieu a essuyé toute larme de tout visage ; il a enlevé la honte du peuple sur toute la terre [d]. » En effet, quand nous avions été détournés vers la transgression et la désobéissance, et que nous nous étions écartés, par amour de la chair, d'une vie conforme à la loi, il y avait là l'accusateur Satan, ainsi que la troupe perverse des démons, pour rire de nous à gorge déployée et nous invectiver. Car il est, oui il est vraiment l'ennemi et l'adversaire [e], comme il est écrit. C'est pourquoi, nous passions notre vie sur la terre, malheureux, rougissant de cette situation et des reproches de notre conscience, privés à cause de cela de notre liberté de parole envers Dieu, et atteints de toutes les extravagances possibles. Mais comme le Démiurge de l'univers éprouvait de la pitié pour ceux qui gisaient à terre et qui étaient parvenus au comble du mal absolu, il nous consolait en disant par les saints prophètes : « Ne crains pas, parce que tu as été déshonoré ; n'aie pas honte, parce que tu as été insulté [f] ». « Moi je suis, oui je suis celui qui efface tes iniquités et je ne m'en souviendrai pas [g]. » Il nous envoya du ciel le Dieu Verbe Monogène, « né d'une femme [h] » et de la descendance d'Abraham [i], afin qu'étant

1. Is 10, 14 a déjà été cité en *LF* I, 6, 142 et X, 1, 62 pour décrire la tyrannie du diable qui s'en croit. Voir aussi *LF* XVI, 4, 55 et *CJ* VIII, 893 CD.

τοῖς ἀδελφοῖς ὁμοιωθεὶς [j] κατανεκρώσῃ τὴν ἁμαρτίαν ἐν τῇ
45 σαρκί, καὶ πνευματικῆς εὐρωστίας ἀναπιμπλὰς δι' ἑαυτοῦ
καὶ ἐν αὐτῷ τὴν φύσιν ἀναμορφώσῃ πρὸς τὸ ἀρχαῖον, καὶ
ἀνάλωτον μὲν ἀποφήνῃ ταῖς ἁμαρτίαις, ὀλέθρου δὲ καὶ
φθορᾶς ἀμείνω γενέσθαι παρασκευάσῃ. Καὶ τοῦτο εἰδὼς ὁ
σοφὸς ἡμῖν ἐπιστέλλει Παῦλος· « Τὸ γὰρ ἀδύνατον τοῦ
50 νόμου, ἐν ᾧ ἠσθένει διὰ τῆς σαρκός, ὁ Θεὸς τὸν ἑαυτοῦ Υἱὸν
πέμψας ἐν ὁμοιώματι σαρκὸς ἁμαρτίας, καὶ περὶ ἁμαρτίας,
κατέκρινε τὴν ἁμαρτίαν ἐν τῇ σαρκί, ἵνα τὸ δικαίωμα τοῦ
νόμου πληρωθῇ ἐν ἡμῖν, τοῖς μὴ κατὰ σάρκα περιπατοῦσιν,
ἀλλὰ κατὰ πνεῦμα [k]. »

β΄. Καὶ γοῦν τὸν πολύευκτον ἡμῖν τῆς ἐνανθρωπήσεως
κατασημαίνων καιρόν, μᾶλλον δὲ ὡς ἤδη καθ' ἡμᾶς γεγονώς,
ὁ ἐκ Θεοῦ Πατρὸς Λόγος προανακεκράγει λέγων· « Αὐτὸς
ὁ λαλῶν πάρειμι, ὡς ὥρα ἐπὶ τῶν ὀρέων, ὡς πόδες
5 εὐαγγελιζομένου ἀκοὴν εἰρήνης, ὡς εὐαγγελιζόμενος
ἀγαθά [a]. » « Πολυμερῶς γὰρ καὶ πολυτρόπως πάλαι ὁ Θεὸς
λαλήσας τοῖς πατράσιν ἐν τοῖς προφήταις, ἐπ' ἐσχάτου τῶν
ἡμερῶν τούτων ἐλάλησεν ἡμῖν ἐν Υἱῷ [b] », δι' οὗ πάντες
ἀνεθάλλομεν εἰς ἀφθαρσίαν καὶ ζωήν. Ἀφίκετο γὰρ πρὸς
10 ἡμᾶς « ὡς ὥρα ἐπὶ τῶν ὀρέων ». Καὶ τί δὴ τοῦτό ἐστι ;

Mss : A DEFG BHI (= b) CJKLM (= c)

46 αὐτῳ leg. putamus *in se* Sch. *in ipso* Sal.[v] : αὐτῳ codd. edd.
β΄. 1 ad πολύευκτον — *πολυκήρυκτον ἴσ.* L[mg]

j. Cf. He 2, 17 k. Rm 8, 3-4.
2 a. Is 52, 6-7 b. He 1, 1-2.

1. La description de l'arrivée du printemps qui succède à l'hiver comme image de la victoire du Christ sur le diable est très fréquente chez Cyrille. On la trouve déjà en *LF* II, 3 qui présente la même identification allégorique de l'hiver avec Satan en lien avec Ct 2, 10-12 et 2 Co 5, 7. En *LF* IX, 2 le développement est plutôt d'ordre bucolique et insiste sur la beauté de la renaissance printanière sans citer de texte biblique. Dans l'*In Io.* IV, 4, 386 Cyrille présente un développement très proche de celui de notre texte d'autant qu'on y trouve à la fois Ct 2, 11-13 et Is 52, 6-7. Voir aussi *Commentaire sur Isaïe* V, 1, *PG* 70, 1153 B qui rapproche ce verset d'Isaïe de Ct 2, 10-12 en expliquant le πάρειμι comme l'annonce de l'Incarnation, et l'allégorie du printemps comme celle de la victoire du Fils sur le dragon qui

rendu semblable en toutes choses à ses frères [j], il mette à mort le péché dans sa chair et qu'en remplissant la nature de vigueur spirituelle, par lui et en lui il lui redonne sa forme originelle, qu'il la rende inexpugnable face aux péchés et la prépare à devenir plus forte que la mort et la corruption. Conscient de cela, le sage Paul nous écrit : « Ce qui était impossible à la Loi, au temps où la chair la vouait à l'impuissance, Dieu l'a fait en envoyant son propre Fils dans une chair semblable à celle du péché, et pour ce qui est du péché, il a condamné le péché dans la chair, afin que la justice de la Loi s'accomplît en nous, si nous ne nous conduisons pas selon la chair mais selon l'esprit [k]. »

Application d'Is 52, 6-7 à l'Incarnation

2. Pour signifier le moment de l'Incarnation que nous avions tant attendu, ou plutôt comme s'il était déjà devenu semblable à nous, le Verbe issu de Dieu le Père proclamait par avance à haute voix : « Moi qui parle, me voici, comme la bonne saison sur les montagnes, comme les pieds du messager qui annonce la nouvelle de la paix, en messager de bonnes nouvelles [a]. » « À maintes reprises et sous maintes formes, Dieu a jadis parlé aux Pères par les prophètes, à la fin de ces jours, il nous a parlé par le Fils [b] », grâce auquel nous avons tous refleuri en vue de l'incorruptibilité et de la vie. En effet, il est venu vers nous « comme la bonne saison sur les montagnes. » Eh bien, qu'est-ce que cela veut dire ? [1]

avait tout rendu sec et dépourvu de fruit. Étant donné que dans le *De Adoratione* 656 D-657 B, on retrouve exactement les mêmes citations autour de l'idée de renouveau apporté par le Christ après l'ère de tyrannie du diable : 2 Co 5, 17 ; Ct 2, 10-12 ; Is 52, 6-7, on ne peut s'empêcher de penser que Cyrille s'était constitué un dossier scripturaire autour de ce thème. Par ailleurs cette lecture du *Cantique* se rencontre aussi chez d'autres Pères, voir par exemple Grégoire de Nysse, *Homélies sur le Cantique des Cantiques* V, où la période hivernale est identifiée au froid de l'idolâtrie et le retour du printemps au renouvellement de notre nature par le Christ.

Τὰ γὰρ ἐν ὄρεσί τε καὶ παραδείσοις φυτά, χειμῶνος αὐτοῖς ἐνιέντος τὴν πύκνωσιν καὶ τὴν ἐκ ῥίζης ἰκμάδα διαθεῖν εἰς τὸ ἄνω πλουσίως οὐκ ἐπιτρέποντος, μονονουχὶ καὶ αὐαίνεται καὶ ἀκαρποῦται, φύλλων νοσοῦντα τὴν ἐρημίαν. Ἀναδε-
15 δειγμένης δὲ τῆς ὥρας, τουτέστιν ἠρινοῦ γελῶντος καιροῦ καὶ θερμοτέραις ἀκτῖσιν ἡλίου τὰ σύμπαντα καταθέροντος, ἁπλοῦται τὸ μεμυκός, καὶ τῆς ἐκ βάθους ἰκμάδος ἐλευθέραν ἐχούσης τὴν εἰς ἅπαν ἤδη διαδρομήν, μεθύουσι μὲν οἱ κλῶνες, ἀρτιθαλῆ δὲ φυλλάδος προαναβράττοντες χλόην,
20 εὐθὺς τῷ ἰδίῳ στεφανοῦνται καρπῷ. Γέγονε τοίνυν ἡμῖν « ὡς ὥρα ἐπὶ τῶν ὀρέων » ὁ Κύριος ἡμῶν Ἰησοῦς Χριστός. Γένοιτο δ' ἂν καὶ τοῦτο σαφὲς καὶ δι' ἑτέρων ἡμῖν ἱερῶν Γραμμάτων. Ἐν γάρ τοι τῷ Ἄσματι τῶν ᾀσμάτων τὸ τοῦ νυμφίου πρόσωπον εἰσκεκόμισται, καθάπερ τινὶ νύμφῃ, τῇ
25 Ἐκκλησίᾳ βοῶντος· « Ἀνάστα, ἐλθέ, ἡ πλησίον μου, καλή μου, περιστερά μου, ὅτι ἰδοὺ ὁ χειμὼν παρῆλθεν, ὁ ὑετὸς ἀπῆλθεν, ἐπορεύθη ἑαυτῷ· τὰ ἄνθη ὤφθη ἐν τῇ γῇ, καιρὸς τῆς τομῆς ἔφθασε [c]. »

Γέγονε δὲ πρὸς τούτῳ καὶ « ὡς πόδες εὐαγγελιζομένου
30 ἀκοὴν εἰρήνης, ὡς εὐαγγελιζόμενος ἀγαθά [d]. » Ὠμοτάτων μὲν γὰρ ἔσθ' ὅτε βαρβάρων μυρίανδροι στρατιαὶ πόλιν ἢ χώραν καταδῃοῦν γλιχόμεναι, πολέμου πρόφασιν ποιοῦνται τὴν ἀπληστίαν· διαπιπτούσης δὲ τῆς ἐλπίδος αὐτοῖς εἰς τὸ ἐναντίον, καλοὶ λίαν οἱ πόδες τοῦ τὴν εἰρήνην τοῖς
35 κινδυνεύουσιν ἀπαγγέλλοντος [e]. Τοιουτονί τινα τρόπον καὶ
697 τὰ ἐφ' ἡμῖν αὐτοῖς καταθρήσαι τις ἂν κατωρθω‖μένα διὰ

Mss : A DEFG BHI (= b) CJKLM (= c)

11 τε Mi. : τι Sal. Aub. ‖ 14 νοσοῦντα I^mg : νονοῦντα BH νοοῦντα I edd. ‖ 29 τοῦτο b edd. ‖ 34 οἱ : ὁ B ‖ τοῦ τὴν A G b edd. : τοῦτ' ἦν DEF (ἥν) C τοῦτ' ἦν C^mg JKLM.

---

c. Ct 2, 10-11 d. Is 52, 7 e. Cf. Rm 10, 15.

Le Christ est comme le retour du printemps

Les plantes des montagnes et des parcs, lorsque l'hiver provoque en elles le durcissement et empêche que la sève qui vient de la racine se répande en abondance vers le haut, se trouvent presque desséchées et ne donnent pas de fruits, souffrant de l'absence de feuillage. Mais lorsque reparaît la bonne saison, c'est-à-dire le temps du gai printemps, et que le soleil réchauffe toutes choses par des rayons plus ardents, ce qui était contracté se dilate, et comme la sève venue des profondeurs a désormais la liberté de se diffuser partout, les jeunes pousses en sont inondées et, en faisant jaillir la verdure toute fraîche éclose des frondaisons, elles se trouvent aussitôt couronnées de leurs propres fruits. Eh bien, notre Seigneur Jésus-Christ a été pour nous « comme la bonne saison sur les montagnes. » Cela pourrait aussi nous apparaître clairement à travers d'autres passages des Écritures sacrées. En effet, dans le *Cantique des cantiques* le personnage de l'époux entre en scène, en criant à l'Église comme à une épouse : « Lève-toi, viens, ma compagne, ma belle, ma colombe, car voici que l'hiver est passé, la pluie s'en est allée, elle s'est éloignée ; les fleurs sont apparues sur la terre, le temps de la taille est arrivé [c]. »

Le Christ annonce la bonne nouvelle de notre libération

En outre, le Christ a également été : « comme les pieds du messager qui annonce la nouvelle de la paix, en messager de bonnes nouvelles [d]. » En effet, il arrive que des armées pléthoriques de barbares particulièrement cruels désirent dévaster une cité ou un pays, en prenant comme prétexte de guerre leur désir insatiable ; mais lorsque leur espoir échoue et aboutit au résultat contraire, comme ils sont beaux alors les pieds du messager qui annonce la paix [e] à ceux qui étaient en danger. C'est d'une manière semblable, comme on peut le constater, que notre situation elle aussi a été redressée par le

Χριστοῦ. Μᾶλλον δὲ καὶ λίαν ἀκονιτὶ συνεῖναι ῥᾷον, ὅτι σωτῆρα καὶ λυτρωτὴν ἀπέστειλεν ἡμῖν ἐξ οὐρανοῦ τὸν Υἱὸν ὁ Πατήρ.

40 Τύραννος ἀλαζὼν οὐκ ἔθνους ἑνὸς ἀλλ' οὐδὲ πόλεως μιᾶς ἢ χώρας κατεστρατεύετο· ἀλλ' ὅλην ὑφ' ἑαυτῷ ποιεῖσθαι τὴν οἰκουμένην ἀνοσίως ἐπιχειρῶν, τοῖς ἰδίοις ζυγοῖς ὑπετίθει τὸν ἄνθρωπον· μεθιστὰς μὲν ἀγάπης τῆς εἰς Θεὸν καὶ τῆς ἀληθοῦς θεογνωσίας ἀποσοβῶν, πολυτρόποις δὲ μᾶλλον 45 κατασπιλῶν ἁμαρτίαις, καὶ λάτριν ἀποτελῶν τῆς τῶν δαιμονίων ἀγέλης, καὶ τῇ κτίσει προσνέμων παρὰ τὸν κτίσαντα Θεόν [f]. Οἱ μὲν γὰρ ἡλίῳ τὸ σέβας, οἱ δὲ σελήνῃ δωρούμενοι τὴν τῶν ὅλων βασιλίδα φύσιν, τῶν αὐτῇ καὶ μόνῃ πρεπωδεστάτων ἐξέπεμπον γερῶν· ἕτεροι δέ, γῇ καὶ ὕδατι, 50 καὶ ἀέρι, καὶ πυρὶ προσάγοντες τὴν προσκύνησιν, εἰς τοῦτο κατὰ βραχὺ κατώλισθον ἀμαθίας, ὥστε καὶ ἐπ' αὐτό που τὸ λοῖσθον διεληλάκασι τῶν κακῶν, καὶ μέχρι τῶν ἀναισθήτων κατακομίζοντες ξύλων τὴν τῆς θεότητος τιμήν τε καὶ δόξαν.

Ταῖς τοιαύταις ἡμῶν ἀπάταις ἐνσπαταλῶν ὁ δράκων ὁ 55 μιαιφόνος μεγαλαυχῶν διετέλει, καὶ ἀκατάσειστον ἕξειν ᾠήθη τὴν εὐθυμίαν. Καὶ περὶ αὐτοῦ μὲν ὁ μακάριος προφήτης Ἱερεμίας ἔφασκεν· « Οὐαὶ ὁ πληθύνων ἑαυτῷ τὰ οὐκ ὄντα αὐτοῦ — ἕως τίνος ; — καὶ βαρύνων τὸν κλοιὸν αὐτοῦ στιβαρῶς [g]. » Θεοῦ γὰρ ὄντα τὸν ἄνθρωπον ἑαυτῷ 60 συλλέγειν ἤθελε, δυσαχθεστέραν ἀεὶ τὴν ηὐτρεπισμένην αὐτῷ κατασκευάζων κόλασιν. Ὁ δέ γε σύνεδρος τῷ Θεῷ καὶ Πατρὶ Θεὸς Λόγος, ἀθέως ἡμῖν πεπραχόσι καὶ κινδυνεύουσι, τὸν τῆς σωτηρίας καιρὸν προευηγγελίζετο λέγων· « Πνεῦμα Κυρίου ἐπ' ἐμέ, οὗ εἵνεκεν ἔχρισέ με· εὐαγγελίσασθαι 65 πτωχοῖς ἀπέσταλκέ με, κηρύξαι αἰχμαλώτοις ἄφεσιν, καὶ

Mss : A DEFG BHI (= b) CJKLM (= c)

41 ὅλην I^mg C^pc2 *universam terrarum orbem* Sch. *cuncta* Sal.^v : ὃ ἦν A DEFG BI C^ac edd. ‖ 45-46 ταῖς... ἀγέλαις Aub. Mi. ‖ 51 αὐτό : αὐτῳ I Sal. Aub. (sine iota subscr.) ‖ 54 ἡμῶν ἀπάταις om. Mi. ‖ 55 ἔξιν I edd. ‖ 56 τὴν : τῇ B ‖ 58 — ἕως τίνος ; — ex *LXX* leg. putamus : ἕως τινὸς codd. Sal. (+ ·) Aub. (+ ;) Mi. cum() ‖ 62 ἀθέως F^mg2 C^mg2 *impie* verss : ἀθέος F C

f. Cf. Rm 1, 25 g. Ha 2, 6.

Christ. Ou plutôt il est assez facile de comprendre, même sans aucun effort, que le Père nous a envoyé du ciel son Fils comme sauveur et libérateur.

Un tyran vantard faisait la guerre non pas à une seule nation ni à une seule cité ou un seul pays ; mais cherchant de manière impie à mettre sous sa domination toute la terre habitée, il soumettait l'homme sous son joug : non seulement il le détournait de l'amour pour Dieu et l'écartait de la véritable connaissance de Dieu ; mais il le souillait de péchés multiples, faisait de lui le serviteur de la troupe des démons et attribuait le nom de Dieu à la créature au lieu du Créateur [f]. De fait, en accordant leur vénération les uns au soleil, les autres à la lune, ils enlevaient à la nature souveraine de l'univers les prérogatives qui ne reviennent qu'à elle ; d'autres qui offraient leur adoration à la terre, à l'eau, à l'air et au feu, sont rapidement tombés à un tel degré de sottise qu'ils sont parvenus au comble même du mal, allant jusqu'à décerner l'honneur et la gloire de la divinité y compris à des morceaux de bois dépourvus de sensation [1].

Quant au dragon sanguinaire, grisé de nous tromper à ce point, il ne cessait de se vanter et pensait que sa satisfaction serait inébranlable. C'est à son propos que le bienheureux prophète Jérémie disait : « Malheur à qui amasse pour lui-même les biens qui ne sont pas à lui — jusques à quand ? — et qui rend son joug accablant [g]. » Car en voulant recueillir pour lui-même l'homme qui appartient à Dieu, il ne cessait d'alourdir le châtiment qui lui était préparé. De son côté, le Dieu Verbe qui siège avec Dieu le Père, nous annonçait d'avance, à nous qui vivions séparés de Dieu et dans le danger, la bonne nouvelle du moment du salut, en disant : « L'Esprit du Seigneur est sur moi, parce qu'il m'a oint ; il m'a envoyé porter la bonne nouvelle aux pauvres, annoncer aux captifs la délivrance, aux aveugles le recouvrement de la

1. Cette critique du polythéisme est très proche de celle de la *LF* VI, 3-4 où l'on trouvait déjà la condamnation de ces trois mêmes cultes : astres, éléments, morceaux de bois. Voir aussi *Contre Julien* I, 21 ; II, 20.

τυφλοῖς ἀνάβλεψιν, καλέσαι ἐνιαυτὸν Κυρίου δεκτόν [h]. »
Ἐπειδὴ δὲ τῆς ἐπηγγελμένης ἐπικουρίας παρῆν ὁ καιρός, ἑαυτὸν ἀντέταξεν ὑπὲρ ἡμῶν τοῖς τοῦ διαβόλου κακουργήμασι· καὶ τὸν μιαιφόνον ἐκεῖνον κατεχειροῦτο
70 τύραννον καὶ τοῖς τῶν πεπιστευκότων ὑποστορέσας ποσί, διαρρήδην ἔφασκεν· « Ἰδοὺ δέδωκα ὑμῖν πατεῖν ἐπάνω ὄφεων καὶ σκορπίων, καὶ ἐπὶ πᾶσαν τὴν δύναμιν τοῦ ἐχθροῦ, καὶ οὐδὲν ὑμᾶς οὐ μὴ ἀδικήσῃ [i]. »

Ὅσοι τοίνυν τῆς εἰς Θεὸν εὐσεβείας καθεστήκαμεν
75 ἐρασταί, καὶ τῆς τῶν ἁγίων λαμπρότητος μεταλαχεῖν γλιχόμενοι, τὸ εἰς τὴν ἄνω γενέσθαι διψῶμεν πόλιν, ἐκεῖνο καθ' ἑαυτοὺς ἐνθυμώμεθα. Βασιλεῖς μὲν γὰρ οἱ ἐπὶ τῆς γῆς ταῖς βαρβαρικαῖς ἐφόδοις ἐπιτιμῶντες ἀεί, καὶ τὰς ἐν ἑκάστῃ χώρᾳ διασώζοντες πόλεις, σωτῆρες καὶ λυτρωταί, καὶ τί γὰρ
80 οὐχὶ τῶν τοιούτων ὀνομαζόμενοι, πλουσίως καταγεραίρονται. Οἱ δὲ τοῖς ἰδίοις ἐπαυχοῦντες ἀνδραγαθήμασιν, ὑπὸ πόδας μὲν ἰδίους ποιοῦνται τοὺς σεσωσμένους, θεσμοῖς δὲ καὶ νόμοις οἱονεὶ καταζεύξαντες, δασμολογεῖσθαι προστάττουσιν, ὁμολογίαν ὥσπερ τινὰ τοῦ ὑποτετάχθαι δεῖν τὸ
85 χρῆμα ποιούμενοι. Λελυτρωμένοι τοίνυν διὰ Χριστοῦ καὶ
700 τῆς πολυθέου πλάνης ἐξῃρημένοι, καὶ τὴν πρὸς ‖ Θεὸν οἰκειότητα δι' αὐτοῦ πλουτήσαντες, καὶ εἰς τὴν τῶν ἁγίων ἐλπίδα μεταχωρήσαντες, αὐτῷ τὴν ἰδίαν ἀναθῶμεν ζωήν. Ὡς γὰρ ὁ μακάριος γράφει Παῦλος, « Εἷς ὑπὲρ πάντων
90 ἀπέθανεν, ἵνα οἱ ζῶντες μηκέτι ἑαυτοῖς ζῶσιν, ἀλλὰ τῷ ὑπὲρ αὐτῶν ἀποθανόντι καὶ ἐγερθέντι [j]. »

Τοῦτο καὶ ἐν τοῖς ἀρχαιοτέροις Γράμμασιν, ὡς ἐν σκιαῖς ἔτι καὶ τύποις ἡμῖν κατεγράφετο. Σκιὰ γὰρ ὁ νόμος [k] καὶ τῆς ἀληθείας ὠδίνει τὴν μόρφωσιν.

Mss : A DEFG BHI (= b) CJKLM (= c)

69 κατεχειροῦτο C[pc2] : -χυρ- C[ac]JKL ‖ 73 ἀδικήσῃ B[pc] : -σει G B[ac] ‖ 74 ὅσοι : ὅτι KLM ‖ τῆς : τοῖς Aub. ‖ 83 δασμολογεῖσθαι G (δυσ-) : -λογι- CKL ‖ 87-88 καὶ εἰς — μεταχωρήσαντες C[mg2] : om. C H

h. Is 61, 1-2 ; Lc 4, 18-19 i. Lc 10, 19 j. 2 Co 5, 14-15 k. Cf. He 10, 1.

vue, proclamer une année de grâce du Seigneur [h]. » Or lorsque le moment de l'aide annoncée fut arrivé, il s'opposa lui-même pour nous aux méfaits du diable ; il soumit à son pouvoir ce tyran sanguinaire et l'étendant sous les pieds des croyants, déclarait expressément : « Voici que je vous ai accordé de fouler aux pieds serpents, scorpions et toute la puissance de l'ennemi, et il ne vous fera aucun tort [i]. »

Eh bien nous tous qui sommes épris de piété envers Dieu, et qui, dans notre désir ardent de participer à la splendeur des saints, avons soif de parvenir à la cité d'en-haut, réfléchissons en nous-mêmes à ceci. Les rois de la terre, qui ne cessent de réprimer les attaques barbares, et d'en préserver les cités de chaque pays, sont richement honorés en recevant les noms de sauveurs, libérateurs, ou tout autre nom semblable. Par suite, tirant gloire de leurs hauts faits, ils soumettent sous leurs pieds ceux qu'ils ont sauvés et, en leur imposant en quelque sorte le joug de réglements et de lois, ils leur prescrivent de payer un tribut, considérant la chose comme une sorte de reconnaissance de leur sujétion. Donc nous qui avons été délivrés par le Christ et soustraits à l'erreur polythéiste, nous qui avons été enrichis grâce à lui de la parenté avec Dieu et qui avons émigré pour nous établir dans l'espoir des saints, consacrons-lui notre propre vie. Car comme le bienheureux Paul l'écrit : « Un seul est mort pour tous, afin que les vivants ne vivent plus pour eux-mêmes, mais pour celui qui est mort et ressuscité pour eux [j]. »

Déjà dans les Écritures plus anciennes, cela se trouvait inscrit pour nous comme en ombres et en figures [1]. En effet, la loi est l'ombre [k] et porte en son sein le contour de la vérité.

1. Cf. *LF* XII, 1.

γʹ. Ἔφη τοίνυν καὶ πάλαι Θεὸς πρὸς τὸν ἱεροφάντην Μωϋσέα· « Ἐὰν λάβῃς τὸν συλλογισμὸν τῶν υἱῶν Ἰσραὴλ ἐν τῇ ἐπισκοπῇ αὐτῶν, καὶ δώσουσιν ἕκαστος λύτρα τῆς ψυχῆς αὐτοῦ τῷ Κυρίῳ καὶ οὐκ ἔσται ἐν αὐτοῖς πτῶσις ἐν τῇ
5 ἐπισκοπῇ αὐτῶν. Καὶ τοῦτο ἔστιν ὃ δώσουσί σοι ὅσοι ἂν παραπορεύωνται τὴν ἐπίσκεψιν· τὸ ἥμισυ τοῦ διδράχμου ὅ ἐστι κατὰ τὸ δίδραχμον τὸ ἅγιον — εἴκοσιν ὀβολοὶ τὸ δίδραχμον —, τὸ δὲ ἥμισυ τοῦ διδράχμου εἰσφορὰ Κυρίῳ. Πᾶς ὁ παραπορευόμενος εἰς τὴν ἐπίσκεψιν ἀπὸ εἰκοσαετοῦς
10 καὶ ἐπάνω δώσουσι τὴν εἰσφορὰν Κυρίῳ. Πλουτῶν οὐ προσθήσει καὶ ὁ πενόμενος οὐκ ἐλαττονήσει ἀπὸ τοῦ ἡμίσεως τοῦ διδράχμου ἐν τῷ διδόναι τὴν εἰσφορὰν Κυρίῳ, ἐξιλάσασθαι περὶ τῶν ψυχῶν ὑμῶν [a]. » Ἔστι μὲν γὰρ ὁ στατὴρ ἤτοι τὸ δίδραχμον ἀκίβδηλον νόμισμα, χαρακτὴρ δὲ
15 αὐτῷ βασιλικὸς ἐνσημαίνεται. Προσεκομίζετο δὲ τῷ Κυρίῳ παρὰ τῶν συντελεῖν εἰωθότων, οὐχ ὑπὲρ μόνης μιᾶς, ἀλλ' ὑπὲρ δυοῖν κεφαλαῖν. Ἐτετάχατο δὲ δασμολόγοι, κατὰ τὸ τῷ νόμῳ δοκοῦν, οἳ καὶ τὴν τῶν Ἰουδαίων ἄνω τε καὶ κάτω διαθέοντες χώραν, ἐν ἴσῳ τῷ μέτρῳ παρά τε πλουσίου καὶ
20 πένητος συνεισφέρεσθαι δεῖν τὸ λύτρον ἐκέλευον· ἀκριβῆ τὸν τύπον τῇ ἀληθείας ἀναδείξει φυλάττεσθαι θεσμοθετοῦντος Θεοῦ.

Mss : A DEFG BHI (= b) CJKLM (= c)

γʹ. 2 Μωϋσέα leg. ex μωσυέα A putamus : Μωσέα DEFG b[mg] Μωσῆν b ‖ 5 ἐστιν codd. Sal. *LXX* : ἔσται Aub. Mi. ‖ 11 προσθήσει C[pc2] : -σι F C[ac] προστίθησι KLM ‖ 14 στατὴρ : γαστὴρ C[ac] ‖ ἀκίβδηλον : ἀκίνδηλον E C[ac] ἀκίνδυνον D ‖ 19 διαθέ[ο]ντες Mi. : διαθέντες HI Sal. Aub. ‖ 20-21 ἀκριβῆ τὸν τύπον om. b ‖ 21 τῇ : ταῖς D τοῖς Sal. ἐπὶ Aub. Mi.(cum[ ]) ‖ ἀληθείας + ἀκριβῆ τὸν τύπον τοῖς τῆς ἀληθείας ἀναδείξει I[mg]

3 a. Ex 30, 12-15.

1. Les traductions de l'*Exode* sont reprises de *La Bible d'Alexandrie. 2. L'Exode*, par A. Le Boulluec, Paris, 1989. Dans le *De Adoratione* 312 C et 344 AB, ce texte est interprété de manière allégorique pour expliquer que ceux qui sont sélectionnés et qui contribuent à la construction de l'Église, dont la Tente est une figure, sont les chrétiens robustes qui sont parvenus à

La contribution du didrachme

3. Jadis Dieu déclara donc au grand-prêtre Moïse : « Quand tu relèveras le compte des fils d'Israël lors de leur inspection, chacun donnera la rançon de son âme au Seigneur et il n'y aura pas chez eux de calamité lors de leur inspection. Voici ce que te donneront tous ceux qui passeront le recensement : la moitié du didrachme fixée selon le didrachme saint — vingt oboles le didrachme —, la moitié du didrachme en contribution au Seigneur. Tout homme qui passe au recensement, de vingt ans et au-delà, donnera la contribution au Seigneur. Le riche n'ajoutera rien et le pauvre ne fera pas de diminution à la moitié du didrachme en donnant la contribution au Seigneur, afin de faire l'expiation pour vos âmes [a] [1]. » En effet, le statère ou le didrachme est une monnaie non falsifiée, et porte inscrite sur lui l'empreinte impériale. Il était apporté au Seigneur par ceux qui payaient habituellement des impôts, non pas pour une seule tête, mais pour deux. Des percepteurs avaient été établis, selon les arrêts de la Loi, pour parcourir en tous sens le pays des juifs et donner l'ordre que la contribution soit versée dans une égale mesure par le riche et par le pauvre : la Loi divine prescrivait de conserver avec exactitude cette figure afin de manifester la vérité.

l'équilibre spirituel, puisque ce n'est ni aux femmes ni aux enfants qu'il est prescrit de verser la contribution, mais à ceux qui ont désormais atteint la fleur de l'âge. Mais plus habituellement Cyrille aime à citer ce texte soit en lien avec Mt 17, 24-27 pour prouver la liberté du Fils (*Dial. Trin.* IV, 515 e ; *Le Christ est Un* 134 c ; *In Io.* II, 5, 189 ae ; IX, 1, 791 ac), soit en analysant l'image du didrachme qui lui donne l'occasion de développements théologiques (*In Io.* III, 5, 307 a où la pièce unique contenant deux drachmes est une image de la consubstantialité du Père et du Fils), deux types d'exégèse que l'on rencontre dans cette lettre.

Καὶ γοῦν εἰς Καπερναοὺμ εἰσεληλακότος ποτὲ τοῦ Σωτῆρος ἡμῶν Χριστοῦ, οἱ τῶν διδράχμων πρακτῆρες
25 προσῆλθον τῷ Πέτρῳ λέγοντες· « Ὁ διδάσκαλος ὑμῶν οὐ τελεῖ τὰ δίδραχμα. Ὁ δὲ ἔφη· Ναί [b] »· οὐχ ὑποτιθεὶς τῷ νόμῳ τὸν ἐλεύθερον, οὐδὲ τοῖς οἰκέταις συντάττων τὸν Υἱόν, ἀλλ' εἰδὼς ὅτι γέγονεν ὑπὸ νόμον ὁ νομοθέτης [c], ἵνα ἡμᾶς τῆς νομικῆς ἀρᾶς ἐξέληται, καὶ τῆς δουλείας τὸ σχῆμα
30 μεταπλάττων ἐπὶ τὸ ἄμεινον, ἑαυτῷ συμμόρφους ἐργάσηται καὶ υἱοὺς ἀποφήνῃ Θεοῦ, καθάπερ τινὶ λαμπρῷ περιβαλὼν ἀξιώματι τῷ τῆς ἐλευθερίας πνεύματι. « Οὐ γὰρ ἐλάβομεν πνεῦμα δουλείας πάλιν εἰς φόβον », ὡς ὁ θεσπέσιος γράφει Παῦλος, « ἀλλ' ἐλάβομεν πνεῦμα υἱοθεσίας, ἐν ᾧ κράζομεν·
35 Ἀββά, ὁ Πατήρ [d]. » Εἰσπεπαικότα τοίνυν εἰς τὴν οἰκίαν τὸν Πέτρον ἤρετο μὲν ὁ Σωτήρ· « Οἱ βασιλεῖς τῆς γῆς ἀπὸ τίνων λαμβάνουσι κῆνσον ἢ τέλη ; ἀπὸ τῶν υἱῶν αὐτῶν ἢ ἀπὸ τῶν ἀλλοτρίων [e] ; » Διειπόντος γε μὴν ἀπὸ τῶν ἀλλοτρίων συνερανίζεσθαι δεῖν, πάλιν ἔφη Χριστός· « Ἄρα γε ἐλεύθεροί
40 εἰσιν οἱ υἱοί. Ἵνα δὲ μὴ σκανδαλίσωμεν αὐτούς, πορευθεὶς εἰς θάλασσαν βάλε ἄγκιστρον, καὶ τὸν ἀναβαίνοντα πρῶτον ἰχθὺν ἆρον· καὶ ἀνοίξας τὸ στόμα αὐτοῦ εὑρήσεις στατῆρα·
701 ἐκεῖνον λαβὼν δὸς αὐτοῖς ἀντ' ἐμοῦ καὶ σοῦ [f]. » Συν‖ίης οὖν ὅπως ὑπὲρ δυοῖν κεφαλαῖν συνετελεῖτο τὸ δίδραχμον.

Mss : A DEFG BHI (= b) CJKLM (= c)

35 οἰκείαν b edd. ‖ 36 τίνων *NT* : τίνος I edd. *NT* (cod. B)

b. Mt 17, 24 c. Cf. Ga 4, 4 d. Rm 8, 15 e. Mt 17, 25
f. Mt 17, 26-27.

1. Cette première interprétation d'Ex 30, 12-15 relue à travers le texte de Mt 17, 24-27 est très fréquente tout au long des œuvres cyrilliennes. Voir par exemple *Dial. Trin.* IV, 515 e ; *In Io.* II, 5, 189 ae ; IX, 1, 791 ac ; *Le Christ est Un* 734 c ; *Commentaire sur Isaïe* IV, 4, *PG* 70, 1045 AB. Il s'agit toujours de prouver que le Christ ne doit pas être compté parmi les êtres soumis au joug de l'esclavage, puisque son statut de Fils véritable lui donne

Les fils en sont exempts De fait, un jour que le Christ notre Sauveur était venu à Capharnaüm, les collecteurs des didrachmes s'avancèrent vers Pierre en disant : « Votre maître ne paie pas les didrachmes. — Mais si, répondit-il [b] » ; ainsi il ne soumettait pas à la Loi l'homme libre, et ne comptait pas le Fils au nombre des serviteurs, mais savait que le législateur est venu se soumettre à la Loi [c], afin de nous arracher à la malédiction de la Loi, et de remodeler la forme de l'esclave en quelque chose de meilleur, pour nous rendre conformes à lui et nous faire fils de Dieu, en nous revêtant de l'esprit de la liberté comme d'un honneur éclatant [1]. « En effet, nous n'avons pas reçu un esprit de servitude pour retomber dans la crainte, comme l'écrit Paul, l'inspiré de Dieu, mais nous avons reçu un esprit d'adoption filiale, dans lequel nous crions : 'Abba, Père' [d] [2]. » Donc quand Pierre fut rentré dans la maison, le Sauveur lui demanda : « Les rois de la terre, de qui perçoivent-ils le cens ou les impôts ? De leurs fils ou des étrangers [e] ? » Comme il avait répondu que c'était aux étrangers qu'il fallait demander la cotisation, le Christ reprit : « Par conséquent les fils en sont exempts. Cependant pour ne pas scandaliser ces gens-là, va à la mer, jette l'hameçon, saisis le premier poisson qui montera, et ouvre lui la bouche : tu y trouveras un statère ; prends-le, et donne-le leur pour moi et pour toi [f]. » Tu comprends donc comment le didrachme était payé pour deux têtes.

une parfaite liberté. A plusieurs reprises il emploie même le verbe μαρτυρέω ou son composé προσμαρτυρέω pour dire qu'en répondant ainsi à Pierre à propos de l'impôt il a rendu témoignage à la liberté qui lui revient du fait de sa nature propre. Lui seul possède donc proprement cette liberté que, par grâce, il accorde aux hommes d'acquérir en vertu de leur adoption filiale.

2. Cyrille transforme la citation en remplaçant « vous » par « nous », sans doute pour impliquer davantage la communauté des croyants à laquelle il appartient lui-même et répète ce procédé à deux autres reprises dans la suite de cette lettre : 1 P 1, 18-19 (3, 56), Ep 2, 1-5 (4, 18-28).

45 Καὶ τί τὸ μυστήριον ; Ἢ ποῦ τῆς ἀληθείας τὸ κάλλος ἐν τῇ κατὰ νόμον σκιᾷ κεκρυμμένον εὑρήσομεν ; Ὁ γάρ τοι στατὴρ ὁ ἀληθινός, ἡ τοῦ μεγάλου Βασιλέως εἰκών, τουτέστιν ὁ Υἱός, ὁ χαρακτὴρ καὶ τὸ ἀπαύγασμα τῆς οὐσίας τοῦ Πατρὸς [g] ἑαυτὸν δέδωκεν ὑπὲρ ἡμῶν [h]. Καὶ τῆς ἁπάντων 50 ζωῆς ἀντάλλαγμα τὴν οἰκείαν ψυχὴν ἐποιήσατο, οὐχ ἵνα μόνον διασώσῃ τὸν Ἰσραήλ, καίτοι δοκοῦντα πλουτεῖν τοῦ νόμου τὴν γνῶσιν, ἀλλ' ἵνα καὶ τὴν ἀμέτρητον τῶν ἐθνῶν ἀγέλην, « ἐλπίδα μὴ ἔχουσαν [i] », ὡς ὁ Παῦλός φησι, καὶ παντὸς ἀγαθοῦ νοσοῦσαν τὴν ἐρημίαν, τῆς τοῦ διαβόλου 55 πλεονεξίας ἐξέληται. Οὐκοῦν ὑπὲρ δύο κεφαλῶν ὁ θεῖος καὶ οὐράνιος ἐδόθη στατήρ. « Λελυτρώμεθα γὰρ οὐ φθαρτοῖς, ἀργυρίῳ ἢ χρυσίῳ, ἀλλὰ τιμίῳ αἵματι, ὡς ἀμνοῦ ἀμώμου καὶ ἀσπίλου Χριστοῦ [j]. » « Ὀφειλέται τοίνυν ἐσμὲν οὐ τῇ σαρκὶ τοῦ κατὰ σάρκα ζῆν [k] », ἀλλὰ τῷ λυτρωσαμένῳ καὶ 60 ἐκπριαμένῳ Χριστῷ.

Καὶ γοῦν ὅτε τῆς Αἰγυπτίων πλεονεξίας τὸ δυσαχθὲς οὐ φέροντας κατηλέει λοιπὸν ὁ φιλοικτίρμων Θεὸς τοὺς υἱοὺς Ἰσραὴλ καὶ τῷ τῆς δουλείας ζυγῷ παραλόγως ἐπηχθισμένους πρὸς ἐλευθερίαν ἐκάλει. Πικρὰς μὲν τοῖς ἀντεξά-

Mss : A DEFG BHI (= b) CJKLM (= c)

45 ποῦ I^mg : ποῖον b edd. *qualem* Sal.^v ‖ 46 εὑρήσομεν B^mg : εὑρίσκομεν B εὑρήσεται G (cum punctis sub -εται) ‖ 52 ἀμέτριτον BH C^ac JK ‖ 58 Χριστοῦ + οὐκ A^mg2 b (I cum punctis suppos.) : om. cett. edd. ‖ οὐ J (oblitt.) *NT non carni* verss : om. A DEFG CKLM *ἴσ. οὐ τῇ* I^mg C^mg2 ‖ 62 φιλοικτίρμον C^ac

g. Cf. He 1, 3 h. Cf. Ga 2, 20 i. Ep 2, 12 j. 1 P 1, 18-19 k. Rm 8, 12.

1. Cette deuxième interprétation du texte de l'*Exode* est plus proche du texte et ne recourt plus à la médiation de l'Évangile. Elle cherche à expliquer la signification de cette contribution par le thème du Christ offert en « rançon » (λύτρον). Mais comme il faut justifier qu'il s'agit d'un « didrachme », Cyrille propose d'y reconnaître une allusion aux deux peuples

Le Christ offert pour le salut d'Israël et des nations

Or en quoi consiste le mystère ? Où trouverons-nous la beauté de la vérité qui a été cachée dans l'ombre de la Loi ? Eh bien, le statère véritable, l'image du grand Roi, c'est-à-dire le Fils, l'empreinte et le rayonnement de la substance du Père [g] s'est offert pour nous [h]. Il a échangé sa propre âme contre la vie de tous, non pas afin de sauver seulement Israël, bien qu'il semblât être riche de la connaissance de la Loi, mais afin d'arracher également à l'avidité du diable le troupeau innombrable des nations, « qui n'avait pas d'espoir [i] », comme le dit Paul, et qui souffrait de la pénurie complète des biens. C'est donc pour deux têtes qu'a été donné le statère divin et céleste [1]. « En effet, nous n'avons été délivrés par rien de corruptible, argent ou or, mais par un sang précieux, celui d'un agneau sans défaut et sans tache, le Christ [j]. » « Nous sommes donc débiteurs, non envers la chair pour vivre selon la chair [k] », mais envers le Christ qui nous a délivrés et rachetés.

La libération de l'esclavage en Égypte

De fait, quand le Dieu miséricordieux prenait en pitié les fils d'Israël qui ne supportaient pas le poids de la domination égyptienne et qui, indûment, avaient été chargés du joug de l'esclavage, il les appelait à la liberté. Il infligeait d'abord à ses adversaires de cruels fléaux.

pour lesquels le Christ a offert sa vie : les juifs et les païens. Ailleurs, dans l'*In Io.* III, 5, 307 a, il s'efforce également de donner une signification à ce didrachme, mais plutôt que de chercher à identifier quelles sont les deux têtes pour lesquelles le Christ s'est offert en étant le didrachme céleste, il s'appuie sur le statut particulier de cette pièce de monnaie qui contient deux drachmes d'égale valeur pour montrer que le Fils est uni au Père dans une seule nature, sans pouvoir être coupé de lui ni lui être aucunement inférieur, comme le sont les deux drachmes, tout en ayant son existence propre (ἰδιοσυστάτως).

65 γουσιν ἐπηφίει πληγάς. Ἐπειδὴ δὲ δυσαλγήτως ἔχοντας
ἐθεᾶτο λίαν, τῷ τῶν πρωτοτόκων θανάτῳ κατηκίζετο· οἱ δὲ
πρὸς τὸ λοῖσθον ἀλύοντες τῶν κακῶν, καὶ τῷ μεγέθει τῆς
ἀδοκήτου συμφορᾶς εἴκοντες, μόλις ἀπαίρειν τῆς χώρας τοῖς
βεβιασμένοις ἐπέταττον. Οὗ γεγονότος καὶ κατωρθωμένου,
70 τὴν ἴσην ὥσπερ ἀντίδοσιν παρὰ τῶν λελυτρωμένων ἐζήτει
Θεός. Ἔφη γὰρ οὕτω πρὸς τὸν ἱεροφάντην Μωσέα·
« Ἁγίασόν μοι πᾶν πρωτότοκον· πρωτογενὲς διανοῖγον
πᾶσαν μήτραν ἐν τοῖς υἱοῖς Ἰσραήλ, ἀπὸ ἀνθρώπου ἕως
κτήνους, ἐμοί ἐστιν [l]. » Εἶτα τοῦ νόμου τὴν αἰτίαν τοῖς ἐξ
75 Ἰσραὴλ διεσάφει λέγων ὁ μακάριος Μωϋσῆς· « Καὶ ἔσται ὡς
ἂν εἰσαγάγῃ σε Κύριος ὁ Θεός σου εἰς τὴν γῆν τῶν
Χαναναίων, ὃν τρόπον ὤμοσε τοῖς πατράσι σου, — καὶ δώσει
σοι αὐτήν, — καὶ ἀφελεῖς πᾶν διανοῖγον μήτραν, τὰ ἀρσενικὰ
τῷ Κυρίῳ [m]. » Καὶ μεθ' ἕτερα πάλιν· « Ἐὰν ἐρωτήσῃ σε ὁ
80 υἱός σου μετὰ ταῦτα λέγων· Τί τοῦτο ; καὶ ἐρεῖς αὐτῷ, ὅτι Ἐν
χειρὶ κραταιᾷ ἐξήγαγεν ἡμᾶς Κύριος ἐκ γῆς Αἰγύπτου, ἐξ
οἴκου δουλείας. Ἡνίκα δὲ ἐσκλήρυνε Φαραὼ ἐξαποστεῖλαι
ἡμᾶς, ἀπέκτεινε πᾶν πρωτότοκον ἐν γῇ Αἰγύπτου, ἀπὸ
πρωτοτόκου ἀνθρώπων ἕως πρωτοτόκου κτηνῶν. Διὰ τοῦτο
85 ἐγὼ θύω τῷ Θεῷ πᾶν διανοῖγον μήτραν, τὰ ἀρσενικά, καὶ πᾶν
πρωτότοκον υἱῶν μου λυτρώσομαι [n]. »

Καταπαίοντι δὲ τῷ Θεῷ τοὺς ἐχθρούς, καὶ παραδόξως
ἡμᾶς τῆς τοῦ διαβόλου τυραννίδος ἐξέλκοντι, ἀπονίζοντι δὲ
τῶν πάλαι πταισμάτων ἀγαθοῖς καὶ ἡμερωτάτοις νάμασιν,
90 ἑαυτοὺς ὀφείλομεν, ἀγαπητοί, ἰσοστάθμοις δωροφορίαις

Mss : A DEFG BHI (= b) CJKLM (= c)

65 ἐπηφίει : ἐπιφήει (sic) H ἐπεφίει E Aub. Mi. ἐποφίει F ‖ 75 Μωσῆς H Aub. Mi. ‖ 79-85 τῷ Κυρίῳ — ἄρσενικά om. M ‖ 81 ἡμᾶς + ὁ b edd. : om. cett. *LXX* ‖ 89 ἡμερωτάτοις : -ης E -οτάτοις b edd. ‖ νάμασιν I^{pc2} : νεύμασιν A (vid.) DEFG b ‖ 90 ἰσοστάθμοι BH

---

l. Ex 13, 2 m. Ex 13, 11-12 n. Ex 13, 14-15.

---

1. Cette idée que la consécration des premiers-nés vient en compensation de la mort infligée par Dieu aux premiers-nés des Égyptiens pour libérer son peuple est développée de manière semblable en *Glaph. in Gen.* III, 1, *PG* 69,

Mais lorsqu'il voyait qu'ils étaient trop insensibles, il les frappait en faisant mourir les premiers-nés ; quant à eux, en proie à l'égarement devant l'extrémité de leurs malheurs, et cédant à l'étendue de cette catastrophe imprévue, ils ordonnaient, non sans peine, à ceux qui étaient opprimés de s'en aller du pays. Une fois que ce fut fait et eut réussi, Dieu demandait auprès de ceux qu'il avait délivrés une compensation en quelque sorte équivalente [1]. Il s'adressait alors en ces termes au grand-prêtre Moïse : « Consacre-moi tout premier-né ; le premier enfanté qui ouvre toute matrice chez les fils d'Israël, depuis l'homme jusqu'au bétail, il est à moi [l]. » Ensuite le bienheureux Moïse élucidait pour les fils d'Israël la raison de cette loi en disant : « Et voici, quand le Seigneur ton Dieu t'aura fait entrer dans le pays des Cananéens, conformément à ce qu'il a juré à tes pères, — et il te le donnera, — voici que tu prélèveras tout être qui ouvre la matrice, les mâles, pour le Seigneur [m]. » Et plus loin encore : « Et si ton fils t'interroge après cela en disant : 'Qu'est-ce que cela ?', tu lui répondras : 'D'une main forte le Seigneur nous a fait sortir du pays d'Égypte, de la maison de servitude. Lorsque Pharaon s'endurcissait pour ne pas nous renvoyer, il tuait tout premier-né au pays d'Égypte, depuis le premier-né des hommes jusqu'au premier-né du bétail. C'est pourquoi moi je sacrifie à Dieu tout être qui ouvre la matrice, les mâles, et je rachèterai tout premier-né de mes fils [n].' »

Notre dette envers Dieu

Mes bien-aimés, c'est à Dieu que nous nous devons, lui qui frappe les ennemis, qui nous arrache de manière extraordinaire à la tyrannie du diable et lave les fautes passées dans des flots de bonté et d'extrême douceur : honorons donc à notre

436 B ; qui plus est, ces épisodes vétéro-testamentaires sont relus comme ici à la lumière de 1 P 1, 18 pour montrer que la notion de compensation s'applique aussi à nous : puisque le Christ nous a délivrés par son sacrifice, nous devons à notre tour nous offrir à lui en offrande équivalente.

ἀντιτιμῶντες τὸν εὐεργέτην. Φέρε δὴ οὖν, προλαμπούσης
ὀρθῆς τε καὶ ἀμωμήτου πίστεως, καὶ τοῖς ἐξ ἔργων
704 ἀνδραγαθή‖μασι τὸν ἑαυτῶν Σωτῆρα καταγεραίρωμεν,
ἐκπρεπὲς ἀνάθημα καὶ θυσίαν ὄντως πνευματικὴν τὸ χρῆμα
95 ποιούμενοι. Γέγραπται γὰρ ὅτι « Παραστήσετε τὰ σώματα
ὑμῶν θυσίαν ζῶσαν, εὐάρεστον τῷ Θεῷ, τὴν λογικὴν
λατρείαν ὑμῶν[o]. »

δ΄. Οὐκοῦν ἔν γε τῷ παρόντι μάλιστα καιρῷ τὴν ἀσιτίαν
ἐπιτηδεύοντες καὶ χαλινὸν ὥσπερ τινὰ τὴν νηστείαν
ἐπάγοντες, σύνδρομον αὐτῇ τὸν ἐπιεικῆ καὶ νηφάλιον
ποιώμεθα τρόπον. Ἐξαρκέσει μὲν γὰρ οὐδαμῶς εἰς
5 κατόρθωσιν ἀρετῆς μόνη καὶ καθ' ἑαυτὴν ἡ νηστεία·
συγκατεζευγμένης δὲ ὥσπερ καὶ συνιούσης αὐτῇ τῆς ἐξ
ἔργων ἀγαθῶν εὐωδίας, εὐπαράδεκτος ἔσται τῷ Θεῷ, καὶ
παντὸς ἐπαίνου μεστή. Ἀλλ' ἴσως ἐρεῖ τις, τοῖς ἐκ τοῦ
συνειδότος ἐλέγχοις καταπτοούμενος· Τί οὖν ὅτι προκατέσ-
10 τιγμαι ταῖς ἁμαρτίαις καὶ δυσαπόνιπτον ἔχω τῶν πταισμάτων τὸν ῥύπον ; Τίσιν οὖν ἄρα κεχρήσομαι λόγοις πρὸς τὸν
τῶν ὅλων κριτήν ; Ἢ ποῖος ἡμῶν ἀποσκευάσει τρόπος τὴν ἐπὶ
τούτοις ἀράν ; Δυσδιάφυκτος ἡ δίκη. Πάντα εἰδὼς γὰρ καὶ
ἀπαραλόγιστος ὁ κριτής. Ἀντακούσεται δὴ ὁ τοιοῦτος·
15 Τὴν μὲν τοῖς φιλαμαρτήμοσιν ἐπηρτημένην ἀράν, καλοῖς, ὦ
οὗτος, προαναθρήσας ὄμμασι καταπέφρικας εἰκότως· ἀλλά
σε τῶν ἐπὶ τούτοις δειμάτων ἀπαλλαττέτω γράφων ὁ
Παῦλος, « καὶ ὄντας ἡμᾶς νεκροὺς τοῖς παραπτώμασι καὶ

Mss : A DEFG BHI (= b) CJKLM (= c)

95 παραστήσετε F^{pc} C^{pc2} : -εται A DEF^{ac} I C^{ac} JKL -ατε M ‖ 96 ζῶσαν + ἁγίαν add. edd. ex *NT* (cf. 7, 1, 46-8 ; 11, 3, 3-9)

δ΄. 18 Παῦλος + ὅτι πλούσιος ὢν εἰς ἔλεον ὁ θεὸς καὶ πατὴρ codd. (oblitt. I) : om. edd.

o. Rm 12, 1.

1. Sur la complémentarité nécessaire du jeûne et des bonnes actions, voir *LF* X, 1, 150.

tour notre bienfaiteur par des présents d'égale valeur. Allons, faisons briller d'abord une foi droite et irréprochable, mais gratifions également notre Sauveur de belles actions, en faisant de la chose une offrande remarquable et un sacrifice vraiment spirituel. Il est écrit en effet : « Présentez vos corps en sacrifice vivant, agréable à Dieu : c'est là votre culte raisonnable °. »

Objections de notre conscience et réponse divine

4. C'est donc surtout dans le moment présent que nous devons pratiquer l'abstinence et nous infliger le jeûne comme un mors, mais en joignant au jeûne une conduite convenable et sobre. Car le jeûne tout seul et en lui-même ne suffira nullement au succès de la vertu ; mais si le parfum des bonnes actions s'unit et s'accouple pour ainsi dire à lui, alors il sera agréé par Dieu et comblé de tous les éloges [1]. Mais peut-être quelqu'un dira-t-il, frappé par les reproches de sa conscience : Comment se fait-il donc que j'aie souffert le remords par avance pour mes péchés et que la souillure de mes fautes reste indélébile ? De quelles paroles userai-je donc devant le juge de l'univers ? ou quel mode de vie nous débarrassera de la malédiction qui s'attache à ces fautes ? Le châtiment est difficile à éviter. Car le juge sait tout et ne se laisse pas tromper. — Un tel homme s'entendra répondre : Certes, la malédiction suspendue sur la tête de ceux qui aiment le péché, tu l'as perçue d'avance avec de bons yeux, mon cher, et c'est à juste titre que tu t'en effraies ; mais que Paul te débarrasse de semblables craintes, lorsqu'il écrit [2] : « Et

2. Nous avons supprimé la phrase « Dieu le Père étant riche en miséricorde » qui se trouve dans les manuscrits, en considérant qu'il s'agit d'une glose marginale interpolée. Sinon on comprendrait mal pourquoi Cyrille répéterait une partie de la citation qu'il va donner en entier juste après, et cela dans un ordre très différent.

ταῖς ἁμαρτίαις ἡμῶν, ἐν αἷς ποτε περιεπατήσαμεν κατὰ
20 τὸν αἰῶνα τοῦ κόσμου τούτου, κατὰ τὸν ἄρχοντα τῆς
ἐξουσίας τοῦ ἀέρος, τοῦ πνεύματος τοῦ νυνὶ ἐνεργοῦντος ἐν
τοῖς υἱοῖς τῆς ἀπειθίας, ἐν οἷς καὶ ἡμεῖς πάντες ἀνεστράφημέν
ποτε ἐν ταῖς ἐπιθυμίαις τῆς σαρκὸς ἡμῶν, ποιοῦντες τὰ
θελήματα τῆς σαρκὸς καὶ τῶν διανοιῶν· καὶ
25 ἦμεν τέκνα φύσει ὀργῆς, ὡς καὶ οἱ λοιποί. Ὁ δὲ Θεὸς
πλούσιος ὢν ἐν ἐλέει, διὰ τὴν πολλὴν ἀγάπην αὐτοῦ, ἣν
ἠγάπησεν ἡμᾶς, καὶ ὄντας ἡμᾶς νεκροὺς τοῖς παραπτώ-
μασιν συνεζωοποίησε τῷ Χριστῷ [a].» Ὡς γὰρ αὐτὸς εἴρηκεν ὁ Σωτήρ, « Οὕτω γὰρ ἠγάπησεν τὸν κόσμον
30 ὁ Θεὸς καὶ Πατήρ, ὥστε τὸν Υἱὸν αὐτοῦ τὸν μονογενῆ
ἔδωκεν, ἵνα πᾶς ὁ πιστεύων εἰς αὐτὸν μὴ ἀπόληται, ἀλλ᾽ἔχῃ
ζωὴν αἰώνιον [b].»

Θεὸς γὰρ ὢν καὶ ἐκ Θεοῦ κατὰ φύσιν ὁ Λόγος καὶ ἄρρητον
ἐκ Πατρὸς τὴν γέννησιν, ἰσοσθενής τε καὶ ἰσουργὸς τῷ
35 φύσαντι, εἰκὼν καὶ ἀπαύγασμα, καὶ « χαρακτὴρ τῆς
ὑποστάσεως αὐτοῦ [c] », κεκένωκεν ἑαυτόν [d], καθεὶς εἰς
ἀνθρώπου μέτρον καὶ φύσιν οὐκ ἀτιμάσας τὴν οὕτω
πεπατημένην, ἵνα ἡμᾶς ἁμαρτίας ἐξέληται, καί, τῆς ἀρχαίας
ἐκείνης ἀρᾶς [e] ἀπαλλάξας ὡς Θεός, θανάτου καὶ φθορᾶς
40 ἀποφήνῃ κρείττονας. Ταύτης ἕνεκα τῆς αἰτίας γέγονεν
ἄνθρωπος ὁ Μονογενής, γέγονεν ὑπὸ νόμον [f] ὁ ὑπὲρ νόμον ὡς
Θεός. Κεχρημάτικε δοῦλος [g] ὁ καὶ αὐταῖς ταῖς ἀνωτάτω
δυνάμεσιν ἐποχούμενος καὶ διὰ φωνῆς τῶν ἁγίων Σεραφὶμ
Κύριος Σαβαὼθ [h] ὑμνούμενος.

Mss : A DEFG BHI (= b) CJKLM (= c)

21 νῦν b edd. *NT* ‖ 25 καὶ οἱ I^{mg} *NT* : om. I edd. ‖ 27 καὶ ὄντας ἡμᾶς om. Mi. ‖ 31 ἔχει A DEFG β CJKL Sal. ‖ 40 κρείττονας C^{ac} *securos* Sal.^{v} *liberatos* Sch. : -α C^{pc} ‖ 41 νόμον cf. Gal. 4,4 : νόμου FG edd. ‖ 42 ταῖς om. edd.

---

4 a. Ep 2, 1-5 b. Jn 3, 16 c. He 1, 3 d. Cf. Ph 2, 7
e. Cf. Ga 3, 13 f. Cf. Ga 4, 4 g. Cf. Ph 2, 7 h. Cf. Is 6, 3.

nous qui étions morts par suite de nos fautes et de nos péchés dans lesquels nous avons vécu jadis, selon le cours de ce monde, selon le Prince de l'empire de l'air, cet Esprit qui agit maintenant dans les fils de la désobéissance... De ceux-là nous étions tous nous aussi, quand nous nous comportions jadis suivant les convoitises de notre chair, faisant les volontés de la chair et de nos pensées, si bien que nous étions par nature des enfants de la colère, tout comme les autres. Mais Dieu, qui est riche en miséricorde à cause du grand amour dont il nous a aimés, alors même que nous étions morts par suite de nos fautes, nous a fait revivre avec le Christ [a]. » En effet, comme le Sauveur l'a dit lui-même : « Dieu le Père a tant aimé le monde qu'il a donné son Fils Monogène, pour que tout homme qui croit en lui ne périsse pas, mais ait la vie éternelle [b]. »

Les erreurs christologiques à éviter

En effet, le Verbe qui est Dieu et issu de Dieu par nature et selon une génération ineffable à partir du Père, lui qui est égal en force et en opération à celui qui l'a fait naître, image et resplendissement, « empreinte de son hypostase [c] », s'est anéanti lui-même [d], s'abaissant à la mesure de l'homme et ne dédaignant pas une nature qui avait été tant foulée aux pieds, afin de nous arracher au péché, et, après nous avoir débarrassés de cette ancienne malédiction [e], en qualité de Dieu, de nous rendre plus forts que la mort et que la corruption. C'est pour cette raison que le Fils unique s'est fait homme et que celui qui, en qualité de Dieu, est au-dessus de la Loi s'est soumis à la Loi [f]. Il fut appelé esclave [g], celui qui est porté par les plus hautes puissances elles-mêmes et qui est célébré par la voix des saints Séraphins comme le Seigneur Sabaoth [h].

45 Ἆρ' οὖν ἐπείπερ γέγονεν ἄνθρωπος, ἀγνοήσομεν τὸν Δεσπότην ; Οὐκ ἐπιγνωσόμεθα τὸν ἐκ Θεοῦ Πατρὸς φύντα
705 Λόγον ; Οὐ προσκυνήσομεν τὸν Ἐμμανουήλ ; Ἄπαγε ‖ τῆς ἀτοπίας ! Οἱ μὲν γὰρ οὕτω φρονεῖν ἐξ ἀμαθίας τετολμηκότες καὶ τὸν ἀγοράσαντα αὐτοὺς Δεσπότην ἀρνούμενοι,
50 ἀκούσονται τοῦ προφήτου λέγοντος· « Πορεύεσθε τῷ φωτὶ τοῦ πυρὸς ὑμῶν, καὶ τῇ φλογί, ᾗ ἐξεκαύσατε [i]. » Ἐποιμώξει δὲ αὐτοῖς καὶ ἡ Σοφία λέγουσα· « Ὦ οἱ ἐγκαταλείποντες ὁδοὺς εὐθείας τοῦ πορεύεσθαι ἐν ὁδοῖς σκότους [j]. » Ἡμεῖς δὲ παρέντες τροχιὰν τὴν διεστραμμένην,
55 τὴν ἐπ' εὐθὺ βαδιούμεθα, ταῖς θεοπνεύστοις ἑπόμενοι Γραφαῖς·

Καίτοι δι' ἡμᾶς καὶ ὑπὲρ ἡμῶν γενόμενον ἄνθρωπον, οὐχ ὡς ἐν ἀνθρώπῳ γεγονότα, προσκυνήσωμεν, ἀλλ' ὡς αὐτὸν κατὰ φύσιν γενόμενον ἄνθρωπον. Ὡς γὰρ ὁ μακάριος
60 Ἰωάννης φησὶ καὶ ὡς αὐτὴ τῶν πραγμάτων μεμαρτύρηκεν ἡ φύσις, « Ὁ Λόγος σὰρξ ἐγένετο καὶ ἐσκήνωσεν ἐν ἡμῖν [k]. »

Mss : A DEFG BHI (= b) CJKLM (= c)

47 ἄπαγε + ταύτης edd. : τῆς τῆς I (cum ταυ- supra τῆς[1] scr.) ‖ 51 τῇ om. I edd. ‖ 57 γενόμενον ἄνθρωπον : -ος -ος C^{pc}JKLM ‖ 58-59 αὐτὸν κατὰ φύσιν correximus ex αὐτοκαταφύσιν codd. edd. (sed v. Lampe s.v.) ‖ 60 ἡ om. BH

---

i. Is 50, 11 j. Pr 2, 13 k. Jn 1, 14.

---

1. Le même argument se trouve en *LF* VIII, 4, 54-55.

2. On peut comprendre cet argument en le rapprochant du dialogue *Sur l'incarnation* 695 c : « Non pas habitant dans un homme, mais devenu lui-même homme selon la nature (αὐτὸς κατὰ φύσιν) ». Comme ce passage fait partie de la réfutation de la thèse dualiste, on peut penser que c'est aussi cette tendance, déjà réfutée sous d'autres angles dans la *LF* VIII, que Cyrille vise ici. Cette forme première du dualisme christologique (déjà réfutée par

Le Fils ne perd pas sa divinité en se faisant homme

Eh bien, est-ce que du fait qu'il s'est fait homme nous allons méconnaître notre Maître [1] ? Ne reconnaîtrons-nous pas le Verbe issu par nature de Dieu le Père ? N'adorerons-nous pas l'Emmanuel ? Loin de nous une telle absurdité ! Ceux qui ont osé penser ainsi par sottise et qui renient le Maître qui les a rachetés, s'entendront dire de la part du prophète : « Allez à la lumière de votre feu et dans la flamme que vous avez allumée [i]. » La Sagesse elle aussi gémira sur eux en disant : « Malheureux ceux qui délaissent les chemins droits pour aller marcher sur des chemins ténébreux [j]. » Mais nous, si nous abandonnons le chemin tortueux, nous marcherons droit en suivant les Écritures divinement inspirées.

Le Fils n'est pas venu dans un homme

Bien qu'il se soit fait homme à cause de nous et pour nous, adorons-le, non pas en tant qu'il est venu dans un homme, mais en tant qu'il s'est fait lui-même homme selon la nature [2]. En effet, comme le bienheureux Jean le dit et comme en a témoigné la réalité même : « Le Verbe s'est fait chair et a habité parmi nous [k]. »

ATHANASE, *Oratio contra Arianos*, III, 30, *PG* 26, 388 AB) est fréquemment mentionnée dans les œuvres de la période anté-nestorienne où Cyrille dénonce l'idée que le Verbe serait seulement venu dans un homme, selon un pur rapport de participation, comme dans le cas des saints ou des prophètes : *LF* XI, 8, 48 ; *Thes.* XXIV, 396 B ; *Dial. Trin.* I, 398 c ; *In Io.* I, 9, 95 d ; IV, 4, 393 e. Mais on continue à la trouver plus tard, par exemple en *LF* XX, 1, 840 D ; XXVII, 4, 937 A.

Γεγονέναι δέ φαμεν σάρκα τὸν Λόγον, καὶ οὐκ εἰς τὴν τῆς σαρκὸς φύσιν μετακεχωρηκέναι. Τροπὴ γὰρ τοῦτό γε, καὶ θεοπρεποῦς ἀξίας ἀλλότριον. Ἀλλ' ὅτι γεγέννηται μὲν ἐκ
65 γυναικὸς καὶ γέγονε καθ' ἡμᾶς τέλειος ἄνθρωπος, ὅλη τῇ φύσει συγκεκραμένος, καθ' ἕνωσιν δέ φημι τὴν ὑπὲρ νοῦν καὶ λόγον. Κεχρημάτικέ τε « μεσίτης Θεοῦ καὶ ἀνθρώπων [1] », συνείρων δι' ἑαυτοῦ τὰ τῆς ἀλλήλων ὁμογενείας φυσικοῖς εἰργόμενα λόγοις. Ἐξῆπται μὲν γὰρ τῆς τοῦ Θεοῦ καὶ

Mss : A DEFG BHI (= b) CJKLM (= c)

62 γεγονέναι : γέγονε I edd. ‖ 63 μετακεχωρηκέναι Aub. Mi. : -κότα codd. (-χωρι- G) Sal. ‖ 64 γεγέννηται : γεγένηται Mi. ‖ 69 ἐξῆπτε b edd.

1. 1 Tm 2, 5.

1. Voir G.M. De Durand dans Cyrille d'Alexandrie, *Deux dialogues christologiques*, *SC* 97, p. 101-103 sur la réfutation de cette idée d'Incarnation-métamorphose. Il est un écrit qui prouve que la diffusion de cette thèse était grande et qui n'a pas pu ne pas tomber sous les yeux de Cyrille : *Lettre à Epictète*, 2, *PG* 26, 1052 C-1053 A : « Le Verbe s'est transformé en chair, en os, en cheveux, et en un corps tout entier, en échange de sa propre nature ». Cyrille mentionne cette hérésie dans son traité *Sur l'incarnation* 684 c : « Il s'est transformé dans la nature de la chair » et la réfute *ibid.* 682 e ; 683 b : « Ils imaginent un changement dans celui qui ne saurait changer ». Ses autres œuvres reviennent maintes fois sur cette thèse : on la rencontre déjà en *LF* VIII, 5, 55 : « sans s'être transformé en chair », remarque qui suit la citation de Jn 1, 14 ; *Dial. Trin.* I, 405 b ; VI, 623 de ; *In Io* I, 9, 96 b encore à propos de Jn 1, 14 ; IV, 2, 363 a ; IV, 3, 375 e : « Il s'est fait chair, selon le bienheureux évangéliste, sans se transformer (μεταχωρήσας) en chair par l'effet d'un changement (παρατροπῆς) ; car il est par nature immuable (ἄτρεπτος) et totalement stable (ἀναλλοίωτος), en tant que Dieu » ; X, 836 e ; XII, 1, 1112 b. Il s'agit donc de condamner l'idée que le Verbe se soit transformé en la chair, souvent après une citation de Jn 1, 14. Comme dans notre lettre, l'argumentation repose toujours sur le caractère immuable de la nature divine et son incapacité à subir un quelconque changement (les verbes employés sont μεταποιέω, μεταχωρέω, μεταβάλλω).

2. Il y a peut-être dans l'utilisation insistante des adjectifs τέλειος et ὅλη une allusion à l'hérésie d'Apollinaire. De fait dans le dialogue *Sur l'incarnation* 688 c, il relève que les apollinaristes refusent de confesser que le Verbe s'est uni à un homme complet (τελείως ἔχοντι), sous prétexte que pour

Le Fils ne s'est pas transformé en chair. Il est Dieu et homme complet

Nous disons que le Verbe s'est fait chair, et non pas qu'il s'est transformé en la nature de la chair [1]. Car il s'agit dans ce cas d'un changement, ce qui est étranger à la dignité divine. Mais nous disons qu'il a été engendré d'une femme et qu'il s'est fait homme parfait [2] comme nous, mêlé [3] à la nature toute entière, je veux dire par une union qui dépasse l'intelligence et la parole. Il a été appelé « médiateur entre Dieu et les hommes [4] », reliant grâce à lui ce qui, par des raisons naturelles, était exclu de toute homogénéité. En effet, il était attaché à la substance de Dieu le Père, en tant

former un être unique, les éléments qui le composent doivent être incomplets. *Ibid.* 689 b : « Par conséquent, disent-ils, on doit éviter d'admettre que le temple uni au Verbe soit un homme complet, afin de conserver intact et exact le concept de composition que l'on doit sans doute appliquer au cas du Christ. » Voir aussi *LF* XI, 8, 46 qui emploie τέλειος en ce sens et *Glaph. in Gen.* VI, *PG* 69, 297 C : « Nous accorderons que l'Emmanuel est composé à partir de deux éléments parfaits (τελείοιν) : la divinité et l'humanité pour former un seul Christ et Fils. Car nous n'accepterons pas l'opinion de certains qui croient qu'était privé d'une âme raisonnable ce temple divin que le Dieu Verbe a porté en le tirant de la sainte Vierge. Mais de même qu'il était parfait en divinité, de même aussi il l'était en humanité, bien que composé en un d'une manière ineffable et qui dépasse l'intelligence. »

3. Cf. G.M. de Durand, *SC* 97, p. 121-122. Le verbe συγκεκραμένος qui exprime le mélange ne paraissait pas encore suspect aux yeux de Cyrille. Il avait seulement pour but, comme chez les Cappadociens qui utilisent aussi κρᾶσις, σύγκρασις, μίξις, d'exprimer un lien organique. Ce vocabulaire est fréquent avant la querelle nestorienne. On trouve par exemple συγκεῖσθαι dans le dialogue *Sur l'incarnation* 688 c. Plus tard, Cyrille se méfiera de ces termes et les condamnera même. Cf. *Le Christ est Un* 737 a : « On parlerait de manière parfaitement vaine, cher ami, en disant qu'il y a eu mixtion et mélange dès là que nous confessons une seule nature du Fils fait chair et incarné ».

4. Cette utilisation de 1 Tm 2, 5 montre à nouveau que Cyrille ne soupçonne pas encore ce qu'il peut y avoir de dangereux à faire du Christ un médiateur non dans son action, mais dans son être même entre Dieu et l'homme. Pour des emplois semblables, voir *LF* X, 1, 104-105 ; *Dial. Trin.* I, 399 a ; *Sur l'Incarnation* 709 e où il dit même qu'il est « composé, pour donner une sorte de moyen-terme, de propriétés humaines et d'autres qui sont au-dessus de l'humain » ; *In Io.* IX, 1, 823 b.

70 Πατρὸς οὐσίας ὡς Θεός· ἐπελάβετο δὲ καὶ ἡμῶν, καθὸ
γέγονεν ἄνθρωπος. Ἀλλ' οὐκ ἂν ἀπολισθήσειε τοῦ εἶναι Θεὸς
διὰ τὸ ἀνθρώπινον. Ἀλλ' ἔστι καὶ οὕτω Θεός, οὐ
παραχωρούσης τὸ νικᾶν τῇ σαρκὶ τῆς ὑπὲρ πάντα θεότητος,
ἀνακομιζούσης δὲ μᾶλλον εἰς ἰδίαν δόξαν τὸ προσληφθέν.
75 Τοιγάρτοι καὶ ὁ σοφὸς Ἰωάννης, καίτοι γεννηθέντα διὰ
γυναικὸς ἐπιστάμενος, οὐ κάτωθεν αὐτὸν οὐδὲ ἐκ γῆς, ἄνωθεν
δὲ μᾶλλον ἀφῖχθαί φησιν· « Ὁ γὰρ ἄνωθεν ἐρχόμενος ἐπάνω
πάντων ἐστὶν [m] » ἀνακεκράγει σαφῶς.

Διαρρίπτοντες τοίνυν ὡς πορρωτάτω τὰ γραώδη τῶν
80 ἀπίστων καὶ ψυχρὰ μυθάρια [n], τὸν ἑαυτῶν Δεσπότην
ἐπιγνωσόμεθα, καὶ εἰ γέγονεν ἄνθρωπος. Ἰουδαῖοι μὲν γάρ,
οἱ τάλανες, τὸ τῆς εὐσεβείας ἠγνοηκότες μυστήριον, ἀνθ'
ὅτου διώκουσι καὶ λελυττήκασιν ἀκρατῶς, ἐρομένου
Χριστοῦ, ἀμαθαίνοντες ἔφασκον· « Περὶ καλοῦ ἔργου οὐ
85 λιθάζομέν σε, ἀλλὰ περὶ βλασφημίας, ὅτι σύ, ἄνθρωπος ὤν,
ποιεῖς σεαυτὸν Θεόν [o]. » Διακεισόμεθα δὲ οὐχ οὕτως ἡμεῖς.
Οὐ γὰρ ἄνθρωπος ὢν εἰς τὴν τῆς θεότητος ἀναπεφοίτηκε
δόξαν, ἀλλὰ Θεὸς ὢν φύσει, γέγονεν ἄνθρωπος. Ποῦ γὰρ ἔτι
κεκένωκεν ἑαυτόν [p], κατὰ τὰς Γραφάς ; Θεὸς οὖν ἄρα
90 ὑπάρχων γέγονεν ἄνθρωπος, τεθεοποίηται γὰρ οὐδαμῶς
ἄνθρωπος ὤν. Διὰ τοῦτο ἔστι καὶ προσκυνεῖσθαι πρέπων,
καὶ εἰ νοοῖτο μετὰ σαρκός. Ὁ μὲν γὰρ μακάριος ἔψαλλε
Δαβίδ· « Ὁ Θεὸς ἐμφανῶς ἥξει· ὁ Θεὸς ἡμῶν καὶ οὐ
παρασιωπήσεται [q]. » Ὁ δὲ θεσπέσιος Θωμᾶς ψηλαφήσας

Mss : A DEFG BHI (= b) CJKLM (= c)

79 ὡς πορρωτάτω I^{mg} Sal.^{mg} : ἀπορρωτάτω I Sal. ‖ 81 ἐπιγνωσώμεθα BH CJ Aub. Mi. *agnoscamus* verss ‖ 86 διακεισώμεθα B Aub. Mi. *affecti simus* verss ‖ 89 κεκένωκεν Sal.^{mg} : κεκοινώνηκεν I Sal. ‖ ἄρα I^{mg} : ἄρα om. b ‖ 90 τεθεοποίηται C^{pc2} : -τε C^{ac} ‖ 91 πρέπων : -ον B^{ac}H^{ac} L^{ac} ‖ 92 εἰ C^{pc2} : οἱ C^{ac}JKL

m. Jn 3, 31 n. Cf. 1 Tm 4, 7 et 6, 4 o. Jn 10, 33 p. Cf. Ph 2, 7
q. Ps 49, 2-3.

1. Cyrille s'appuie sur le texte de Ph 2, 7 pour prouver que, puisque l'Écriture parle d'un abaissement du Christ, c'est que ce dernier partait d'un

que Dieu ; et il prenait également la nôtre en tant qu'il s'est fait homme. Mais il ne peut laisser échapper sa qualité de Dieu à cause de l'élément humain. Même ainsi il est Dieu, puisque sa divinité qui est au-dessus de tout ne cède pas la victoire à la chair, mais ramène plutôt ce qu'elle a assumé vers sa gloire à elle. C'est pourquoi le sage Jean, bien qu'il sache qu'il a été engendré par une femme, dit qu'il est venu non pas d'en-bas ni de la terre, mais plutôt d'en-haut : « Celui qui vient d'en-haut est au-dessus de tous [m] » clame-t-il clairement.

Le Fils n'est pas un homme qui se fait Dieu

Rejetant donc le plus loin possible les insignifiants racontars de bonne femme [n] des incroyants, nous reconnaîtrons notre Maître, même s'il s'est fait homme. Eh oui ! les juifs, ces malheureux, ignorant le mystère de la piété, alors que le Christ leur demandait pourquoi ils le poursuivaient et se trouvaient pris d'une rage démesurée, lui répondaient dans leur sottise : « Ce n'est pas pour une bonne œuvre que nous te lapidons, mais pour un blasphème, parce que toi, qui n'es qu'un homme, tu te fais Dieu [o]. » Mais nous, nous ne serons pas de cet avis. En effet ce n'est pas en étant homme qu'il s'est élevé jusqu'à la gloire de la divinité, mais c'est en étant Dieu par nature qu'il s'est fait homme. Car sinon en quoi s'est-il anéanti [p] [1], selon les Écritures ? Donc, c'est en étant Dieu qu'il s'est fait homme et il n'a nullement été divinisé alors qu'il était homme. C'est pourquoi il convient qu'il soit adoré, même si on le conçoit avec la chair. En effet, le bienheureux David chantait : « Dieu viendra en se manifestant ; notre Dieu ne se taira point [q]. » Et le divin Thomas quand il eut touché les marques des clous et qu'il l'eut alors reconnu

statut divin pour s'anéantir et non, comme certains le croient, qu'étant homme, il a bénéficié d'une divinisation. Voir la réfutation de cette dernière allégation dans le *Le Christ est Un* 730 b.

95 τοὺς τύπους τῶν ἥλων καὶ λοιπὸν ἐπιγνοὺς ὡς Θεόν, προσεκύνει λέγων· « Ὁ Κύριός μου καὶ ὁ Θεός μου [r]. » Καί τοι τὸ Θεῖόν ἐστιν ἀναφὲς καὶ ἀόρατον· ἀλλ' ἐπεδήμησεν
708 ἐμφα‖νῶς, ὡς οὐχ ἕτερος ὢν ὁ Λόγος παρὰ τὴν ἑαυτοῦ σάρκα καὶ τὸν ἐκ Παρθένου ναόν, ἀλλ' ὡς ἓν σὺν αὐτῇ
100 νοούμενος, καθ' ἕνωσιν δὲ δηλονότι, καθ' ἣν καὶ λέγεται γεγονέναι σάρξ.

Τοῦτον ἠτίμασαν μὲν οἱ τάλανες Ἰουδαῖοι, καίτοι λέγοντα σαφῶς· « Ὁ πιστεύων εἰς ἐμὲ ἔχει ζωὴν αἰώνιον [s] », καί, « Ἐγώ εἰμι τὸ φῶς τοῦ κόσμου [t] », « Ἐγώ εἰμι ἡ
105 ἀνάστασις καὶ ἡ ζωή [u]. » Ἀλλ' οὐδὲν τῶν τοιούτων ὑπολογισάμενοι, θυμῷ δὲ καὶ φθόνῳ τὸ νικᾷν ἐπιτρέψαντες, τελευτῶντες ἐσταύρωσαν. Πλὴν ἐπ' ἀνηνύτοις τολμήμασιν ἁλοῦσιν αὐτοῖς, ἐπηρᾶτο λέγων ὁ Ψαλμῳδός· « Κύριε, ἐν ὀργῇ σου συνταράξεις αὐτοὺς καὶ καταφάγεται αὐτοὺς πῦρ·
110 τὸν καρπὸν αὐτῶν ἀπὸ γῆς ἀπολεῖς, καὶ τὸ σπέρμα αὐτῶν ἀπὸ υἱῶν ἀνθρώπων. Ὅτι ἔκλιναν εἴς σε κακά, διελογίσαντο βουλὴν ἣν οὐ μὴ δύνωνται στῆναι [v]. » Οὐ γὰρ ἦν ἐφικτὸν τοῖς τοῦ θανάτου δεσμοῖς ἐνέχεσθαι τὴν ζωήν. Ἐγήγερται γὰρ ἐκ νεκρῶν, σκυλεύσας τὸν ᾅδην καὶ εἰρηκὼς « τοῖς ἐν δεσμοῖς·
115 Ἐξέλθετε· καὶ τοῖς ἐν τῷ σκότει· Ἀνακαλύφθητε [w]. » Ὁδοποιήσας δὲ τῇ ἀνθρώπου φύσει τὸ παλινδρομεῖν εἰς ζωήν, ἐμφανῆ τε ἑαυτὸν καταστήσας τοῖς ἁγίοις μαθηταῖς, καὶ τῆς οἰκουμένης αὐτοὺς καταστήσας μυσταγωγούς, καὶ βαπτίζειν ἐπιτάξας « εἰς ὄνομα τοῦ Πατρὸς καὶ τοῦ Υἱοῦ καὶ
120 τοῦ ἁγίου Πνεύματος [x] », ἀνέβη πρὸς τὸν Πατέρα, πρωτόλειον ὥσπερ τι καὶ « ἀπαρχὴ τῶν κεκοιμημένων [y] », καὶ τοῖς ἄνω φαινόμενος πνεύμασιν, ἵνα βάσιμον καὶ ἡμῖν

Mss : A DEFG BHI (= b) CJKLM (= c)

96 προσεκείνει B ‖ 97 τοι om. I edd. ‖ 102 ἠτίμασαν A DE (-ασεν) FG BH (ἠτοίμ-) c (ἡτοίμ- J) : ἠτίμησαν Mi. ‖ μὲν om. I edd. ‖ 104 κόσμου + καὶ edd. ‖ 106 ἐπιτρέψαντες v. Lucian Lexiphanes 8 ; LSJ s.v. : ἐπιστρέψαντες I edd. (σ secl. Mi.) ‖ 110 ἀπὸ + τῆς I edd. ‖ 115 ἐξέλθεται B ‖ 122 φαινόμενος I^mg : -οις I edd.

r. Jn 20, 28 s. Jn 6, 47 t. Jn 8, 12 u. Jn 11, 25.
v. Ps 20, 10-12 w. Is 49, 9 x. Mt 28, 19 y. 1 Co 15, 20.

comme Dieu, se mit à l'adorer en disant : « Mon Seigneur et mon Dieu [r]. » Assurément le divin est impalpable et invisible ; mais le Verbe est venu résider en se manifestant, sans être autre que sa chair et que le temple issu de la Vierge, mais en étant conçu comme un avec elle, évidemment en vertu de l'union selon laquelle on dit qu'il s'est fait chair.

Blasphème des juifs et histoire du salut

Les malheureux juifs, eux, l'ont méprisé, alors qu'il disait clairement : « Celui qui croit en moi a la vie éternelle [s] », « Moi, je suis la lumière du monde [t] », « Moi, je suis la résurrection et la vie [u] ». Mais sans tenir aucun compte de semblables paroles, et abandonnant la victoire à la colère et à la jalousie, ils finirent par le crucifier. D'ailleurs contre ceux-là mêmes qui étaient condamnés pour des audaces incessantes, le psalmiste prononçait les imprécations suivantes : « Seigneur, dans ta colère tu les frapperas de crainte et un feu les dévorera ; leur fruit, tu l'ôteras de la terre, leur semence, d'entre les fils des hommes. Car ils ont tramé le mal contre toi, ils ont forgé là un dessein qu'ils ne pourront certes pas réaliser [v]. » En effet, il n'était pas possible que la vie soit retenue dans les liens de la mort. Car il est ressuscité d'entre les morts, après avoir dépouillé l'Hadès, et avoir déclaré « à ceux qui étaient dans les liens : sortez ; et à ceux qui étaient dans les ténèbres : montrez-vous au jour [w]. » Après avoir ouvert à la nature humaine la voie du retour vers la vie, après s'être manifesté aux saints disciples, après les avoir établis comme mystagogues de toute la terre, et leur avoir prescrit de baptiser « au nom du Père et du Fils et du Saint-Esprit [x] », il remonta vers le Père, en se manifestant aussi aux esprits d'en-haut comme premier fruit et « prémices de ceux qui se sont endormis [y] », afin de nous rendre à nous aussi le ciel

αὐτοῖς καταστήσῃ τὸν οὐρανόν. Καὶ γοῦν ἔφασκε τοῖς ἁγίοις μαθηταῖς· « Πορεύσομαι, καὶ ἑτοιμάσω ὑμῖν τόπον· καὶ
125 πάλιν ἥξω, καὶ παραλήψομαι ὑμᾶς πρὸς ἐμαυτόν, ἵνα ὅπου εἰμὶ ἐγώ, ἐκεῖ καὶ ὑμεῖς μετ' ἐμοῦ ἦτε [z]. »

Ἐπ' οὖν τούτοις ἅπασιν ἑορτάζοντες, ἀναγκαίως ἁγνιζώμεθα πόνοις, καὶ ταῖς ἀσιτίαις κατανεκροῦντες τὴν σάρκα, μᾶλλον δὲ τὴν ἐν τῇ σαρκὶ καὶ ἐκ σαρκὸς ἡδονήν, ἵνα
130 καθαροὶ καθαρῶς τῷ ἁγίῳ Θεῷ συναπτόμενοι διὰ μεσίτου Χριστοῦ καὶ τῆς τῶν ἁγίων λαμπρότητος ἀξίους ὄντας ἑαυτοὺς ἀποφήνωμεν. Προστιθέντες δὲ τῇ νηστείᾳ καὶ τὰ ἐκ πράξεων ἀγαθῶν αὐχήματα, κατελεήσωμεν χήρας, ὀρφανοὺς ἐπισκεψώμεθα [aa], διαθρύψωμεν πεινῶντι τὸν
135 ἄρτον, ἀμφιέσωμεν τὸν γυμνόν, τοὺς ἐν δεσμοῖς ἐπισκεψώμεθα [bb], πτωχοὺς ἀστέγους εἰσαγάγωμεν εἰς τὸν οἶκον, καὶ ἁπαξαπλῶς πᾶν εἶδος ἐπιτηδεύσωμεν ἀρετῆς.

Τότε γάρ, τότε νηστεύσομεν καθαρῶς· ἀρχόμενοι τῆς μὲν ἁγίας Τεσσαρακοστῆς ἀπὸ τρισκαιδεκάτης τοῦ Φαμενὼθ
140 μηνός, τῆς δὲ ἑβδομάδος τοῦ σωτηριώδους Πάσχα ἀπὸ ὀκτωκαιδεκάτης τοῦ Φαρμουθὶ μηνός, καταπαύοντες μὲν τὰς νηστείας τῇ τρίτῃ καὶ εἰκάδι τοῦ αὐτοῦ Φαρμουθὶ μηνός, ἑσπέρᾳ βαθείᾳ, κατὰ τὸ εὐαγγελικὸν κήρυγμα· ἑορτάζοντες δὲ τῇ ἑξῆς ἐπιφωσκούσῃ Κυριακῇ τῇ τετράδι καὶ εἰκάδι τοῦ
145 αὐτοῦ μηνός, συνάπτοντες ἑξῆς καὶ τὰς ἑπτὰ ἑβδομάδας τῆς ἁγίας Πεντηκοστῆς, κατὰ τὴν τοῦ θείου νόμου διάταξιν. Οὕτω γὰρ ὀρθῇ πίστει καὶ ἀγαθοῖς ἔργοις κοσμούμενοι, τὴν
709 τῶν οὐρανῶν βασιλείαν κληρονομή‖σομεν [cc] ἐν Χριστῷ Ἰησοῦ τῷ Κυρίῳ ἡμῶν, δι' οὗ καὶ μεθ' οὗ τῷ Πατρὶ ἡ δόξα
150 καὶ τὸ κράτος σὺν τῷ ἁγίῳ Πνεύματι, νῦν καὶ ἀεί, καὶ εἰς τοὺς αἰῶνας τῶν αἰώνων. Ἀμήν.

Mss : A DEFG BHI (= b) CJKLM (= c)

125 πρὸς ἐμαυτὸν Aub. Mi. *NT* : μετ' αὐτοῦ codd. Sal. ‖ 134 πεινόντι B ‖ 138 νηστεύσομεν I^{mg} : -ωμεν HI edd. ‖ μὲν om. I edd. ‖ 144 τῇ ^{2} om. I edd. ‖ 145 αὐτοῦ + Φαρμουθὶ I edd. ‖ ἑξῆς : δὲ I edd. ‖ 147 ὀρθῇ πίστει I^{mg} : ὀρθοῖς I edd. ‖ 148 κληρονομήσομεν Mi. *regni caelestis hereditatem capiemus* $Sal.^{v}$ *r.c.h. consequemini* Sch. : -ωμεν A DEFG B^{ac}I c Sal. Aub.

z. Jn 14, 2-3 aa. Cf. Jc 1, 27 bb. Cf. Mt 25, 36 cc. Cf. Mt 25, 34

accessible. De fait, il disait aux saints disciples : « J'irai vous préparer une place ; et je reviendrai vous prendre auprès de moi, afin que là où je suis, vous soyez vous aussi avec moi [z]. »

Exhortation au jeûne et aux bonnes actions

Pour tous ces motifs, célébrons donc la fête et, suivant notre devoir, purifions-nous par des efforts, en mortifiant la chair par l'abstinence, ou plutôt en mortifiant le plaisir qui est dans la chair et issu de la chair, afin que, purs, nous soyons unis de manière pure, par la médiation du Christ, à Dieu qui est saint, et que nous nous montrions dignes de la splendeur des saints. Mais ajoutons aussi au jeûne l'honneur qui résulte des bonnes actions : ayons pitié des veuves, veillons sur les orphelins [aa], nourrissons de pain l'affamé, habillons celui qui est nu, allons visiter ceux qui sont en prison [bb], conduisons dans notre maison les pauvres sans abri, en un mot pratiquons toutes les formes de vertu.

Comput pascal

Alors, oui alors nous jeûnerons de manière pure ; en commençant le saint Carême le treize du mois de phamenoth, la semaine de la Pâque salutaire, le dix-huit du mois de pharmouthi, en rompant le jeûne le vingt-trois du même mois de pharmouthi, en fin de soirée, selon le message évangélique ; et nous célébrerons la fête à l'aube du dimanche suivant, le vingt-quatre du même mois [1], ajoutant à la suite les sept semaines de la sainte Pentecôte, selon l'ordre de la loi divine. C'est ainsi que, parés d'une foi droite et de belles actions, nous hériterons du royaume des cieux [cc] dans le Christ Jésus notre Seigneur, par qui et avec qui soient au Père la gloire et la puissance ainsi qu'au Saint-Esprit, maintenant et toujours, pour les siècles des siècles. Amen.

1. Le 19 avril 425.

QUATORZIÈME FESTALE
(426)

Introduction

À côté des lettres où Cyrille s'en prend aux erreurs dogmatiques (christologiques ou trinitaires) de certains chrétiens, et parfois au sein des mêmes lettres, il se soucie aussi de la vie quotidienne de ses contemporains et ne manque pas de condamner certaines de leurs conduites qu'il dénonce comme incompatibles avec la foi chrétienne (exactions, banditisme, polythéisme). La quatorzième *Lettre Festale* revient ainsi sur une des questions qui semble particulièrement préoccuper Cyrille : le risque de duplicité de la part des chrétiens, et de leur retour plus ou moins avoué au polythéisme. Dans plusieurs de ses précédentes lettres (*LF* IV, 3 et surtout *LF* VI, 4-5, IX, 3-4 et XII, 1-2) il a déjà averti ses ouailles du danger de ne pas mettre toute leur foi en Dieu et de garder une âme partagée, car les erreurs du paganisme sont alors prêtes à resurgir sous diverses formes :

— idolâtrie, culte des astres et croyance en un thème astral, qui ont pour conséquence de nier le libre-arbitre (*LF* VI),
— polythéisme et hypocrisie dans le culte rendu à Dieu (*LF* IX),
— polythéisme déguisé en culte des anges (*LF* XII).

Ici le paganisme est attaqué sous la forme du recours aux oracles et à la divination.

Après avoir proclamé que le temps des combats était revenu et qu'il fallait agir pour le Seigneur en réprimant les passions de la chair, Cyrille reprend à son compte la parabole de l'invité qui n'avait pas mis son vêtement de noce : pour pouvoir prendre part au banquet céleste, il est nécessaire de se laver de ses mauvaises odeurs et de revêtir un vêtement approprié. Cette ouverture imagée est précisée grâce à une citation de la première épître de Jean invitant à un triple rejet des convoitises du monde. C'est alors que débute une vigoureuse dénonciation de la duplicité : refuser de quitter définitivement sa conduite mauvaise est aussi absurde que préférer rester malade, alors que l'on pourrait recouvrer la santé. Car il s'agit d'appartenir à Dieu non seulement en parole, mais aussi en pensée. Pour donner plus de relief à cette opposition, Cyrille fait même appel à Homère dont il cite expressément un vers de l'*Iliade*.

Parmi les pratiques païennes qui détournent le plus dangereusement les chrétiens (Cyrille parle clairement de « certains des nôtres ») de la vraie foi, il s'en prend ensuite à la consultation des oracles et des horoscopes pour prédire l'avenir. Tout en appuyant sa condamnation sur des citations d'Ézéchiel, il donne une description particulièrement intéressante des ravages que provoquent ces croyances, très lucratives pour leurs auteurs, sur de malheureuses vieilles femmes qui se font dévaliser pour connaître leurs horoscopes. Pour les réfuter, Cyrille commence par montrer que ces prétendus devins ne savent même pas éviter les échecs dans leur propre vie, alors que leur art devrait logiquement les en préserver. Si on lui objecte que les faux prophètes tombent parfois juste, il répond en soulignant le ridicule qu'ils auraient à tirer gloire de la réalisation occasionnelle de certaines de leurs prédictions, en les comparant à un aveugle qui, s'adonnant au tir à l'arc, atteindrait parfois la cible par le simple effet du hasard, et non de ses compétences. Par opposition à ce mode de divination qui tient plus de la conjecture que de la vérité, les vrais prophètes, eux, sont inspirés par l'Esprit Saint et ne peuvent donc se tromper. En conséquence, les astres n'ont pas à recevoir de culte, puisqu'ils n'ont qu'un rôle de signes, à la différence de Dieu qui, lui, connaît passé, présent et avenir. Après cette première réponse fondée sur l'opposition entre la fausseté des pseudo-prédictions et la vérité des prophéties inspirées, Cyrille réfute l'objection par une justification peut-être plus subtile encore, parce qu'intégrée au dessein de la Providence divine : en permettant la réalisation de certaines prédictions, Dieu peut vouloir mettre à l'épreuve la foi de ceux qui croient en lui et vérifier leur fermeté.

Ce long développement sur une des résurgences du paganisme se termine par une profession de foi monothéiste précisée par une analyse du statut du Fils : bien que ce soit « par lui » que tout a été créé, il ne peut être ravalé au rang d'instrument du Père. Cette transition permet de conclure sur un résumé des grandes étapes de l'histoire du salut. Puisque Dieu a créé toutes choses en vue de la vie, la mort n'est due qu'à l'entrée du péché dans le monde. C'est donc à cause de cette perturbation du plan divin que le Créateur a décidé de restaurer la forme primitive de l'homme en envoyant son Fils s'incarner et nous montrer la vérité tant par ce qu'il était que par ses actions. Ainsi, par sa mort, sa résurrection et son ascension, il ouvre les portes du royaume des cieux aux hommes qui auront fait preuve de vertu et témoigné d'une foi parfaite.

Plan

Introduction

— Le signal de la fête donné en ombre dans la Loi et clairement par la résurrection du Christ. Exhortation au combat spirituel **1**, 1-25
— Agir pour le Seigneur, c'est mortifier sa chair par l'ascèse 26-61
— Revêtir son âme du vêtement de noce 62-88

I. Conditions de la communion avec le Christ

1) Rejeter les convoitises du monde en mourant au monde **2**, 1-16
— Convoitise de la chair 17-22
— Convoitise des yeux 23-26
— Vanité de la vie temporelle 27-31

2) Vivre de manière évangélique 32-49
3) Engagement définitif dans la foi
— On ne choisit pas d'être malade, quand on peut être en bonne santé 50-80
— La bonne santé de l'âme mérite plus encore nos soins : elle consiste en une foi totale en Dieu 81-94

4) Appartenir à Dieu non seulement en parole, mais en pensée 95-127

II. Distinguer les pseudo-prédictions des vraies prophéties

1) Promesses mensongères des diseurs d'oracles
— L'illusion de connaître son avenir par la consultation des horoscopes 128-146
— Réfutation scripturaire : Ézéchiel 147-171
— Réfutation par les faits : ces devins se trompent dans leurs prédictions concernant leurs propres affaires 172-187

2) Objection : certaines de ces prédictions se vérifient
— Première réponse : elles ne se vérifient pas toutes 188-202
— Comparaison avec un aveugle tirant à l'arc et atteignant parfois la cible 203-225

3) Situation opposée : les vrais prophètes inspirés par l'Esprit Saint disent toujours juste

— Les astres ne sont que des signes 226-247
— Dieu seul connaît passé, présent et avenir 248-272

4) Deuxième réponse : la réalisation de certaines prédictions est un test permis par Dieu pour éprouver la foi de ses adorateurs 273-302

III. Résumé de l'histoire du salut : le plan divin

— Dieu crée en vue de l'incorruptibilité et non pour la mort 303-323
— Les raisons de l'Incarnation 324-341
— Mort, résurrection et ascension du Christ 342-356

Conclusion

— Exhortation finale 357-367
— Date de Pâques 368-380

ΕΟΡΤΑΣΤΙΚΗ ΤΕΣΣΑΡΕΣΚΑΙΔΕΚΑΤΗ

(709) **α΄**. Ἱεροὶ μὲν ἄνωθεν ὑμνήκασι λόγοι τῆς ἁγίας ἡμῶν ἑορτῆς τὰ συνθήματα· γεγωνὸς δέ τι καὶ διαπρύσιον ὅτι προσῆκεν ἡμᾶς ἀνακραγεῖν ἐπ' αὐτῇ θεσμοθετοῦσι λέγοντες· « Σαλπίσατε ἐν νεομηνίᾳ σάλπιγγι, ἐν εὐσήμῳ ἡμέρᾳ ἑορτῆς
5 ὑμῶν [a]. » Ἐξῃρημένης δὲ ἤδη τῆς κατὰ νόμον σκιᾶς, καὶ μὴν καὶ εἰς ἐναργῆ καὶ ἐμφανεστέραν πραγμάτων δήλωσιν μετερρυηκότος τοῦ γράμματος, παρέντες ὡς ἕωλον καὶ ἀχρεῖον ἤδη πως τὸ τοῖς ἀρχαίοις ἐξευρημένον ὡς ἐν σκιᾷ τε καὶ τύποις, τὴν ἀσημοτέραν φημὶ τῶν σαλπίγγων ἠχήν, τὴν
10 ἀκριβῆ τε καὶ εὔρυθμον τοῦ κηρύγματος χρείαν τοῖς τῆς ἑορτῆς συνθήμασιν ὑπηρετεῖν ἀναπείθωμεν. Νεομηνία γὰρ ἤδη φαίνεται, τουτέστιν ὁ καινουργός τε καὶ νέος τῆς τοῦ Σωτῆρος ἡμῶν ἀναστάσεως ἀνίσχει καιρός. « Εἴ τις γὰρ ἐν Χριστῷ καινὴ κτίσις », κατὰ τὸ γεγραμμένον, « καὶ τὰ
15 ἀρχαῖα παρῆλθεν, ἰδοὺ γέγονε πάντα καινά [b]. » Οὐκοῦν

Mss : A DEFG BHI (= b) CJKLM (= c)
Edd. et Verss : Sal. Aub. Mi. (= edd.) ; Sal.^{v} Sch. (= verss latt.)

Inscriptio : ἑορταστικὴ τεσσαρεσκαιδεκάτη : ὁμιλία ἑορ. τεσσ. I ἑορ. τεσσ. κυρίλλου JK : ἑορ. κυρίλλου τεσσ. L : κυρίλλου ἑορ. τεσσ. M : λόγος ιδ΄ edd.

α΄. 2 γεγωνὸς δέ τι καὶ διαπρύσιον I^{mg} : -ὼς δὲ καὶ -ιος I edd. ‖ 3 ἡμᾶς om. edd. ‖ 7 μετερρυηκότος I^{mg} edd.^{mg} (+ μετερρηκότος) : μετερρυκότος I edd. ‖ γράμματος : γράγματος C^{ac} ‖ 8 ὡς om. I edd. ‖ 15 ἰδοὺ γέγονε πάντα καινά A : ἰ. γ. κ. DEFG b CJ *NT* (codd. P^{46} Sin. B C D F G Nestle/Aland^{26}) ἰ. γ. τὰ π. κ. KLM *NT* (codd. min. pm.) ἰ γ. κ. τὰ π. *NT* (codd. D^{2} K L L Ψ) ἰ π. γ. κ. edd.

a. Ps 80, 4 b. 2 Co 5, 17.

QUATORZIÈME FESTALE

Annonce de la fête et exhortation à l'ascèse

1. Autrefois déjà des paroles sacrées ont célébré le signal de notre sainte fête ; elles nous prescrivent de proclamer à son sujet d'une voix claire et forte : « Sonnez de la trompette pour la néoménie, au jour glorieux de votre fête [a]. » Mais puisque l'ombre de la Loi est désormais dissipée et que, précisément, la lettre a remonté son cours pour indiquer les réalités de manière claire et plus manifeste, abandonnons comme fané et désormais inutile ce que les anciens avaient découvert en ombre et en figures, je veux dire le son assez confus des trompettes, et mettons l'utilisation juste et harmonieuse du kérygme au service du signal de la fête [1]. En effet, voici qu'apparaît une néoménie, c'est-à-dire que se lève le temps nouveau et inaugural de la résurrection de notre Sauveur. « Car si quelqu'un est dans le Christ, c'est une création nouvelle », comme il est écrit, « les choses anciennes s'en sont allées, voici que tout est devenu nouveau [b]. » En consé-

1. Sur l'interprétation spirituelle de la trompette et le passage de l'ombre de la Loi à la vérité, voir *LF* IX, 2, 7-17.

(ἰέναι γὰρ δὴ κατ' εὐθὺ τοῦ πρέποντος οἰήσομαι δεῖν), « Ἁγιάσατε νηστείαν [c] », κατὰ τὴν τοῦ προφήτου φωνήν. Τὸ δὲ ἁγιάζειν ἐστὶ τὸ καθιεροῦν, καὶ ὥσπερ τι τῶν ἐν λόγῳ προσκομίζειν ἀναθημάτων τῷ τῶν ὅλων κρατοῦντι Θεῷ. Οἱ
20 μὲν οὖν ἐμπειροπόλεμοι καὶ ἐκμελετᾶν ἑτέρους εἰδότες τὰ τακτικά, καιροῦ καλοῦντος πρὸς μάχην, ἐκπεριθέουσι μὲν τῶν σφετέρων τὰς φάλαγγας, προσεκπέμπειν δὲ τὸ δεῖμα τῆς διανοίας προστάττουσι, καὶ ὅτι προσήκει γενναίους προσαναφαίνεσθαι τῆς εἰς πόνους ἐμβολῆς, διὰ μυρίων ὅσων
25 αὐτοὺς ἀναπείθουσι λόγων.

Ἐγὼ δὲ δεῖν οἰήσομαι πάλιν τοῖς οὐκ ἀμελέτητον ἔχουσι τὴν ἀρετήν, ἀλλ' ἐν τοῖς ὅτι μάλιστα τετιμημένοις τὸ ἱδροῦν ὑπὲρ αὐτῆς εὖ μάλα πεποιημένοις, πρόκλησιν ὥσπερ τινὰ τῆς ἔν γε τούτῳ σπουδῆς, τὸν διαθήγειν εἰδότα καταθέσθαι
30 λόγον. « Καιρὸς γὰρ ἤδη ποιῆσαι τῷ Κυρίῳ [d] », κατὰ τὸ γεγραμμένον. Ποιῆσαι δὲ τί ; τὸ κατανδρίζεσθαι παθῶν· τὸ ἐκνεκροῦν ἡδονὰς καὶ πρὸς πᾶν ὁτιοῦν τῶν ὁσίως τεθαυμασμένων καταρυθμίζειν τὸν νοῦν, τῇ τῶν ἁγίων πανπευχίᾳ χρωμένους, ἐφ' ᾗ καὶ αὐτὸς ὁ πανάριστος ἡμῖν
35 κατεσεμνύνετο Παῦλος· « Ὑπωπιάζω μου τὸ σῶμα καὶ δουλαγώγω, μή πως τοῖς ἄλλοις κηρύξας αὐτὸς ἀδόκιμος γένωμαι [e]. » Χρῆμα μὲν γὰρ δυσαχθές τε καὶ δύσοιστον ὁμολογουμένως ὁ ἐπὶ ταῖς ἀσκήσεσι πόνος· πλουτεῖ δὲ καρποῖς τοῖς εἰς ἀρετήν τε καὶ εὐκοσμίαν, καὶ τῇ τοῦ χείρονος
40 ὀλίγῃ ζημίᾳ τὸ ἀσυγκρίτως ἄμεινον ὠφελεῖν. Καὶ τοῦτο

Mss : A DEFG BHI (= b) CJKLM (= c)

16 κατ' εὐθὺς Aub. Mi. ‖ 21 πρὸς I^{mg} : εἰς b edd. ‖ ἐκπεριθέουσι b edd. *circumcursant* Sal.^{v} *circumeunt* Sch. : ἐκπεριθέτουσι D I^{mg} edd.^{mg} ‖ 23-24 προσαναφαίνεσθαι codd. (σ^{1} oblitt. C) : προ[σ]ανα — Mi. ‖ 24 ὅσον b edd. ‖ 25 ἀναπείθωσι c ‖ 29 τοῦτο A DEFG CJKL ‖ 34 αὐτὸς om. b edd. ‖ 35 ὑπωπιάζω *NT* : ὑπο- DF HI M edd. ‖ 36 δουλαγώγω b : δουλάγω A DEG I^{mg} CJKL

c. Jl 2, 15 d. Ps 118, 126 e. 1 Co 9, 27.

1. *Joël* 2, 15 a déjà été cité en *LF* I, 2, 115-116 et VII, 2, 138-146, mais Cyrille n'y expliquait pas le sens qu'il faut donner à ἁγιάσατε. En revanche

quence, (car je pense qu'il faut aller droit à l'attitude qui convient), « sanctifiez le jeûne [c] », selon la parole du prophète. Or sanctifier, c'est consacrer [1] et, en quelque sorte, présenter à Dieu qui domine l'univers une offrande de valeur. Ainsi ceux qui ont l'expérience de la guerre et savent exercer d'autres hommes dans l'art de la tactique, lorsque le moment favorable appelle à la bataille, se mettent à parcourir les rangs de leurs phalanges, pour ordonner à leurs soldats de chasser la crainte de leur pensée et les persuader, par le plus grand nombre de discours possibles, qu'il leur revient de se montrer courageux au moment de se jeter dans les combats.

Or pour ma part, je pense que ceux qui ne négligent pas la vertu, mais qui tiennent dans la plus grande estime de suer sang et eau [2] pour l'atteindre, doivent à nouveau faire provision de paroles stimulantes, comme une incitation à faire preuve d'ardeur dans ce domaine. Car « c'est désormais le moment d'agir pour le Seigneur [d] », comme il est écrit. Mais de faire quoi ? De réprimer les passions ; de mortifier les plaisirs et d'entraîner son intelligence à tout ce qu'il est juste d'admirer, en revêtant l'armure complète des saints, dont le remarquable Paul, lui aussi, se glorifiait pour nous : « Je meurtris mon corps et le réduis en esclavage, de peur que, après avoir servi de héraut pour les autres, je ne sois moi-même disqualifié [e]. » Certes, il faut l'avouer, c'est une chose pénible et difficilement supportable que les efforts liés à l'ascèse ; mais ils portent beaucoup de fruits dans le domaine de la vertu et de la bonne conduite, et ce qui est incomparablement meilleur vient compenser la modique perte de ce qui est bien inférieur. C'est ce que le bienheureux Paul rendra

l'interprétation de ἁγιάζω au sens de « consacrer » se trouve en *LF* X, 2, 130 à propos d'Ex 13, 2 et en *LF* XI, 7, 38. On la trouve aussi fréquemment dans d'autres œuvres de Cyrille : *De Adoratione* X, 688 A qui explique Jn 17, 19 avec Pr 20, 25 ; *Dial. Trin.* VI, 589 b ; *In Io.* IV, 2, 354 ab ; V, 1, 452 b ; VII, 671 c ; XI, 10, 989 ad à propos de Jn 17, 19 qu'il interprète grâce à Ex 13, 2 et Pr 20, 25.

2. Sur cette image réaliste cf. *LF* VII, 1, *SC* 392, p. 20, n.1.

σαφὲς καταστήσει λέγων ὁ μακάριος Παῦλος· « Εἰ γὰρ καὶ ὁ
712 ἔξω ‖ ἡμῶν ἄνθρωπος διαφθείρεται, ἀλλ' ὁ ἔσω ἀνακαι-
νοῦται ἡμέρᾳ καὶ ἡμέρᾳ [f]. » Ἐπειδὴ γὰρ τῷ φρονήματι τοῦ
πνεύματος τὸ μυσαρὸν δὴ τουτὶ καὶ φιλήδονον ἀνταίρει
45 σαρκίον, ἀρρωστοῦν ἐν ἑαυτῷ τῆς ἁμαρτίας τὸν νόμον [g], καὶ
κατερεθίζον ἀεὶ πρὸς ἃ νενευκότας τὴν ἐπὶ τοῖς ἀμείνοσι
δόξαν ἀπεμπολᾷν ἀναγκαῖον, φέρε τῶν αἰσχιόνων προθέντες
τὸ ὠφελοῦν καὶ ψήφῳ θείᾳ τετιμημένον, νήψει τε καὶ
ἐπιεικείᾳ, τὸ μὲν ἀτίθασσον τῆς σαρκὸς κατευνάζωμεν
50 κίνημα, φίλην δὲ ὥσπερ ποιώμεθα τὴν ἐγκράτειαν καὶ τὰς
ὁμόρους αὐτῇ καὶ γείτονας ἀρετάς, τὴν ἀνδρείαν φημί, τὴν
δικαιοσύνην, τὴν φρόνησιν· ἵν', ὥσπερ τινὰ στέφανον ἠρινοῖς
καὶ εὐοσμοτάτοις ἄνθεσιν εἰς εἶδος τὸ ἐκπρεπὲς εὖ μάλα
συνειλεγμένον, ταῖς ἑαυτῶν ἀνάψωμεν κεφαλαῖς· καὶ
55 πάντα ῥύπον ἀπονιψάμενοι, καθαροὶ καθαρῶς ὁμοῦ τῇ
νηστείᾳ τὴν τοῖς ἁγίοις πρεπωδεστάτην θεραπείαν
ἐπιτελέσωμεν. Τότε γάρ, τότε, λαμπροῖς οἷάπερ ἐσθήμασι
τοῖς ἐξ ἀρετῶν αὐχήμασι κατηγλαϊσμένοι, τῆς οὐρανίου
συμμεθέξομεν ἑορτῆς, οὐ τὴν ἀπευκτὴν ἐκείνην ἀκούοντες
60 φωνὴν ἣν ἐπί τινι τῶν κεκλημένων εἴρηκεν ὁ Σωτήρ·
« Ἑταῖρε, πῶς εἰσῆλθες ὧδε, μὴ ἔχων ἔνδυμα γάμου [h] ; »

Καιρῷ γὰρ ἁρμόζεσθαι σοφόν. Γέγραπται δὲ ὅτι « Καιρὸς
παντὶ πράγματι [i] », καὶ πάντα καλὰ ἐν καιρῷ αὐτῶν. Καὶ
πρός γε τούτοις ἐκεῖνο πῶς οὐκ ἄξιον ἐννοεῖν ; Ἆρ' εἴ τις
65 ἡμᾶς τῶν ἐν δόξῃ περιφανεστέρᾳ καὶ ταῖς εἰς ἄγαν ὑπεροχαῖς
ἐκτετιμημένων, ὡς αὐτὸν παρελθεῖν ἐκέλευεν ἑορτῆς αὐτῷ
συμμεθέξοντας, ἣν ἂν ἕλοιτο τελεῖν ἐπί τισι τῶν γνωρίμων,
οὐ λαμπροὶ καὶ εὐείμονες ἀφίκοντο ἂν ἐπὶ τὴν ἑστίαν

Mss : A DEFG BHI (= b) CJKLM (= c)

41 καὶ om. b edd. (ἀλλ' εἰ καὶ *NT*) ‖ 44 μισαρὸν I edd. ‖ τοῦτο Aub. Mi. ‖ 45 ἀρρωστοῦν codd. edd. : *ἴσ. εὐρρωστοῦν* C[mg2] I[mg] edd.[mg] *forte εὐρρωστοῦν pro corroboratur et firmatur* Sch[mg] ‖ 46 νενευκότας + *οἶδε ἴσ.* L[mg]M[mg] ‖ 47 ad ἀναγκαῖον — *ἀναγκάζον ἴσ.* L[mg] ‖ 48 θείᾳ : θείῳ C[ac] ‖ 49 ἀτιθάσον codd. ‖ 51 ἀνδρίαν I edd. ‖ 52 ἵν' om. I edd. ‖ 55 ῥίπον CJ ‖ 64 ἆρα b edd. ‖ 66 ἐκέλευε Mi. ἐκάλεσεν M ἐκέλευον Sal. Aub.

f. 2 Co 4, 16 g. Cf. Rm 7, 23 h. Mt 22, 12 i. Qo 3, 1.

clair en disant : « Même si en nous l'homme extérieur va vers sa ruine, l'homme intérieur se renouvelle de jour en jour [f]. » En effet, puisque cette chair impure et prédisposée aux voluptés se soulève contre les pensées de l'esprit, cette chair qui souffre en elle-même de la loi du péché [g] comme d'une maladie, et incite constamment à se tourner vers ce qui, lorsqu'on y est enclin, oblige à abandonner la gloire d'une conduite meilleure, eh bien, préférant aux actions honteuses ce qui est utile et honoré par le jugement divin, grâce à notre sobriété et à notre modération, mettons en sommeil le mouvement sauvage de la chair et devenons pour ainsi dire amis de la maîtrise de soi et des vertus connexes et voisines, je veux parler du courage, de la justice et de la sagesse ; ainsi nous pourrons attacher sur nos têtes comme une couronne habilement tressée de fleurs printanières et très odorantes, d'une remarquable beauté ; et après nous être lavés de toute souillure, devenus purs, accomplissons de manière pure, en même temps que le jeûne, le culte qui convient le mieux à des saints. Alors, oui alors, parés de la gloire que l'on tire des vertus comme de splendides vêtements, nous prendrons part à la fête céleste, sans nous entendre dire cette terrible parole que le Sauveur a adressée à l'un des invités : « Mon ami, comment es-tu entré ici, sans avoir une tenue de noce [h] ? »

Revêtir le vêtement de noce

En effet, il est sage de s'adapter à chaque moment, comme le dit l'Écriture : « Il y a un moment pour toute chose [i] » et toutes les belles choses arrivent au moment qui est le leur. En outre, ne convient-il pas de réfléchir à la chose suivante ? Si quelqu'un parmi ceux qui ont les honneurs d'une gloire particulièrement insigne et d'une excellence suprême, nous conviait chez lui pour participer avec lui à une fête qu'il aurait choisi de célébrer en l'honneur de certaines de ses connaissances, est-ce que les hôtes invités n'arriveraient pas à table en arborant des vête-

οἱ δαιτυμόνες ; Δρῷεν γὰρ ἂν ὧδε τῆς τοῦ κεκληκότος
70 φιλοτιμίας ἄξιον. Εἶτα πῶς τοῦτο ἀμφίλογον ; Ὅτε τοίνυν τὸ
μὴ ἐσκευᾶσθαι λαμπρῶς τοῖς ἑορτάζουσιν οὐκ ἀζήμιον, πῶς
οὐκ ἀπόχρη πρὸς ἔλεγχόν τε καὶ δίκην τοῖς τὴν θείαν
ἀτιμάζουσι κλῆσιν τὸ τῆς κατὰ νοῦν φαιδρότητος ἀμοιρῆσαι
δοκεῖν ; Οἱ μονονουχὶ ῥυπῶντες ἔτι καὶ ὀδωδότες, καὶ ταῖς
75 τῶν ἁγίων σπουδαῖς ἀσυμφυᾶ τε καὶ ἀσύμβατον ἐπιτηδεύοντες βίον, πῶς εἶεν αὐτοῖς ἐναρίθμιοι ;

Καίτοι λέγοντος ἀναφανδὸν τοῦ Χριστοῦ περὶ τῆς κατὰ
καιροὺς ἐσομένης οἰκονομίας· « Τότε οἱ δίκαιοι ἐκλάμψουσιν
ὡς ὁ ἥλιος ἐν τῇ βασιλείᾳ τοῦ Πατρὸς αὐτῶν [j]. » Ἐρρέτω
80 δὴ οὖν ἡ τῶν ἐν κόσμῳ πραγμάτων ἀνοσία κηλίς, καὶ
συνοιχέσθω πορνεία, καὶ πλεονεξία, καὶ φθόνος, ψιθυρισμὸς
καὶ καταλαλιά, καὶ ἀπάτη καὶ δόλος [k]. Συνθλᾶται γὰρ οὕτω
τοῖς ἐκ φαυλότητος αἰτιάμασι καὶ ἡ παμμόχθηρος δίκη ταῖς
τῶν φιλαμαρτημόνων ἐφεδρεύουσα κεφαλαῖς· ἀνατελεῖ δὲ
85 ὥσπερ τὰ ἐφ' οἷς ἂν εἰκότως ἐπισεμνύνοιτό τις· συνεσόμεθά
τε τῷ πάντων ἡμῶν Σωτῆρι Χριστῷ· καὶ μώμου παντὸς
ἐλευθέραν ἔχοντες δόξαν, τὸ ταῖς τῶν ἁγίων ἀγέλαις
συναυλίζεσθαι δεῖν ἀποκερδανοῦμεν εὐκόλως.

β΄. Οὐκοῦν ἁρμοστὴν ὥσπερ τινὰ καὶ τῶν ἀρίστων
713 εἰσηγητὴν εἰσδεξώμεθα πάλιν Ἰωάννην λέγοντα ‖ τὸν
σοφόν· « Μὴ ἀγαπᾶτε τὸν κόσμον μήτε τὰ ἐν τῷ κόσμῳ. Ἐάν
τις ἀγαπᾷ τὸν κόσμον, οὐκ ἔστιν ἡ ἀγάπη τοῦ Πατρὸς
5 ἐν αὐτῷ. Ὅτι πᾶν τὸ ἐν τῷ κόσμῳ, ἡ ἐπιθυμία τῆς σαρκός,
καὶ ἡ ἐπιθυμία τῶν ὀφθαλμῶν, καὶ ἡ ἀλαζονεία τοῦ βίου, οὐκ

Mss : A DEFG BHI (= b) CJKLM (= c)

80 κηλίς I^mg : κοιλίς I edd. ‖ 82 συνθλεῖται A DEG CKLM συνθλῆται F συνθαλεῖται J ‖ 85 ἐπισεμνύνοιτό : -ειτό L^ac

β΄ 2 εἰσδεξώμεθα : -όμεθα b Sal. -άμεθα L^ac ‖ Ἰωάννην C^pc2 : -ης C^ac ‖ 6 βίου + ἡ edd. : om. codd. *NT*.

j. Mt 13, 43 k. Cf. 2 Co 12, 20 ; Rm 1, 29-30.

1. On peut rapprocher ce développement de celui de la *LF* II, 4, 17-26 qui utilise une argumentation *a fortiori* pour montrer que, s'il est inconvenant

ments éclatants ? De fait, ils auraient ainsi un comportement accordé à la dignité de celui qui les a invités. Comment en douter ? Puisqu'on ne peut donc impunément aller à une fête sans s'apprêter avec éclat, n'est-il pas suffisant pour mettre en cause et condamner ceux qui méprisent l'invitation divine, que leur intelligence paraisse manquer de clarté ? Ceux qui, pour ainsi dire, sont encore sales, sentent mauvais et mènent une vie incompatible et inconciliable avec les efforts des saints, comment pourrait-on les compter au nombre de ces derniers [1] ?

Pourtant le Christ dit ouvertement à propos de l'économie qui arrivera en son temps : « Alors les justes brilleront, comme le soleil, dans le royaume de leur Père [j]. » Que passe donc la souillure impie des actions mondaines, que s'en aillent en même temps fornication, avidité, jalousie, médisance, parole méchante, tromperie et ruse [k]. De cette manière en effet, en même temps que les accusations de mauvaise conduite, sera détruit le châtiment tout à fait atroce qui pèse sur la tête de ceux qui s'adonnent au péché ; tandis que prendront naissance, en quelque sorte, des comportements dont on pourra à bon droit se glorifier ; nous serons alors en communion avec le Christ notre Sauveur à tous ; et possédant une réputation exempte de tout blâme, nous profiterons paisiblement d'une vie en commun avec la foule des saints.

Rejeter les convoitises du monde

2. Recevons donc à nouveau le sage Jean comme un homme qui nous gouverne et nous donne les meilleurs conseils, lorsqu'il dit : « N'aimez ni le monde ni ce qui est dans le monde. Si quelqu'un aime le monde, l'amour du Père n'est pas en lui. Car tout ce qui est dans le monde — la convoitise de la chair, la convoitise des

de se présenter devant un grand de ce monde en habits sales, à plus forte raison l'on doit s'approcher de Dieu après s'être purifié de son péché.

ἔστιν ἐκ τοῦ Πατρός, ἀλλ' ἐκ τοῦ κόσμου ἐστίν. Καὶ ὁ κόσμος παράγεται καὶ ἡ ἐπιθυμία. Ὁ δὲ ποιῶν τὸ θέλημα τοῦ Θεοῦ μένει εἰς τοὺς αἰῶνας[a]. » Ὁρᾷς τοὺς ἁγίους σοφῇ καὶ
10 ἀνεπιπλήκτῳ γνώμῃ συζῆν ἑλομένους, καὶ ὥσπερ εἴς τινα τῶν καθ' ἡμᾶς πραγμάτων περιωπὴν ἀνδρωδῶς ἀναθρώσκοντας, καὶ τὸν τοῦ παρόντος βίου περισπασμὸν ἀναμετροῦντας ἀστείως, τίς τε καὶ πόσος καὶ ἐπὶ τίσιν ἂν γένοιτο μόλις χρήσιμος κατασημαίνοντας. « Πᾶν γάρ, φησί, τὸ
15 ἐν τῷ κόσμῳ, ἡ ἐπιθυμία τῆς σαρκός, καὶ ἡ ἐπιθυμία τῶν ὀφθαλμῶν, καὶ ἡ ἀλαζονεία τοῦ βίου. »

Ἦ γὰρ οὐ μέχρι τραπέζης καὶ ὑπογαστρίων ἡδονῶν παρά γε τοῖς ἀναπεπτωκόσιν εἰς ῥαθυμίας κοσμικὰς τὰ εἰς ἡδονάς τε καὶ τρυφὴν διικνεῖται μέτρα ; Ὀψοφαγίαι τε γὰρ αἱ
20 πολυειδεῖς, καὶ ἡδύσματα, καὶ καρυκειῶν ἐξίτηλοι τρόποι, καὶ τράπεζα Συβαριτική, τὰ πάντων, οἶμαι, ἐστὶ παρ' αὐτοῖς τιμαλφέστατα.

Ἀποπεραίνοιτο δ' ἄν, ὥς γέ μοι φαίνεται, καὶ « ἡ τῶν ὀμμάτων ἐπιθυμία » περί τε σωμάτων ὥρας καὶ ὕλης
25 φαιδρότητα, καὶ ἐφ' οἷς τῆς ὀπτικῆς ἐνεργίας ἡ χρῆσις εἰς τὸ ἡδύ τε καὶ εὔχαρι καταγοητεύεσθαι φιλεῖ.

Ἀλαζονεία δὲ καὶ φιλοδοξία, πῶς ἂν φράσαιμι λοιπὸν εἰς ὅσον προήκουσι φαυλότητος μέτρον ; Τὸν γάρ τοι λίαν ὑπερτενῆ καὶ ὑπέροφρυν ἐν τοῖς ὅτι μάλιστα πολεμιωτάτοις
30 ποιεῖται Θεός. « Κύριος γὰρ ὑπερηφάνοις ἀντιτάσσεται[b] », κατὰ τὸ γεγραμμένον.

Ταυτὶ διωσάμενοι, καὶ ὀλίγου παντελῶς ἀξιώσαντες

Mss : A DEFG BHI (= b) CJKLM (= c)

8 ἐπιθυμία + αὐτοῦ edd. *NT* (codd. Sin. B D Nestle/Aland[26]) : om. codd. *NT*(codd. A P 33) ‖ 9 τοὺς αἰῶνας codd. edd. : τὸν αἰῶνα *NT* ‖ 11 τῶν : τὸν I Sal. Aub. ‖ ἀνδρωδῶν b ‖ 14 κατασημαινότας Sal. ‖ 25 ἐνεργείας b KLM edd. ἐνέργειαν G ‖ 26 ἡδύ τε καὶ : ἡδύτερον b edd. ἡδύ τε H[mg]I[mg] ‖ 28 τοι λίαν I[mg] Sal.[mg] : τι λίαν I edd. τε λίαν Aub.[mg] Mi.[mg] ‖ 32 ταυτὶ διωσάμενοι coni. Boulnois : ταῦτ' ἰδιωσάμενοι codd. edd.

---

2 a. 1 Jn 2, 15-17 b. Pr 3, 34.

yeux, la vanité de la vie temporelle, ne vient pas du Père, mais du monde. Or le monde passe, ainsi que sa convoitise. Mais celui qui fait la volonté de Dieu demeure pour les siècles [a]. » Tu vois que les saints choisissent de vivre avec un esprit sage et à l'abri du blâme, s'élancent avec énergie pour monter comme sur un poste d'observation d'où ils ont vue sur nos réalités et mesurent avec finesse les tiraillements de la vie présente, en indiquant lesquels, en quelle quantité et jusqu'à quel point ils peuvent être utiles, fût-ce avec peine. « En effet, tout ce qui est dans le monde, c'est la convoitise de la chair, la convoitise des yeux, la vanité de la vie temporelle. »

N'est-il pas vrai que, pour ceux qui sont tombés dans la mollesse du monde, la mesure des plaisirs et de la vie facile s'élargit jusqu'aux plaisirs de la table et du bas-ventre ? En effet, ce sont les gourmandises raffinées de toutes sortes, assaisonnements, variétés dénaturées de condiments, table de Sybarite, qui, à mon avis, sont chez eux les choses les plus prisées.

Quant à « la convoitise des yeux » elle peut également se satisfaire, me semble-t-il, de la grâce des corps, de la splendeur des matières et de ce qui enchante d'ordinaire la vue comme agréable et charmant.

Quant à la vanité et à la recherche de la renommée, comment pourrais-je encore dire à quel niveau de perversité elles arrivent ? Assurément celui qui se rengorge et qui prend un air hautain, Dieu le compte au nombre de ses plus grands ennemis. « En effet, le Seigneur résiste aux orgueilleux [b] », comme il est écrit [1].

Après avoir repoussé ces convoitises [2], après les avoir

1. Cyrille propose une explication très semblable de ces trois convoitises en *LF* XXVII, 2, 933 A : celle de la chair est associée à la satiété du ventre, au goût pour les assaisonnements et les gourmandises raffinées ; celle des yeux au spectacle des vêtements et à l'amour pour l'éclat des matières ; enfin celle de la vanité à la recherche des honneurs.

2. Au lieu de lire ταῦτ' ἰδιωσάμενοι nous proposons ici de couper autrement ce groupe de mots : ταυτὶ διωσάμενοι.

λόγου καὶ τὴν ἐπὶ τοῖς ἀμείνοσι δόξαν ὁσίᾳ ψήφῳ τιμήσαντες, ζήσωμεν εὐαγγελικῶς, τὸ οἱονεὶ καὶ ἐκτεθνάναι
35 τῷ κόσμῳ δοκεῖν, διά γε τοῦ μὴ βιοῦν ἀνέχεσθαι κοσμικῶς ἀστείως ἐπιτηδεύοντας. Τοιοῦτόν τι καὶ Παῦλος ὑπεμφαίνει λέγων· « Ἐγὼ γὰρ διὰ νόμου νόμῳ ἀπέθανον, ἵνα Θεῷ ζήσω· Χριστῷ δὲ συνεσταύρωμαι. Ζῶ δὲ οὐκ ἔτι ἐγώ, ζῇ δὲ ἐν ἐμοὶ Χριστός [c]. » Μεμνημένος δέ, οἶμαι, λέγοντος αὐτοῦ·
40 « Δωρεὰν ἐλάβετε, δωρεὰν δότε [d] », τὰ ἴσα φρονεῖν καὶ ἡμᾶς αὐτοὺς ἀναπείθει λέγων· « Ἢ ἀγνοεῖτε ὅτι ὅσοι εἰς Χριστὸν ἐβαπτίσθημεν, εἰς τὸν θάνατον αὐτοῦ ἐβαπτίσθημεν ; Συνετάφημεν οὖν αὐτῷ διὰ τοῦ βαπτίσματος εἰς τὸν θάνατον, ἵνα, ὥσπερ ἠγέρθη Χριστὸς ἐκ νεκρῶν διὰ τῆς δόξης τοῦ
45 Πνεύματος, οὕτω καὶ ἡμεῖς ἐν καινότητι ζωῆς περιπατήσωμεν [e]. » Οὐκοῦν ἐρῶ δή τι τῶν ἀναγκαίων εἰς ὄνησιν καὶ ταῖς τῶν ἁγίων φωναῖς ἀποκεχρήσομαι πάλιν· « Τίς σοφὸς καὶ ἐπιστήμων ἐν ὑμῖν ; Δειξάτω ἐκ τῆς καλῆς ἀναστροφῆς τὰ ἔργα αὐτοῦ ἐν πραότητι σοφίας [f]. »
50 Ἀναστροφὴν δὲ τὴν ἀξιάγαστον οὐχ ἑτέραν ἔσεσθαι πρὸς ἡμῶν ὑπονοεῖν ἄξιον ἢ δι' ἧς ἂν ὀρθοῦσθαι συμβαίνοι, καὶ τὸ ὡς ἄριστα βιοῦν ἑλέσθαι τινὰς καὶ τὸ ἐν πίστει γνήσιον. Τὸ
716 γάρ τοι δοκεῖν ‖ προσήκασθαι μὲν τὴν πίστιν, ἐφ' ἕτερα δὲ βλέπειν, καὶ τὸ ἐρηρεῖσθαι δὲ μισεῖν, δοίην ἂν ἔγωγε παντὸς
55 εἰς λῆξιν ἰέναι κακοῦ. Τοῖς γε μὴν ὧδε παρεφθορόσι τὸν νοῦν, ταυτί τε φρονεῖν καὶ δρᾷν ᾐρημένοις, καὶ θεῖος εὐθὺς

Mss : A DEFG BHI (= b) CJKLM (= c)

33 ἀμείνωσι BI Sal. ‖ 40 δῶτε I Sal. Aub. ‖ 41 ἤ C^{pc2} : ὃν A DEFG C^{ac} ‖ 42 αὐτοῦ *NT* : τοῦ Κυρίου I edd. ‖ 43 τοῦ *NT* : τὸ A DEF C ‖ 45 πνεύματος : πατρὸς Mi. *NT* ‖ καινότητι C^{pc2} : ἀγνότητι E C^{ac} ‖ 47 φωναῖς : φαιναῖς A ‖ ἀποκεχρήσομαι D^{ac} M : ἀποκεχήσομαι A D^{pc}EFG CJKL ἀποχρήσομαι C^{mg2} ‖ 48 δειξάτω I^{mg} : δείξατος BI edd. δείξαντος H ‖ 49 τὰ ἔργα αὐτοῦ ἐν πραότητι σοφίας I^{mg} c (ἔργῳ C^{ac}) : ἐν π. σ. τ. ἔρ. α. edd. τ. ἔρ. α. om. b ‖ 51 συμβαίνοι F^{ac} C^{ac} edd. : συμβαίνει A^{ac} E^{ac}F^{pc} B^{ac} C^{pc2}KLM συμβαίνειν J ‖ 54 ἐφηρεῖσθαι I Sal. Aub. ‖ 55 παρεφθορόσι M : παρεφθορῶσι cett. παρεφθαρεῖσι Aub. Mi. ‖ 56 εὐθὺς *continuo* Sch. : *leg.* οὕτως I^{mg} *ita* Sal.^{v}

c. Ga 2, 19-20 d. Mt 10, 8 e. Rm 6, 3-4 f. Jc 3, 13.

tenues pour bien peu de choses et avoir porté nos suffrages saints vers la gloire qui s'attache aux conduites meilleures, vivons de manière évangélique, en nous appliquant avec finesse à sembler en quelque sorte mourir au monde, du moins en ne supportant pas de vivre selon le monde. C'est à peu près ce que Paul lui aussi laisse entendre, lorsqu'il dit : « En effet, par la loi, je suis mort à la loi afin de vivre pour Dieu : je suis crucifié avec le Christ. Et si je vis, ce n'est plus moi qui vis, mais le Christ vit en moi [c]. » Se souvenant, je pense, de ce que le Christ dit lui-même : « Vous avez reçu gratuitement, donnez gratuitement [d] », il nous incite nous aussi à penser de même, en disant : « Ou bien ignorez-vous que nous tous qui avons été baptisés dans le Christ, c'est dans sa mort que nous avons été baptisés ? Nous avons donc été ensevelis avec lui par le baptême dans la mort, afin que, comme le Christ est ressuscité des morts par la gloire de l'Esprit, nous vivions nous aussi dans une vie nouvelle [e]. » Je dirai donc une chose nécessaire à notre profit et à nouveau je tirerai parti de la voix des saints : « Y-a-t-il quelqu'un de sage et d'expérimenté parmi vous ? Qu'il fasse voir par sa bonne conduite des actes empreints de douceur et de sagesse [f]. »

Une foi sincère, contre la duplicité

La conversion qui mérite l'admiration, gardons-le à l'esprit, ce sera précisément celle qui permettra à certains de s'amender en choisissant de vivre le mieux possible et d'être sincères dans leur foi. Oui, sembler s'approcher de la foi tout en regardant vers autre chose, et détester s'y fixer solidement, moi je serais prêt à dire que c'est atteindre le comble de tout mal. En tout cas, contre ceux qui ont ainsi infecté leur intelligence, qui ont choisi de penser et d'agir de la sorte, la parole divine elle aussi prononce

ἐπαρᾶται λόγος· « Οὐαὶ γάρ », φησί, « καρδίαις δειλαῖς, καὶ
χερσὶ παρειμέναις καὶ ἁμαρτωλῷ ἐπιβαίνοντι ἐπὶ δύο
τρίβους [g]. » Ψυχρὸν γὰρ ὡς ἀληθῶς ἀρρώστημα νοῦ καὶ
60 φρενὸς ἐκλύτου καὶ παρειμένης ἐπίκλημα καὶ γραφή, τὸ
εὔκολον εἰς παραφορὰν καὶ τὸ ἀγαπᾷν ἑτοίμως, μισεῖν
ἑλομένους. Ἆρα γὰρ εἴ τις ἔροιτό τινα καὶ τῶν μετρίων εἰς
νῆψιν, ἵνα μὴ λέγοιμι τῶν ἄγαν εὐσθενεστάτων· Πότερον,
λέγων, ὦ τάν, ἐν αἱρέσει κειμένων, τοῦ τε ὑγιαίνειν καὶ
65 νοσεῖν, καὶ παρὸν εὐκόλως εἰσοικίσασθαι τὸ δοκοῦν,
ἀρρωστεῖν ἂν ἕλοιο, μεθεὶς τὸ ἕτερον, ἢ τοῖς ἐναργῶς
ἀμείνοσιν ἐπιδραμὼν καὶ γέλωτος ἀξίαν ἡγήσῃ τὴν πεῦσιν ;
Ἆρ' οὖν εἰς τοῦτο φρενοβλαβείας κατώλισθεν ἄνθρωπος, ὡς
μὴ διαρρήδην ἀνακραγεῖν ὡς ἥδιστα μὲν εὐρωστοίη τὸ σῶμα·
70 τό γε μὴν θατέρῳ προσομιλεῖν ἥκιστα ἂν ἕλοιτό ποτε ; Καὶ
μὴν οὐκ ἔσθ' ὅπως οὐκ εὖ βεβουλεῦσθαι τὸν τοιοῦτον
φήσομεν. Τὰ γὰρ ὡς εἶεν ὀρθά, κἂν εἰ μή τις ἕλοιτο συνειπεῖν,
οἴκοθέν τε καὶ ἐναργῆ πλουτοῦντα τὴν δόξαν, κακύνειν οὐκ
ἀσφαλές. Εἰ δὴ τῶν ἀρίστων εἶναι λογιούμεθα καὶ τῇ τῶν
75 εὐκταιοτάτων ἐγγράψομεν μοίρᾳ τὴν <τοῦ> σώματος
εὐρωστίαν, πῶς οὐκ ἀσύνετον κομιδῇ μὴ τὴν αὐτὴν ἡμᾶς
ἔχοντας γνώμην ὁρᾶσθαι περὶ ψυχῆς, μᾶλλον δὲ καὶ σπουδῆς
ἀξιοῦν τῆς προὐργιαιτέρας αὐτήν ; Ὅσῳ γὰρ ἀμείνους
σωμάτων ψυχαί, τοσούτῳ δεήσει φειδοῦς, οἶμαι, τῆς
80 τελεωτέρας ἀπονέμειν αὐταῖς.

Οὐκοῦν, ἀλοιφαὶ μέν, καὶ τὰ ἐδώδιμα καὶ τῆς ἔτι λοιπῆς
θεραπείας ἡ διαρκὴς καὶ τοῦ περιττοῦ κατόπιν ἰοῦσα χρῆσις

Mss : A DEFG BHI (= b) CJKLM (= c)

59 ψυχρὸν *absurdus enim revera morbus animi* Sch. : ψυχροῦ Aub. Mi. *frigentis namque revera animi morbus* Sal.^{v} || 63 εὐσθενεστάτων I^{mg} : ἀσθεν- B^{ac}I edd. om. LM || 64 τοῦ τε : τοῦτο I edd. (+ [l. τοῦ τε] Mi.) || 69 ἥδιστα : ἥτιστα B ἥκιστα F HI edd. μάλιστα I^{mg2} edd.^{mg} || 73 ἐναργῆ C^{pc2} : ἐναργῶ E ἐναργῦς F C^{ac} || 74 δὴ : δὲ F c || 75 <τοῦ> leg. ex τοῦ Aub. Mi. putamus : om. codd. Sal. || 76 ἀσύνετο (sic) A DEFG CK ἀσύνετοι J || 77 γνώμην I^{mg} : γνῶσιν b edd. || 79 τοσοῦτο CJKL

g. Si 2, 12.

aussitôt ces imprécations : « Malheur aux cœurs lâches, aux mains nonchalantes et au pécheur qui suit deux sentiers [g]. » Car c'est une maladie qui paralyse vraiment l'intelligence [1], un crime dont on peut accuser un esprit dissolu et relâché que d'incliner à la déviance et d'être disposé à aimer ce qu'on avait choisi de détester. Et si l'on interrogeait quelqu'un d'un peu sobre, — pour ne pas parler de ceux qui sont vraiment confirmés —, en disant : Cher ami, si tu avais le choix entre être en bonne santé ou être malade, et si tu avais la possibilité d'être constitué facilement comme tu l'as décidé, choisirais-tu d'être malade, en rejetant l'autre possibilité, ou bien te précipitant vers ce qui est manifestement meilleur ne considéreras-tu pas que la question est risible ? Y a-t-il donc un homme qui soit égaré par la folie au point de ne pas s'écrier expressément : « Le plus agréable est que le corps soit robuste ; on ne peut en aucun cas choisir de s'attacher à l'état contraire » ? Nous dirons assurément qu'il est impossible qu'un tel homme n'ait pas correctement délibéré. En effet, il n'est pas prudent de vilipender les biens qui, en eux-mêmes, sont richement dotés d'une gloire intrinsèque et manifeste, même si personne ne les défend en proclamant leur bonté. Si donc nous considérons que la santé corporelle compte parmi les biens les meilleurs, et si nous l'inscrivons au rang des plus désirables, n'est-il pas totalement insensé que nous paraissions ne pas avoir le même avis concernant l'âme, et même bien plus : que nous ne la jugions pas digne d'un effort qui en vaut davantage la peine ? En effet, plus les âmes sont supérieures aux corps, plus l'attention que nous leur consacrons devra, à mon avis, être parfaite.

Si donc des onguents, de la nourriture et l'application suffisante mais non excessive des autres soins écartent des

1. La même image de la maladie était employée en *LF* XII, 1, 123-138 à propos de la duplicité et Cyrille y utilisait déjà l'argument par l'absurde consistant à montrer que personne ne serait assez fou pour désirer redevenir malade, une fois qu'un médecin est parvenu à le guérir. Contre la duplicité, voir aussi *LF* IX, 3.

τῶν ἀνθρωπίνων σωμάτων ἐξιστᾶσι τὸ νοσεῖν, τὸ δὲ εἰς
ἔφεσιν μὲν ἀρετῆς ἀνακομίζειν τὸν νοῦν, φθορὰν δὲ ἡγεῖσθαι
85 τὴν βέβηλον ἁμαρτίαν καὶ πρὸς τούτοις ἔτι τῆς εἰς Θεὸν
ἀγάπης ἀπρὶξ ἡττῆσθαι φιλεῖν, καὶ ὁλοκλήρῳ πίστει τιμᾷν
τὸν τῶν ὅλων Δημιουργόν, φαίην ἂν ἔγωγε ψυχῆς εὐρωστίαν,
καὶ νοῦ βλέποντος εἰς τὸ εὐσθενὲς ἀσύγκριτον νῆψιν. Χρῆναι
γὰρ οὕτω φρονεῖν τοῖς ἀρχαιοτέροις, καὶ αὐτὸς ὁ θεῖος ἡμῖν
90 κατεχρησμῴδησε νόμος. Ἐντολὴ γὰρ πρώτη καὶ ἀξιά-
γαστος <ἥδε>· « Ἀγαπήσεις Κύριον τὸν Θεόν σου ἐξ ὅλης
τῆς ψυχῆς σου, καὶ ἐξ ὅλης τῆς διανοίας σου καὶ ἐξ ὅλης τῆς
ἰσχύος σου [h] ». Τοῦτο εἶναί φημι τὸ ὁλοκλήρῳ τῇ πίστει
τιμᾷν ἑλέσθαι τὸν Ποιητήν.

95 Σκέψασθε γὰρ τὸ χρῆμα ὡδί· τοὺς τοῖς ἐπὶ γῆς κρατοῦσι
παρεστηκότας καὶ ἐν δορυφόρων τάξει κατειλεγμένους,
πότερα τὰ αὐτοῖς δοκοῦντα φρονεῖν ἄξιον, καὶ τοῦτο δρᾷν
ᾑρημένους ἀξιεπαινετωτάτους εἶναι λογιούμεθα, καὶ ψήφῳ
λοιπὸν τῇ παγκάλῳ τιμήσομεν ; Ἢ ὡς ἦν δή που κρεῖττόν τε
100 καὶ ἄμεινον, οἴοιτ' ἄν τις τυχόν, σκήπτεσθαι μὲν λόγῳ τὴν
717 εὔνοιαν, βαρβαρίζουσαν δὲ ‖ τὴν γνώμην καὶ τῶν αἰσχιόνων
οὐκ ἐλευθέραν νοσοῦντας ἁλίσκεσθαι. Ἀλλ', οἶμαι, φαίη τις
ἄν, εἴ γε νοῦν ἔχοι σοφόν, ὡς εἴη τε καὶ ἔσται κακὸς κακῶς
ἀπολέσθαι πρέπων, « ὃς ἕτερον μὲν κεύθει ἐνὶ φρεσίν, ἄλλο δὲ

Mss : A DEFG BHI (= b) CJKLM (= c)

85 εἰς : πρὸς b edd. ‖ 86 ἡττῆσθαι (amori... cedere — v. Liddell-Scott s.v.) I edd. *charitatem in Deum omnino retinere mordicus* Sal.^{v} *Dei Caritatem mordicus tenere* Sch. : *leg.* *κτᾶσθαι* I^{mg2} ‖ 87 δημιουργόν D (-ὼν) B^{mg}H^{mg} : θεὸν BH ‖ 88 νῆψιν codd. edd. : *νήφεν lego δείξεν* (sic) Sch.^{mg} *argumentum verss* ‖ 91 <ἥδε> leg. ex ἥδε Aub Mi. putamus : om. codd. (ad finem pag. A) Sal. ‖ 95 σκέψασθαι EFG I CJKL Sal. Aub. ‖ 98 εἰρημένους I Sal. Aub. ‖ ἀξιεπαινετάτους HI edd. ‖ 100 τις + οἶμαι b edd. ‖ 101 εὔνοιαν I^{mg} : διάνοιαν b edd. ‖ 102 ἁλίσκεσθαι I^{mg} : ἁλίσθεσθαι BI edd. ‖ 103 κακὸς κακῶς I^{mg} : κακὸς κακὸς A DEFG BI c Sal. *puto κακῶς* Sal.^{mg} ‖ 104 ὅς ἕτερον Aub. Mi. : ὅσχ' ἕτερον A DEFG b CKLM ὅς χ' ἕτρον Sal. ὅς οὐχ ἕτερον J ‖ κεύθει H^{sl} : κεύδει A DEFG B^{ac}HI^{sl} CJKL^{ac} Sal. Aub.

h. Mc 12, 30 ; cf. Dt 6, 5.

corps humains la maladie, ramener l'intelligence vers le désir de la vertu, considérer le péché impur comme une corruption et outre cela, s'abandonner volontiers, résolument, à l'amour envers Dieu et honorer le Créateur de l'univers d'une foi entière [1], pour ma part, je dirais que c'est là la bonne santé de l'âme et la sobriété incomparable d'une intelligence qui vise à la fermeté. C'est ce que les plus anciens devaient penser, comme nous l'indiquent les oracles de la loi divine elle-même. Voici en effet le premier commandement, qui est digne d'admiration : « Tu aimeras le Seigneur ton Dieu de toute ton âme, de tout ton esprit et de toute ta force [h]. » Or je dis que cela consiste à honorer le Créateur avec une foi entière.

Appartenir à Dieu non seulement en parole, mais en pensée

Examinez en effet la chose ainsi : ceux qui assistent les dirigeants de la terre et qui ont été enrôlés parmi les gardes, convient-il qu'ils pensent comme leurs maîtres en ont décidé ? Et s'ils choisissent d'agir ainsi, jugerons-nous qu'ils sont tout à fait dignes de louange et leur décernerons-nous à l'avenir une très belle approbation ? Ou bien quelqu'un estimera-t-il peut-être meilleur et plus juste qu'ils feignent la bienveillance en parole, alors qu'on les prend à être infectés d'une pensée favorable aux barbares et atteinte des maux les plus honteux ? Non, à mon avis, quiconque est doté de bon sens dirait que « celui qui cache une chose dans son cœur et

1. L'expression ὁλοκλήρῳ πίστει se trouve déjà en *LF* IX, 2, 121 dans un contexte très semblable citant lui aussi Mc 12, 30 (et non Mt 22, 37 comme indiqué dans l'apparat scripturaire). L'adjectif ὁλοκλήρῳ qui insiste sur la totalité de la foi, par opposition à un cœur partagé, fait ainsi écho à ὅλος employé à trois reprises dans la citation. Les termes ψυχή, διάνοια, ἰσχύς prouvent qu'il s'agit bien du texte de Marc, et non de celui de Matthieu qui contient : καρδία, ψυχή, διάνοια ; quant à celui du *Deutéronome*, il a καρδία, ψυχή, δύναμις.

105 εἴπῃ [i] », κατά γε τοὺς παρ' Ἕλλησι ποιητάς. Οἶμαι γὰρ δεῖν ἀνεπίπληκτον μὲν παντελῶς τοῖς κρατοῦσι φυλάττειν τὴν εὔνοιαν, ὅλῃ δὲ γνώμῃ μισεῖν τὰ βαρβάρων. Ἀλλ' εἴπερ ἐστὶ τὸ ἔν γε τούτοις εὐδοκιμεῖν περιφανές τε καὶ ἀξιόληπτον, πῶς οὐκ ἀναγκαῖον εἶναι λογιούμεθα τοὺς Θεῷ κατε-
110 ζευγμένους καὶ τῆς εἰς αὐτὸν πίστεως τὴν ὁμολογίαν εὖ μάλα πεποιημένους, καὶ τοῦτο ἐπὶ πολλῶν καὶ ἁγίων μαρτύρων, αὐτῷ μονοτρόπως προσερηρεῖσθαι φιλεῖν τὸ ἐν Ψαλμοῖς ἐκεῖνο βοῶντας· « Ἐκολλήθη ἡ ψυχή μου ὀπίσω σου [j] » ; Καταλογισθεῖεν γὰρ ἂν οὐχ ἑτέρως ἢ οὕτως ἐν τοῖς ἀληθέσι
115 προσκυνηταῖς [k]. Τὸ δὲ γλώττῃ μὲν ὁμολογεῖν ὅτι Θεὸς τῶν ὅλων ἐστίν, ὅλῳ δὲ οὔπω ποδὶ τῆς τῶν δαιμονίων ἐξοίχεσθαι πλάνης, πῶς οὐκ ἂν εἴη, κατά γε τὸ εἰκός, ἕτερον οὐδὲν ἢ ὅπερ ἔφην ἀρτίως, σκήπτεσθαι μὲν λόγῳ τὴν εὔνοιαν, βαρβαρίζουσαν δὲ τὴν διάνοιαν ἔχειν ; Ἀλλ' ἔστιν εἰπεῖν, ὡς
120 δικαίαν μὲν ἂν κατ' ἐκείνων ἐποιήσατο τὴν ἐπίπληξιν, ὁ δόξῃ τῇ ὑπερτάτῃ κατεστεμμένος· Ὦ στρατιῶτα, λέγων, τοῖς ἐμοῖς ὅπλοις ἐσκευασμένος, φρονεῖς τὰ βαρβάρων ; Ἐμὸς δὲ ὅτι μόνον ὁρᾶσθαι φιλεῖς, ὅλος ὢν ἑτέρων. Φαίη δ' ἄν, οἶμαι, καὶ Θεὸς περὶ τῶν ἐν πίστει μὴ ἱδρυμένων· « Ὁ λαὸς οὗτος
125 τοῖς χείλεσί με τιμᾷ· ἡ δὲ καρδία αὐτῶν πόρρω ἀπέχει ἀπ' ἐμοῦ. Μάτην δὲ σέβονταί με, τηροῦντες διδασκαλίας ἐντάλματα ἀνθρώπων [l]. »

Mss : A DEFG BHI (= b) CJKLM (= c)

112 προσερηρεῖσθαι leg. ex προ[σ]ερηρ- Mi. putamus : προερηρεῖσθαι codd. Sal. Aub. ‖ 113 βοῶντας edd. : + τὸ codd. ‖ 121 ὑπερτάτῳ b edd. ‖ 123 φαίην A DEFG c

i. Homère, Iliade IX, 313 j. Ps 62, 9 k. Cf. Jn 4, 23
l. Mt 15, 8-9 ; cf. Is 29, 13.

1. Ce développement est très proche de celui de la *LF* IX où l'on trouve à la fois la comparaison du chrétien qui garderait une certaine duplicité dans sa foi avec un homme qui désirerait vivre sous des lois civilisées tout en conservant sa mentalité barbare (IX, 3, 55-73), et une allusion au même vers d'Homère, sans toutefois qu'il soit cité expressément comme ici (IX, 5, 14-32). Cette citation de l'*Iliade* IX, 313 est au moins assez rare dans la

en dit une autre [i] [1] » selon les poètes grecs est et sera digne de périr, misérable, misérablement. À mon avis, s'il faut conserver à l'égard des dirigeants une bienveillance qui n'a rien de blamâble, en revanche il faut haïr de toute sa pensée ce qui relève des barbares. Mais si du moins dans ces domaines, l'honneur est manifeste et digne d'être embrassé, comment ne pas trouver nécessaire que ceux qui se sont liés à Dieu, qui ont professé vigoureusement leur foi en lui, et cela devant de nombreux et saints témoins, aiment s'appuyer sur lui d'une manière toute simple, en criant cette parole des *Psaumes* : « Mon âme se presse contre toi [j]. » En effet, c'est ainsi et non autrement qu'ils peuvent être comptés parmi les véritables adorateurs [k]. Et reconnaître en parole qu'il est le Dieu de l'univers, sans mettre encore toutes ses forces à s'arracher à l'erreur des démons, serait-ce à vrai dire autre chose que ce dont je viens de parler : feindre la bienveillance en parole, mais avoir une pensée favorable aux barbares ? Eh bien, on peut s'adresser à eux, comme aurait eu raison de le faire l'homme couronné de la gloire suprême, en les réprimandant de la sorte : « Soldat, tu es équipé de mes armes, mais en esprit tu es du côté des barbares. Tu aimes seulement à paraître m'appartenir, tout en étant entièrement à d'autres ». À mon avis, Dieu pourrait lui aussi déclarer à propos de ceux qui ne sont pas établis dans la foi : « Ce peuple m'honore des lèvres ; mais leur cœur est loin de moi. Vain est le culte qu'ils me rendent : les doctrines qu'ils observent ne sont que préceptes humains [l]. »

littérature chrétienne antérieure. Nous ne l'avons trouvée ni chez le Pseudo-Justin (*Cohortatio*), ni chez Clément d'Alexandrie, ni chez Origène (*Contre Celse*), ni chez Eusèbe (*Préparation Évangélique*) ni chez Théodoret (*Thérapeutique*). Selon N. Zeegers (*Les citations des poètes grecs chez les apologistes chrétiens du II ème siècle*, Louvain, 1972), elle est également absente chez les premiers apologistes chrétiens. G. J. M. BARTELINK, « Homer in den Werken des Kyrillos von Alexandrien », *Wiener Studien*, NF 17 (96), 1983, p. 62-68 mentionne cette citation, mais sans dire quelle pourrait en être la source.

Μεταπλάττει δὲ ὁ καιρὸς τὴν λέξιν εἰς τὸ σύμφορον. Εἰς τοῦτο γὰρ δὴ βδελυρίας προήκουσί τινες τῶν τελούντων ἐν
130 ἡμῖν, ὡς προσέχειν πνεύμασι πλάνοις καὶ χρησμολόγων τινῶν φληνάφοις ψευδεπείαις ἐπιδοῦναι τὸν νοῦν. Οἳ τὰ ἐπέκεινα μὲν οὐρανοῦ καὶ τὰ ὑπὸ γῆν εἰδέναι φαντάζονται· λελήθασι δὲ σφᾶς μὲν αὐτοὺς φρεναπατοῦντες οἱ δείλαιοι, συνολλύντες δὲ καὶ ἑτέρους ταῖς ἑαυτῶν κεφαλαῖς.
135 Διακεῖσθαι γὰρ ἀναπείθουσιν, ὡς ἔστιν ἑτοίμη τοῖς ἐθέλουσιν ἑλεῖν τῶν ἐσομένων ἡ γνῶσις, καὶ τῆς θείας ὑπεροχῆς τὰ ἰδικῶς ἐξαίρετα τῇ τῶν ἀστέρων κινήσει προσνέμοντες, τῆς ὑγιοῦς τε καὶ ἀπλανοῦς ἐξέλκουσι δόξης τοὺς οἵπερ ἂν εἶεν εὔκολοι πρὸς ἀποφορὰν καὶ εἰς ἀπάτην εὐδιαρρίπιστοι. Καὶ
140 δὴ καὶ γραῶν ἀθλίων ἐσμοὺς συναγείροντες ψιθυρίζουσι τὸ δοκοῦν, ὡς τὸ θεῖον ὄντες αὐτοί. Τὰ δὲ οἴκαδε πάλιν ὑπονοστεῖ, ψευδηγορίαις τισὶν ἀνοήτως πεφενακισμένα καὶ τὸ μόλις ἐρανίζεσθαι ἀργύριον ἐκλεληστευμένα. Ψυχρῶν γὰρ ἐκείνοις καὶ ἀνοσίων λημμάτων ἡ τέχνη προμνήστρια· καὶ
145 τὴν ἐν πίνακι τῷ πανώλει γραφήν, ψεῦδος ὥσπερ τι ποιοῦνται
720 πω‖ λητήριον.

Τοῦτό τινες ἔδρων τῶν ἐξ Ἰσραήλ, τῆς εἰς Θεὸν εὐσεβείας ἠφειδηκότες καὶ τῆς τοῦ πρέποντος θήρας ὀλιγωρήσαντες. Ἀλλὰ τί φησιν ὁ προφήτης Ἰεζεχιήλ ; « Καὶ ἐγένετο λόγος
150 Κυρίου πρός με, λέγων· Υἱὲ ἀνθρώπου, προφήτευσον ἐπὶ τοὺς

Mss : A DEFG BHI (= b) CJKLM (= c)

128 σύμφορον I^mg : συμφέρον HI edd. ‖ 130 πλάνοις H^sl : πλάνης B^pc HI edd. ‖ 132 γῆν I^mg : γῆς I edd. ‖ 134 συνολλύοντες I edd. ‖ 138 οἵπερ : εἴπερ I Sal. Aub. ‖ 139 εὐδιαρίπιστοι A DEFG c

1. Cette expression semble indiquer une actualité particulière de cette mise en garde et la précision qui suit, « certains des nôtres », donne à penser que cette fascination pour l'astrologie continuait à faire ses ravages au sein de la communauté chrétienne elle-même. De fait, la condamnation du recours aux oracles semble être un souci toujours renaissant chez les auteurs chrétiens : Ga 4, 3-11 ; *Didaché* III, 4 ; Origène, *Contre Celse* I, 36 ; *Philocalie sur le libre arbitre*, ch. 23 ; Théodoret, *Thérapeutique des maladies helléniques*, X ; Augustin, *Cité de Dieu*, V, 1-9. Chez Cyrille lui-même, on peut

Contre les oracles

Le moment présent remodèle cette parole en la rendant utile [1]. Car certains des nôtres en sont venus à ce point d'ignominie qu'ils s'attachent à des esprits trompeurs et qu'ils abandonnent leur intelligence aux sottises mensongères de certains diseurs d'oracles. Ceux-ci se targuent de connaître ce qui est au-delà du ciel et ce qui est sous la terre ; mais ils ne voient pas, les malheureux, qu'ils se trompent et qu'en plus de leurs propres vies ils en entraînent aussi d'autres à leur perte. En effet, ils les persuadent de croire que la connaissance de l'avenir est à la portée de ceux qui veulent s'en saisir, et en attribuant au mouvement des astres les privilèges qui reviennent en propre à l'excellence divine, ils arrachent à la doctrine saine et droite ceux qui sont susceptibles de se laisser prendre à la séduction et de se laisser emporter vers la tromperie. Ainsi donc ils rassemblent des bandes de malheureuses vieilles femmes pour leur susurrer ce que bon leur semble, comme s'ils étaient eux-mêmes la divinité. Celles-ci retournent chez elles, après avoir stupidement cédé à la tromperie de propos mensongers et après qu'on leur ait soutiré de l'argent amassé à grand-peine. En effet, leur art est celui de l'entremetteuse pour des profits vains et impies ; ils font, des lignes tracées sur une funeste tablette, une sorte de boutique de mensonges [2].

Voilà ce que faisaient certains fils d'Israël, qui ont négligé la piété envers Dieu et tenu pour peu de choses la recherche de ce qui est juste. Mais que dit le prophète Ézéchiel ? « La parole du Seigneur me fut adressée en ces termes : Fils

lire dans le *Contre Julien* une réfutation de l'idée que les chrétiens ont recours à la magie : *CJ* X, 1024 D où il cite Dt 13, 1-3 et *CJ* X, 1049 CD qui répond à l'objection de Julien selon laquelle Abraham aurait utilisé l'astrologie, puisqu'il est dit compter les étoiles.

2. La mention de cette « tablette » fait allusion à la pratique des horoscopes, car πίναξ peut désigner la table d'astrologie dont se servent les diseuses de bonne aventure. Cf. par exemple Plutarque, *De E Delphico* 4, 386B ; *Cato Maior* 30, 5 ; *Romulus* 12, 3.

προφήτας τοῦ Ἰσραὴλ τοὺς προφητεύοντας· καὶ ἐρεῖς τοῖς προφήταις τοῖς προφητεύουσιν ἀπὸ καρδίας αὐτῶν, καὶ προφητεύσεις καὶ ἐρεῖς πρὸς αὐτούς· Ἀκούσατε τὸν λόγον Κυρίου. Τάδε λέγει Ἀδωναῒ Κύριος [m]. » « Ἀνθ' ὧν οἱ λόγοι
155 ὑμῶν ψευδεῖς καὶ αἱ μαντεῖαι ὑμῶν μάταιαι, διὰ τοῦτο ἰδοὺ ἐγὼ ἐφ' ὑμᾶς, λέγει Ἀδωναῒ Κύριος· καὶ ἐκτενῶ τὴν χεῖρά μου ἐπὶ τοὺς προφήτας τοὺς ὁρῶντας ψευδῆ καὶ τοὺς ἀποφθεγγομένους μάταια [n]. » Ἐπειδὴ δὲ καὶ γύναια μυσαρώτατα τὴν τῶν ἐσομένων εἴδησιν ὑπεπλάττοντο, πάλιν
160 ἔφη τῷ προφήτῃ Θεός· « Καὶ σύ, υἱὲ ἀνθρώπου, στήρισον τὸ πρόσωπόν σου ἐπὶ τὰς θυγατέρας τοῦ λαοῦ σου τὰς προφητευούσας ἀπὸ καρδίας αὐτῶν, καὶ προφήτευσον ἐπ' αὐτάς, καὶ ἐρεῖς· Τάδε λέγει Ἀδωναῒ Κύριος· Οὐαὶ ταῖς συρραπτούσαις προσκεφάλαια ἐπὶ πάντα ἀγκῶνα χειρὸς καὶ
165 ποιούσαις ἐπιβόλαια ἐπὶ πᾶσαν κεφαλὴν πάσης ἡλικίας τοῦ διαστρέφειν ψυχάς. Καὶ ψυχαὶ διεστράφησαν τοῦ λαοῦ μου, καὶ ψυχὰς περιεποιοῦντο καὶ ἐβεβήλουν με πρὸς τὸν λαόν μου ἕνεκεν δρακὸς κριθῶν καὶ κλάσματος ἄρτου, ἀποκτεῖναι ψυχὰς ἃς οὐκ ἔδει ἀποθανεῖν, καὶ περιεποιοῦντο ψυχὰς ἃς οὐκ
170 ἔδει ζῆν, ἐν τῷ ἀποφθέγγεσθαι ὑμᾶς λαῷ εἰσακούοντι μάταια ἀποφθέγματα [o]. »

Ἔχει γὰρ ὧδε τὸ ἀληθές. Οὐ γάρ τοι θεοκλυτοῦντές ποθεν, διαπορθμεύουσιν εἰς ἑτέρους νόμῳ τῆς καθ' ἡμᾶς προφητείας τὰ ὑπὲρ νοῦν. Συνθέντες δὲ λόγους αὐτοὶ τοὺς ἐοικότας
175 ἑκάστῳ τῶν φιλοπευστεῖν εἰωθότων, τῶν τῆς ἀπάτης ἐργαστηρίων ἐκπέμπουσι. Φάσκοντες δὲ εἶναι δεινοὶ καὶ

Mss : A DEFG BHI (= b) CJKLM (= c)

151 τοὺς προφητεύοντας om. edd. || 170 ὑμᾶς : ἡμᾶς c

---

m. Ez 13, 1-3 n. Ez 13, 8-9 o. Ez 13, 17-19.

---

1. Ce dossier scripturaire comprenant des citations d'*Ézéchiel*, puis du *Deutéronome* est original par rapport à ceux qu'avait forgés Origène dans sa lutte contre l'astrologie. De fait on ne le retrouve ni dans la *Philocalie sur le libre arbitre*, ni dans le *Contre Celse*, ni dans le *Traité des Principes*. Quant au commentaire qu'Origène fait de ce passage dans ses *Homélies sur Ézé-*

d'homme, prophétise contre les prophètes d'Israël qui prophétisent ; tu parleras aux prophètes qui prophétisent à partir de leur propre cœur, tu prophétiseras et tu leur diras : Écoutez la parole du Seigneur. Ainsi parle le Seigneur Adonaï [m]. » « À cause de vos paroles mensongères et de vos oracles vains, à cause de cela, voici que moi je suis contre vous, déclare le Seigneur Adonaï ; j'étendrai ma main contre les prophètes aux visions mensongères et à la prédiction vaine [n]. » Mais puisque des bonnes femmes de la pire espèce feignaient également de connaître l'avenir, à nouveau le Seigneur dit au prophète : « Et toi, fils d'homme, tourne ton visage vers les filles de ton peuple qui prophétisent à partir de leur propre cœur, et prophétise contre elles. Tu diras : Ainsi parle le Seigneur Adonaï : Malheur à celles qui cousent des rubans sur tous les poignets et qui fabriquent des voiles pour les têtes de tout âge afin de détourner les âmes. Des âmes de mon peuple ont été détournées, et elles épargnaient des âmes, elles me profanaient devant mon peuple pour une poignée d'orge et quelques morceaux de pain, afin de tuer des âmes qui ne devaient pas mourir et d'épargner des âmes qui ne devaient pas vivre, quand vous dites au peuple qui vous écoute des paroles vaines [o] [1]. »

Car c'est bien la vérité. Sans être aucunement inspirés par Dieu, ils transmettent à d'autres ce qui dépasse l'intelligence, à la manière de ce qu'est la prophétie chez nous. Après avoir eux-mêmes composé des réponses adaptées à chacun de ceux qui aiment à les interroger, ils les divulguent à partir de leurs boutiques de tromperie. Mais alors qu'ils prétendent

chiel, il est entièrement allégorique : ceux qui cousent des bandelettes sur les poignets sont une image de ceux qui sont absorbés par la nourriture des corps, et les voiles des femmes une image des œuvres de péché. Il n'y a donc aucune allusion à une condamnation de pratiques encore actuelles. Théodoret, lui, propose une interprétation plus littérale de ce passage dans son *Commentaire sur Ézéchiel* 13, *PG* 81, 912 en insistant beaucoup sur la critique des faux-prophètes qui parlent « à partir de leur propre cœur », mais il n'en profite pas lui non plus pour dénoncer le recours de ses contemporains à la divination.

σοφοὶ καὶ προελθεῖν εἰς τοῦτο τέχνης τε καὶ ἀκριβείας, καὶ ὑποτοπήσαντες ὡς ἀμογητί τε καὶ ἀπλανῶς τὰ ἑτέρων δύνασθαι συνιέναι πράγματα, περὶ τὰ σφῶν αὐτῶν
180 διημαρτηκότες, τοσοῦτον ἁλοῖεν ἄν, ὡς ἐπταικότας εἰπεῖν, μὴ ἂν ἐλπίσαι παθεῖν τῶν συμβεβηκότων τὴν πεῖραν. Καίτοι μετὸν εὐκόλως τῷ προειδότι φυλάξασθαι, καὶ παρὸν διαφυγεῖν τὸ ὡς ἔσται τε καὶ ἥξει προεγνωσμένον, τί μὴ ἑτέρων αὐτοὶ προεκτρέχουσι τῶν δεινῶν, καίτοι τῆς τέχνης
185 ἐν καλῷ γενέσθαι πεπιστευκότες ; Εἰκαῖος οὖν ἄρα φενακισμὸς τὰ ἐκείνων εὑρήματα, δι' αὐτῶν ἡμῖν ἐξελέγχεται τῶν πραγμάτων.

'Αλλ' ἐκβέβηκε, φασί, τῶν εἰρημένων τινὰ πρὸς ἀλήθειαν. Καὶ μήν, ὦ βέλτιστοι, τοῦτο ἔστιν ἡ γραφὴ καὶ τὰ ἐφ' οἷς ἂν
190 ὑμᾶς εὐθύνεσθαι πρέποι. Εἶτα φεύγων τις, εἰπέ μοι, καὶ διωκόμενος ἀπολογίαν ποιήσεται τὰ ἐγκλήματα ; Οὐ γὰρ ὅτι πρὸς ἀλήθειαν ἐκβέβηκε τῶν εἰρημένων τινὰ ληροῦμεν ἡμεῖς, εἰκῇ καταχέοντες τῶν οὐκ αἰσχρῶν τὴν κατάρρησιν. Τὸ δ' ὅτι μὴ πάντα πρὸς ἀλήθειαν βλέπει τῆς ἐνούσης ὑμῖν
195 βδελυρίας ἔλεγχος ἂν γένοιτο σαφής, καὶ πρός γε τούτῳ διαδείξειεν ἂν ἁμαρτοεπὲς ἔτι τὸ ἐπιτήδευμα, καὶ ληρίας ἔμπλεως ἡ τέχνη καὶ γέλως ἤδη τὸ μάθημα, καίτοι τὰ θεόθεν
721 οὐκ ἂν διαψεύσαιτο. Ἃ γὰρ οἶδεν ἐσόμενα πάντῃ ‖ τε καὶ πάντως ὁ θεῖος καὶ ἀκήρατος νοῦς, ταῦτά τε λαλεῖν εἰ
200 προέλοιτό τισιν, εἴτ' ἐκεῖνοι πρὸς ἑτέρους, οὐ ψευδοεπές

Mss : A DEFG BHI (= b) CJKLM (= c)

181 πείραν A DEFG c ‖ 183 ὥς ἔσται τε : ὥστε τε I Sal. ὥς τε Aub. Mi. ‖ 185 εἰκαίως b edd. ‖ 193 εἰκῇ : ἐκεῖ I edd. ‖ 195 τούτοις edd. ‖ 198 διαψεύσαιτο D (-τε) : διεψεύσαιτο C^{pc} (-τε C^{ac}) JKL διεψεύσατο M. ‖ 200 εἶτε ἐκεῖνοι I edd.

être habiles et sages, et qu'ils s'imaginent être parvenus à un tel art et à une telle précision qu'ils peuvent comprendre les affaires des autres sans peine et sans se tromper, on peut les prendre à se tromper complètement sur leurs propres affaires, à tel point qu'au moment même où ils connaissent un échec, ils disent qu'ils n'auraient pas pensé devoir subir ce qui leur est pourtant arrivé. Pourtant, alors qu'il est facile pour quelqu'un qui prévoit l'avenir de se prémunir et qu'il est possible d'éviter ce dont on sait d'avance comment cela sera et arrivera, pourquoi eux-mêmes ne devancent-ils pas les autres pour échapper aux catastrophes, alors qu'ils sont persuadés avoir réussi dans cet art ? Leurs inventions sont donc de vides tromperies, comme nous l'avons prouvé par les faits eux-mêmes.

Objection

Pourtant, objectent-ils, certaines de leurs prédictions se sont vérifiées. Eh bien, très chers, c'est justement le motif de votre accusation et la raison pour laquelle il convient de vous incriminer. D'ailleurs, dis-moi, est-ce qu'un accusé, un homme poursuivi en justice prendra comme défense les griefs mêmes qu'on lui fait ? En effet, ce n'est pas parce que certaines de leurs prédictions se sont vérifiées que c'est nous qui déraisonnons, en répandant au hasard nos condamnations contre des actes n'ayant rien de honteux. Mais le fait même que tout ne tende pas à la vérité est sans doute une preuve claire de l'infâmie qui vous est inhérente et démontre en outre la fausseté de cette activité, la bêtise de cet art et le ridicule de cette science, alors que ce qui vient de Dieu ne peut pas se tromper. En effet, l'intellect divin et pur connaît absolument tout ce qui arrivera et s'il choisit de le dire à certains et que ceux-ci le disent à d'autres,

ἔσται διήγημα. Τὰ δέ γε τῶν ἀνθρωπίνων ἐννοιῶν εὑρήματα, στοχασμοῦ φορέσει μᾶλλον ἢ τῆς ἀληθείας τὴν δόξαν.

Δοκεῖ δέ μοι τῶν τοιούτων ἕκαστος ἀνθρώπῳ προσεοικέναι τὸ βλέπειν ὑπό του παρειμένῳ τῶν παθῶν καὶ τὴν
205 τοῦ σώματος ὄψιν ἐξερρυηκότι, ὃς ἠρεμεῖν ἄμεινον καὶ τῇ τοῦ πάθους ἀνάγκῃ παραχωρεῖν, εἶτα δύνασθαι τοξεύειν οἴοιτο, καὶ μάλα σεμνῶς. Ἆρ' οὐχὶ μανία τοῦτο καὶ γραφή τις ὥσπερ ὕβρεως εἰς τὴν τέχνην ; Ἃ δ' ἂν συμβαίνοι παθεῖν αὐτόν, καταθρῆσαι ῥᾷον. Συχνὰ γὰρ ἱέντι βέλη, διοιχήσεται,
210 καὶ ἀφαμαρτήσει μὲν εἰκότως τὰ πλεῖστα σκοποῦ. Τὸ δὲ ἀπεῖργον οὐδέν που καὶ μόλις ἰέναι τὴν ἐπ' εὐθύ. Σεμνυνεῖται δὴ οὖν ἐφ' ἑνὶ καὶ τὸν ἐπὶ τοῖς ἑτέροις διακρούσεται γέλωτα. Ἀλλ' ὅ γε τὴν ὄψιν ὑγιής, οὐκ ἐφ' ἑνὶ τῷ δραμόντι τὴν ὀφρὺν ἀνασπάσει καὶ φρονήσει μέγα, πολλοῦ γε καὶ δεῖ. Αἰσχύνοιτο
215 δ' ἂν μᾶλλον ἐπὶ ταῖς τῶν ἄλλων παρατροπαῖς, εἰ τὸ ἐπαινεῖσθαι δεῖν ἐποιεῖτο πρὸς ἡμῶν, μὴ διαπιπτούσῃ πρὸς τὸ ἀκαλλὲς τῇ τέχνῃ.

Ἢ τοίνυν ὁμολογείτωσαν ὡς ἐκ τυφλῆς διανοίας ποιοῦνται τοὺς λόγους, καὶ τὸν ἐπ' ἐκείνῳ κρότον αἰτούντων. Ὅς ἐπεί
220 τοι τὴν ὄψιν ἄπειρος ἦν οὐ μακρὸν ὀφλήσει τῆς διαμαρτίας

Mss : A DEFG BHI (= b) CJKLM (= c)

201 ἔσται : ἔστι I edd. ‖ εὑρέματα A EFG c ‖ 204 τὸ : τοῦ I edd. ‖ ὑπό του : ὑπὸ τοῦ CL ὑπὸ τῶν C^{sl2} ‖ 208 ἃ δ' ἂν I^{mg} edd.^{mg} : ἂν δ' ἂν b L (vid.) edd. ‖ 210 ἀφ' ἁμαρτήσει KL ‖ 211 που leg. putamus *aliquando* Sal.^{v} *uno aliquo* Sch. : ἔμπου A DEFG b CKLM edd. ἔμπης J *ἴσως ἐμποδίζον* I^{mg} C^{mg} ‖ 213 δραμόντι + τὴν ἐπ' εὐθὺ codd. (J^{pc}) (ex parablepsis ? v. lin. 211) : τὴν εὐπαθῆ J^{ac} om. Aub. Mi. ‖ 218 ποιοῦντες b edd. ‖ 220 ἄπειρος coni. Boulnois : ἔμπειρος codd. edd. ‖ δι' ἁμαρτίας I edd.

1. Sur cette opposition fréquente entre la prophétie et la divination, voir par exemple Jean Chrysostome, *In Is.* III, 2, 43-50 : alors que le prophète parle sous l'inspiration divine sans rien apporter de lui-même, le devin prend appui sur ce qui s'est déjà passé et prévoit les événements futurs à partir de sa propre intelligence. La source est donc dans un cas la grâce divine, dans l'autre les capacités humaines. Or comme le montre aussi Théodoret, vrais et faux prophètes sont des homonymes (*Commentaire sur Ézéchiel* 13, *PG* 81, 912 C), mais ils ne parlent pas à partir de la même

le récit ne sera pas trompeur. À l'inverse, les inventions des pensées humaines seront réputées relever davantage de conjectures que de la vérité [1].

Quand un aveugle tire à l'arc

Chacun d'eux ressemble, à mon avis, à un homme qui, privé de la vue à la suite d'une maladie et dont le corps a perdu la faculté visuelle, quand il vaudrait mieux pour lui rester tranquille et accepter les contraintes de sa maladie, croirait pourtant être capable de tirer à l'arc, et cela avec le plus grand sérieux. Or n'est-ce pas de la folie et, en quelque sorte, un crime de témérité à l'égard de cet art ? Il est assez facile de constater ce que cet homme risque de subir. En effet, s'il lance une pluie de flèches, la plus grande partie sera perdue et manquera vraisemblablement le but. Mais rien n'empêche que par hasard elles fassent mouche, même si c'est avec peine. Il va donc se vanter pour un seul de ses tirs et écartera le ridicule que lui valent les autres ! Au contraire celui qui jouit d'une vision saine, ce n'est pas parce qu'il aura une seule fois atteint le but qu'il prendra de grands airs et fera le fier, loin de là. Si nous venions à le louer, il rougirait bien plutôt d'avoir fait dévier les autres traits, afin que cet art ne perde pas toute sa beauté.

Dans ces conditions, ou bien il faut qu'ils avouent tirer leurs discours d'une pensée aveugle et qu'ils réclament les applaudissements correspondant à cet état. Car celui qui serait dépourvu [2] d'une bonne vue ne s'exposera pas large-

origine : les premiers ne peuvent se tromper car ils tirent leur connaissance de Dieu qui est ἀψευδής (*ibid.* 957 A), tandis que les seconds parlent à partir de leur propre cœur. Par ailleurs l'accomplissement de certains événements marqués dans l'horoscope ne constitue pas une preuve suffisante en faveur de la réalité du fatalisme, car dans ces cas assez rares, il faut faire la part du hasard, comme le montre GRÉGOIRE DE NYSSE, *Traité contre le destin*, *PG* 45, 172 CD.

2. Il faut ici lire ἄπειρος au lieu de ἔμπειρος car l'argumentation vise à montrer qu'un aveugle tirant à l'arc ne sera ni moqué s'il échoue, ni applaudi s'il réussit, car dans ce dernier cas il ne s'agira que de l'effet du hasard.

τὸν γέλωτα, καταλογισθείη δ' ἂν οὐκ ἐκ τέχνης, ἀλλ' ἐκ τοῦ παρατυχόντος τὸ ἐφ' ἑνὸς ἐπίτευγμα τυχόν. Ἢ εἴπερ ἐροῦσι βλέπειν καὶ εἰδέναι σαφῶς διαβεβαιώσονται τἀληθές, ἀπροφάσιστον παντελῶς εὑρήσουσι τὴν ἀπότευξιν καὶ
225 ψυχρὸν ἀπόβρασμα νοῦ τῆς μαντείας τὸν τρόπον.

Ἅγιοι προφῆται γεγόνασι παρ' ἡμῖν, οὐκ ἀστέρων κίνησιν ἀναμετρεῖν εἰωθότες, οὐ τὴν τῶν στοιχείων πολυπραγμονοῦντες χρείαν καὶ εἰς ἃ μὴ προσῆκεν ἐκβιαζόμενοι τῶν ἀνθρώπων τὴν φύσιν, οὐ φενακισμοῖς ἑώλοις ἐπιθαρ-
230 σήσαντες· ἐξ ἀποκαλύψεως δὲ θείου Πνεύματος προαναθροῦντες τὰ μέλλοντα καὶ ἐκ μακρῶν ἄνωθεν ἡμῖν διηγορευκότες καιρῶν. Διημάρτηκε δὲ τῶν εἰρημένων οὐδέν, ἀλλ' ἕρπει κατὰ καιροὺς τῶν πραγμάτων ἡ φύσις ἐπὶ τὸ λίαν ἐγγύς· μᾶλλον δὲ κατ' ἴχνος τὸ ἀκριβὲς τῶν ἤδη
235 προηγγελμένων. Θεὸς γὰρ ἦν ὁ λαλῶν. Ἔστι τοίνυν ἐκείνων αὐτῶν ἐπαΐειν σαφῶς ὡς ὀλέθριον ἐκκεχυκότων τὴν φιλοψευδῆ καὶ ἀργυροκάπηλον ἀστρογοητείαν· δεῖν γὰρ ἔγωγέ φημι, καὶ ὀνομάτων τῇ τέχνῃ στωμύλως ἐξευρημένων.

Φασὶ τοιγαροῦν· « Τάδε λέγει Κύριος· Κατὰ τὰς ὁδοὺς τῶν
240 ἐθνῶν μὴ μανθάνετε, καὶ ἀπὸ τῶν σημείων τοῦ οὐρανοῦ μὴ φοβεῖσθε, ὅτι φοβοῦνται αὐτὰ τοῖς προσώποις αὐτῶν, ὅτι τὰ νόμιμα τῶν ἐθνῶν μάταια [p]. » Γεγόνασι μὲν εἰς φαῦσιν καὶ

Mss : A DEFG BHI (= b) CJKLM (= c)

221 καταληϊσθείη I edd. ‖ δ' ἄν $B^{pc}H^{mg}$: ἄν $B^{ac}H$ ‖ 222 ἐπίτευγμα coni. Boulnois : ἐπίταγμα codd. edd. ‖ 227 καταμετρεῖν I edd. ‖ 233 ἕρπει b : ἐπεὶ I^{mg} c ‖ 237 ἐγωγέ edd.^{mg} : οὕτω γέ I (cum obelo sed sine nota) edd. ‖ 242 νόμιμα I^{mg} *LXX* : νοήματα I edd.

---

p. Jr 10, 2-3.

---

1. La correction d'ἐπίταγμα en ἐπίτευγμα s'impose, puisqu'il n'est pas ici question d'un ordre, mais d'atteindre le but visé, ce qui est confirmé quelques lignes plus loin par l'emploi inverse de ἀπότευξις.
2. Au lieu de τ' ἀληθές (*PG*), lire τἀληθές.
3. Nous avons choisi de traduire par un néologisme le terme ἀργυρο-

ment au rire à cause de son échec, et sa réussite [1] dans un seul cas pourrait sans doute être imputée non à l'art, mais au hasard. Ou bien s'ils prétendent voir et soutiennent qu'ils connaissent clairement la vérité [2], ils reconnaîtront que l'échec est totalement inexcusable et que leur mode de divination est une ébullition dérisoire de l'intelligence.

Les vrais prophètes sont inspirés par l'Esprit

Il y a chez nous de saints prophètes qui n'ont pas l'habitude de mesurer le mouvement des astres, ne manifestent pas une curiosité indiscrète pour connaître la fonction des éléments en allant jusqu'à tirer de force la nature humaine vers ce qui ne lui convient pas, qui ne mettent pas leur confiance dans des supercheries éventées ; mais qui grâce à la révélation du Saint-Esprit voient l'avenir à l'avance et nous l'expliquent en détail bien longtemps avant sa réalisation. Or rien de ce qu'ils ont dit ne s'est révélé faux, mais les événements s'en approchent tout près ; ou plutôt à chaque occasion ils se glissent exactement dans les traces de ce qui avait été prédit. De fait, celui qui parlait, c'était Dieu. On peut donc entendre clairement ces prophètes mêmes qui se répandent en discours proclamant qu'est funeste l'astrologie mensongère et « extorqueuse d'argent » [3] ; — en effet, je soutiens pour ma part qu'on a besoin d'inventer des noms de manière ingénieuse pour nommer cet art.

C'est pourquoi ils disent : « Ainsi parle le Seigneur : N'apprenez pas selon les voies des nations, ne soyez pas terrifiés par les signes du ciel, parce qu'elles en sont terrifiées pour leurs propres personnes, car les lois des nations sont vaines [p]. » C'est pour éclairer et marquer des époques qu'ont

κάπηλον qui est un hapax inventé par Cyrille selon le Lampe, d'autant qu'il précise lui-même la nécessité d'inventer des mots pour nommer convenablement cet art. Sur le but lucratif de ces pratiques divinatoires, voir aussi *De Adoratione* 444 A.

εἰς καιροὺς οἱ τόνδε τὸν οὐρανὸν τῇ πολυσχεδεῖ
καταкαλλύνοντες θέσει καὶ τῇ συμμέτρῳ φαιδρότητι
245 στεφανοῦντες ἀστέρες. Ἀλλ' εἰσὶν αὐτοί σοι τοῖς τοῦ
πεποιηκότος εἴκοντες νόμοις καὶ ὡρῶν μεταβολὰς τοῖς ἐπὶ
724 γῆς σημαίνου‖σιν, ἄλλοτε ἄλλος ἀνίσχων καὶ δυόμενος.

Προσεκτέον τοιγαροῦν, οὐχὶ τοῖς ἐκείνων βωμολοχεύμασιν, ἀλλὰ ταῖς τῶν θεηγόρων φωναῖς, καὶ τὴν παντὸς
250 ἐπέκεινα δόξαν Θεῷ κεκτῆσθαι παραχωρήσομεν, οὐχὶ τῇ τῶν ἄστρων χαριούμεθα φύσει. Ἦ γὰρ οὐχὶ θεοπρεπὲς ἀξίωμα καὶ ὑπεροχὴ τὸ τῶν ἐσομένων καταπλουτεῖν τὴν εἴδησιν ; Καὶ πῶς τοῦτο ἀμφίλογον ; Ἀνακείσεται γὰρ ὥσπερ αὐτῷ καὶ οὐχ ἑτέρῳ τῶν ὄντων τινὶ τὸ ἐκ τοῦ μὴ ὄντος
255 εἰς τὸ εἶναι τὰ ὄντα παρενεγκεῖν ἰσχύσαι ῥᾳδίως, οὕτως, οἶμαι, καὶ παντὸς τοῦ τε ἤδη γεγονότος καὶ ἐνεστηκότος, ἔτι καὶ τῶν ἐσομένων, ἡ γνῶσις. Οὐκ ἀζήμιον δὲ τὸ προσκεῖσθαι φιλεῖν ταῖς ἑώλοις ψευδομαντείαις, ἀποφαίνει λέγων ὁ μακάριος Μωϋσῆς, μᾶλλον δὲ ὁ Θεὸς ὁ πάντων διὰ
260 Μωϋσέως· « Ἐὰν δὲ εἰσέλθῃς εἰς τὴν γῆν ἣν Κύριος ὁ Θεός σου δίδωσί σοι, οὐ μαθήσῃ ποιεῖν κατὰ τὰ βδελύγματα τῶν ἐθνῶν. Οὐχ εὑρεθήσεται ἐν σοὶ περικαθαίρων τὸν υἱὸν αὐτοῦ ἢ τὴν θυγατέρα αὐτοῦ ἐν πυρί, μαντευόμενος μαντείαν, κληδονιζόμενος καὶ οἰωνιζόμενος, φαρμακός, ἐπᾴδων,
265 ἐγγαστρίμυθος, καὶ τερατοσκόπος, ἐπερωτῶν τοὺς νεκρούς.

Mss : A DEFG BHI (= b) CJKLM (= c)

244 καтακαλλύνοντες M (-καλ(λ)- Mi.) : -καλύν- A DEFG b Sal. Aub. *puto καλλύνοντες* I^{mg} ‖ 247 γῆς : τῆς DEF ‖ 251 ἦ Mi. : ἤ codd. Sal Aub. ‖ 256 καὶ^{1} + τοῦ (cum punctis suppos.) B ‖ 259 Μωσῆς Aub. Mi. ‖ 260 Μωϋσέως : Μωϋσέος A F B CKL Μωσέως E^{ac} HI M edd. Μωσέος D^{ac} ‖ 262 αὐτοῦ (bis) I Sal. Aub. ‖ 265 ἐγγαστρίμυθος I^{mg} : ἐγκ- b Sal.

1. On peut voir ici une allusion voilée à Gn 1, 14 où les astres sont créés pour être des signes (σημεῖον). Dans sa lutte antiastrologique, Origène avait insisté pour que l'on n'accorde aux astres que le rôle de signes annonciateurs (σημαντικοί), et non de causes efficientes (ποιητικοί) (*Philocalie sur le libre*

été faits les astres qui embellissent ce ciel par la grande variété de leurs positions et qui le couronnent de leur éclat harmonieux. Eh bien vois-tu, eux-mêmes obéissent aux lois de leur Créateur et ils indiquent [1] à ceux qui s'occupent de la terre des changements de saisons, par le lever ou le coucher tantôt de l'un, tantôt d'un autre.

C'est pourquoi, il faut être attentif non pas aux charlataneries de ces gens, mais aux voix de ceux qui sont divinement inspirés, et c'est à Dieu que nous concéderons la possession de la gloire suprême, au lieu d'en gratifier la nature des astres. En effet, n'est-ce pas un honneur et une supériorité qui revient à Dieu que de posséder en abondance la connaissance de l'avenir ? Et comment le contester ? En effet, de même qu'il dépendra de lui et non pas d'un autre être de pouvoir facilement conduire les êtres du non-être à l'être, de même aussi, à mon avis, dépend de lui la connaissance de tout ce qui a déjà été, du présent et encore de l'avenir. Or ce n'est pas impunément qu'on s'habitue à s'adonner à de pseudo-prédictions éventées, comme le montre le bienheureux Moïse lorsqu'il dit, ou plutôt comme dit le Dieu de l'univers par l'intermédiaire de Moïse : « Lorsque tu seras entré dans la terre que le Seigneur ton Dieu te donne, tu n'apprendras pas à agir selon les abominations des nations. On ne trouvera pas chez toi d'homme qui purifie son fils ou sa fille par le feu, d'homme qui pratique la divination, d'homme qui utilise les présages et prend les augures, de sorcier, d'homme incantateur, d'oracle ventriloque, d'observateur de prodige, d'homme qui interroge les morts. Car c'est une abomination

arbitre 23, 1, *SC* 226, p. 130). Mais tout en niant que les actions humaines soient guidées par leurs configurations, il faisait pourtant de ceux-ci un instrument de la pédagogie divine et concédait que ces signes constituaient comme un livre céleste qui pouvait être lu par les anges. En revanche chez Cyrille, le rôle des astres semble être réduit à la seule indication des changements de saisons.

Ἔστι γὰρ βδέλυγμα Κυρίῳ τῷ Θεῷ σου πᾶς ποιῶν ταῦτα [q]. » Καὶ πρὸς τούτῳ φησί· « Τέλειος ἔσῃ ἐναντίον Κυρίου τοῦ Θεοῦ σου. Τὰ γὰρ ἔθνη ταῦτα οὓς σὺ κατακληρονομεῖς αὐτούς, οὗτοι κληδονισμῶν καὶ μαντειῶν
270 ἀκούσονται. Σοὶ δὲ οὐχ οὕτως ἔδωκε Κύριος ὁ Θεός σου [r]. » Οὐκοῦν κατηγορημάτων αἴσχιστον ἡ ψευδομαντεία καὶ τὸ προσέχειν κληδονισμοῖς.

Καὶ τό γε παράδοξον, ἐφίησι γὰρ ἔσθ' ὅτε Θεὸς καί τι τῶν ἀληθῶν τοῖς τοιούτοις εἰπεῖν, βάσανον ὥσπερ τινὰ τῆς εἰς
275 πίστιν ἑδραιότητος τοῖς ἰδίοις προσκυνηταῖς τὸ χρῆμα τιθείς. Ἔφη δὲ οὕτω διὰ Μωϋσέως· « Ἐὰν δὲ ἀναστῇ ἐν σοὶ προφήτης ἢ ἐνυπνιαζόμενος ἐνύπνιον, καὶ δῷ σοι σημεῖον ἢ τέρας, καὶ ἔλθῃ τὸ σημεῖον ἢ τὸ τέρας ὃ ἐλάλησε πρὸς σέ, λέγων· Πορευθῶμεν καὶ λατρεύσωμεν θεοῖς ἑτέροις οἷς οὐκ
280 οἴδατε, οὐκ ἀκούσεσθε τῶν λόγων τοῦ προφήτου ἐκείνου ἢ τοῦ ἐνυπνιαζομένου τὸ ἐνύπνιον ἐκεῖνο, ὅτι πειράζει Κύριος ὁ Θεὸς ὑμᾶς τοῦ εἰδέναι εἰ ἀγαπᾶτε Κύριον τὸν Θεὸν ὑμῶν ἐξ ὅλης τῆς καρδίας ὑμῶν, καὶ ἐξ ὅλης τῆς ψυχῆς ὑμῶν [s]. » Ὅτε τοίνυν τὸ τῆς εἰς Θεὸν εὐνοίας παρασημαίνεται κάλλος, εἰ
285 θεοκλυτεῖν οἴοιτό τις τοὺς οὕτως αἰσχρῶς μεμισθαρνηκότας, κἂν εἴ τι τῶν ἀληθῶν συμβαίνοι λέγειν αὐτούς, οὐ ταῖς ἐκείνων τερθρείαις τὸν νοῦν ἐπιδώσομεν. Ἀλλ' οἱ μὲν οἶμον ἰόντων τὴν κατὰ σφᾶς αὐτούς, « πλανῶντές τε καὶ πλανώμενοι [t] », κατὰ τὸ γεγραμμένον, δοκεῖ γὰρ τοῦτο
290 αὐτοῖς· ἡμεῖς δὲ τοῖς ἱεροῖς ἑψόμεθα λόγοις μεμνημένοι τοῦ γράφοντος· « Ὀρθὰς τροχιὰς ποιήσει σοῖς ποσί, καὶ τὰς

Mss : A DEFG BHI (= b) CJKLM (= c)

274 τοῖς τοιούτοις : τοῖς om. I edd. τοῖς τοιαύτοις I^{mg} CJKL ‖ 276 Μωϋσέος A DEF B Μωσέως Aub. Mi. ‖ 279 λατρεύσωμεν b *LXX* : -σομεν A DEFG I^{mg} CJKL ‖ 282 ὑμῶν I^{mg} : ἡμῶν HI ‖ 284 εὐνοίας I^{mg} : εὐθείας I edd. ‖ 286 συμβαίνῃ BH -νει I edd. ‖ 287 τὸν νοῦν om. I edd. νοῦν I^{mg} τὸν νοῦ BH ‖ 291 ποιήσει BI^{mg} : ποιήσεις B^{pc}HI edd. ποιεῖ *LXX*.

q. Dt 18, 9-12 r. Dt 18, 13-14 s. Dt 13, 2-4 t. 2 Tm 3, 13.

1. Traduction tirée de *La Bible d'Alexandrie*, t. 5 : *Le Deutéronome*, trad. C. Dogniez et M. Harl, Paris, 1992. Le dossier scripturaire rassemblé par

pour le Seigneur ton Dieu tout homme qui agit ainsi [q] [1]. » Et il dit encore : « Tu seras parfait devant le Seigneur ton Dieu. Car ces nations, les hommes que tu recevras en héritage, écouteront, eux, présages et prédictions. Mais à toi, le Seigneur ton Dieu n'a pas donné d'agir ainsi [r]. » Donc la fausse prédiction et l'attachement aux présages est le pire des crimes.

Quand un faux prophète tombe juste

Et ce qui est paradoxal, c'est que Dieu permet parfois à ce genre de personnes de dire quelque chose de vrai, en utilisant ce biais comme un moyen d'éprouver chez ses propres adorateurs la fermeté de leur foi. Il dit ainsi par la bouche de Moïse : « S'il se lève chez toi un prophète ou un homme qui fait un songe, s'il te propose un signe ou un prodige et que survienne le signe ou le prodige dont il t'a parlé en ces termes : 'Allons et rendons un culte à d'autres dieux que vous ne connaissez pas', vous n'écouterez pas les paroles de ce prophète ni de l'homme qui aura fait ce songe, car le Seigneur Dieu vous éprouve pour savoir si vous aimez le Seigneur votre Dieu de tout votre cœur et de toute votre âme [s]. » Quand donc la bienveillance envers Dieu est contrefaite dans sa beauté, s'il se trouve quelqu'un pour penser que sont inspirés par Dieu ceux qui font de si honteux trafics, nous n'abandonnerons pas notre intelligence aux charlatanismes de ces gens, même s'il arrive qu'ils disent quelque chose de vrai. Mais puisque tel est leur bon plaisir, qu'ils empruntent de leur côté la route qui est la leur, « étant à la fois trompeurs et trompés [t] », comme il est écrit ; tandis que nous, nous suivrons les paroles sacrées, en nous souvenant de celui qui écrit : « Il rendra droits les chemins sous tes

Cyrille à partir de citations du *Deutéronome* 18 et 13 se retrouve semblablement dans le *De Adoratione* 420 CD et 425 BC pour condamner le recours aux devins et aux horoscopes, puisque Dieu seul connaît l'avenir. En revanche, celles de *Jérémie* et *Ézéchiel* sont absentes du *De Adoratione*.

ὁδούς σου κατεύθυνε [u].» Τροχιὰ δὲ ὀρθή τε καὶ ἀδιάστροφος, κατ' εὐθὺ φέρεσθαι παντὸς ἀγαθοῦ, καὶ ταῖς μὲν ἐξιτήλοις ψευδομαντίαις τὸ ἐρρῶσθαι λέγειν, εἰδέναι καὶ
295 ἁπλῶς τίς ὁ φύσει τε καὶ ἀληθῶς Θεὸς καὶ Κύριος. Ὧδε γὰρ
725 ἡμᾶς χρῆναι φρονεῖν, καὶ ὁ πάλαι διὰ ‖ Μωσέως διετύπου νόμος· « Κύριον γάρ, φησί, τὸν Θεόν σου προσκυνήσεις, καὶ αὐτῷ μόνῳ λατρεύσεις [v] »· — « Εἷς γὰρ ἐν ἡμῖν Θεὸς ὁ Πατήρ, καὶ εἷς Κύριος Ἰησοῦς Χριστός, δι' οὗ τὰ πάντα [w] »·
300 « Ἦν μὲν γὰρ ἐν ἀρχαῖς ὁ Λόγος, καὶ ὁ Λόγος ἦν πρὸς τὸν Θεόν, καὶ Θεὸς ἦν ὁ Λόγος· γέγονε δὲ πάντα δι' αὐτοῦ, καὶ χωρὶς αὐτοῦ ἐγένετο οὐδὲ ἕν [x]. »

Καὶ οὐ δή πού φαμεν ὡς, ἐπεί τοι δι' αὐτοῦ τὰ πάντα ἐγένετο κατὰ τὰς Γραφάς, τάξιν ἔχει τὴν ὑπουργικὴν καὶ
305 ὀργανικήν, ὥσπερ τινὰ χρείαν συνεισενέγκαι τῷ Πατρὶ δημιουργοῦντι τὰ πάντα. Ταυτὶ γὰρ ἂν εἶεν ἀνοσίου γνώμης ἀποβράσματα καὶ τῆς τῶν ἑτεροδόξων μανίας εὑρήματα. Ἐπειδὴ δέ ἐστιν αὐτὸς καὶ σοφία καὶ δύναμις τοῦ Θεοῦ καὶ Πατρός [y], δι' αὐτοῦ τὰ πάντα καλεῖται πρὸς γένεσιν καὶ
310 κεκλημένα σώζεται πρὸς τὸ εὖ εἶναι διακρατούμενα. « Ὁ μὲν γὰρ Θεὸς θάνατον οὐκ ἐποίησεν, οὐδὲ τέρπεται ἐπ' ἀπωλείᾳ ζώντων [z]. » Γέγραπται γὰρ ὡδί· « οὐδὲ ἔστι ᾅδου βασίλειον ἐπὶ γῆς [aa]. » « Ἔκτισε γὰρ εἰς τὸ εἶναι τὰ πάντα, καὶ σωτήριοι αἱ γενέσεις τοῦ κόσμου [bb] »· « φθόνῳ δὲ διαβόλου,
315 θάνατος εἰσῆλθεν εἰς τὸν κόσμον [cc]. » Παρώλισθε γὰρ ἡ

Mss : A DEFG BHI (= b) CJKLM (= c)

294 ψευδομαντείαις G b JKLM Mi. (-τ(ε)ί-) ‖ 296 ἡμᾶς om. I edd. ‖ ἐτύπου b edd. προετύπου M ‖ 300 ἀρχαῖς codd. edd. : ἀρχῇ *NT* ‖ 302 ἐγένετο *NT* : γέγονεν b edd. ‖ 303 ἐπεί τοι I[mg] : ἐπί τοι I edd. *ἄλλ. ἐπείσοι* Aub.[mg] *ἄλλ. ἐπείτοι* Sal.[mg] Mi.[mg] ‖ 307 ἀποβάσματα Aub. Mi.

u. Pr 4, 26 v. Mt 4, 10 w. 1 Co 8, 6 x. Jn 1, 1-3
y. Cf. 1 Co 1, 24 z. Sg 1, 13 aa. Sg 1, 14 bb. Sg 1, 14
cc. Sg 2, 24.

1. Dans le *Commentaire sur l'évangile de Jean*, I, 5, 48-49, Cyrille analyse en détail le sens de la préposition διά « par lui » pour montrer son équivocité et réfuter ainsi les ariens qui en déduisaient que le Fils est subordonné au

pieds, affermis tes voies [u]. » Un chemin droit et non dévié, c'est aller directement vers tout ce qui est bon, faire ses adieux aux fausses prédictions qui sont sans effet, et, en un mot, savoir qui est celui qui est par nature et véritablement Dieu et Seigneur. Telle doit être notre pensée, comme le prescrivait déjà la loi transmise autrefois par Moïse. En effet, il est dit :« Tu adoreras le Seigneur ton Dieu et tu ne rendras de culte qu'à lui seul [v] » ; « Car en nous il y a un seul Dieu Père et un seul Seigneur Jésus-Christ, par qui tout vient [w] » ; « en effet, au commencement était le Verbe et le Verbe était tourné vers Dieu et le Verbe était Dieu ; et par lui tout fut et sans lui rien ne fut [x]. »

Dieu crée en vue de l'incorruptibilité

Et s'il est vrai que tout fut par lui, selon les Écritures, nous ne disons pas pour autant qu'il a rang de serviteur et d'instrument, comme s'il fournissait une sorte de service au Père, lorsque celui-ci crée toutes choses [1]. En effet, ce serait là les ébullitions d'un esprit impie et les inventions de la folie des hétérodoxes. Mais puisqu'il est lui-même la sagesse et la puissance de Dieu le Père [y], c'est par lui que toutes choses ont été appelées à l'être et qu'ayant été appelées elles sont conservées et maintenues dans leur bon état. « Dieu n'a pas fait la mort et il ne se réjouit pas de la perte des vivants [z]. » Car, est-il écrit : « Hadès ne règne pas sur terre [aa]. » « Il a créé toutes choses pour qu'elles subsistent et les créatures du monde sont salutaires [bb] » ; « mais c'est par l'envie du diable que la mort est entrée dans le monde [cc] [2]. » En effet, ayant

Père. Puisque dans d'autres textes de l'Écriture cette préposition est employée à propos du Père, on ne peut aucunement en tirer l'idée que le Fils a rang de serviteur, mais il faut plutôt penser que ce terme est utilisé de manière impropre pour exprimer une réalité qui dépasse ce qu'on peut en dire.

2. La conjonction de ces deux citations de la *Sagesse*, comme si elles n'en faisaient qu'une, se trouve également dans le *De Adoratione* 420 A et *Le Christ est Un* 772 b.

ἀνθρώπου φύσις, τῆς εἰς Θεὸν αἰδοῦς ἀλογήσασα, καὶ κατεκομίσθη πρὸς ἁμαρτίαν. Συνεισέδυ δὲ ὥσπερ τοῖς εἰς ἁμαρτίαν ἐγκλήμασι τὸ ἐκτεθνάναι δεῖν καὶ τὸ τῆς φθορᾶς εἰσδέχεσθαι κράτος. Ἤκουσε γὰρ εὐθύς· « Γῆ εἶ, καὶ εἰς γῆν
320 ἀπελεύσῃ [dd]. » Ἀγαθῷ δὲ ὄντι τῷ κατὰ φύσιν τῷ πάντων Δημιουργῷ, μεταπλάττειν τὸ ζῷον πρὸς ἀφθαρσίαν ἐδόκει, καὶ ταῖς εἰς εὐσέβειαν ἀναμορφώσεσιν ἀναστοιχειοῦν εὖ μάλα πρὸς τὸ ἐν ἀρχαῖς ἀκήρατον κάλλος.

Ταύτῃ τοι γέγονεν ἄνθρωπος ὁ μονογενὴς τοῦ Θεοῦ
325 Λόγος· καὶ μορφὴν μὲν ὑπέδυ τὴν καθ' ἡμᾶς, τό γε μὴν εἶναι Θεὸς ἀναπόβλητον ἔχει. Τροπὴν γὰρ οὐκ οἶδεν ἡ παντὸς ἐπέκεινα νοῦ καὶ ἀνωτάτω φύσις. Μεμένηκε τοίνυν ὃ ἦν καὶ μετὰ σαρκός, καὶ καθεὶς ἑαυτὸν εἰς κένωσιν οἰκονομικήν, κατὰ τὸ γεγραμμένον, « Ἐπὶ τῆς γῆς ὤφθη καὶ τοῖς
330 ἀνθρώποις συνανεστράφη [ee] » μεταρρυθμίζων εἰς ἁγιασμόν, δικαιῶν τῇ πίστει τὸν προσερχόμενον, τῆς τῶν οὐρανῶν βασιλείας ἀναπετάσας τὴν πύλην, εἰσηγούμενος τὰ συμφέροντα, παραδεικνὺς τὴν ἀλήθειαν. Καὶ φῶς μὲν τὸ θεῖον ἐνιείς, διὰ δὲ τῆς τῶν δρωμένων μεγαλουργίας, ὅτι
335 Θεὸς κατὰ φύσιν ἐστί, καὶ εἰ γέγονε σάρξ, ἐμφανὲς τοῖς ἀρτίφροσι καθιστάς. Τοιγάρτοι καὶ ἔφασκεν· « Εἰ οὐ ποιῶ τὰ ἔργα τοῦ Πατρός μου, μὴ πιστεύετέ μοι· εἰ δὲ ποιῶ, κἂν ἐμοὶ μὴ πιστεύητε, τοῖς ἔργοις μου πιστεύετε [ff]. » Ἦν μὲν γὰρ ὁλκὸς εἰς εὐπείθειαν ὁ λόγος· καὶ ἡ τῆς θεοσημίας

Mss : A DEFG BHI (= b) CJKLM (= c)

318 ἁμαρτίας H Mi. ‖ 320 τῷ[1] : + [*f.* τὸ] Mi. ‖ 334 τῶν om. Mi. ‖ 336 ἀρτίφροσι *cordatis* Sch. *mente integra praeditis* Mi.[mg] : ἀντίφροσι I edd. *adversariis* Sal.[v] ‖ 339 θεοσημίας I[mg] : -είας I JLM edd.

dd. Gn 3, 19 ee. Ba 3, 38 ff. Jn 10, 37-38.

1. Le vocabulaire de la chute et du glissement est très fréquent chez Cyrille ; il s'agit le plus souvent de composés du verbe ὀλισθαίνω précisé par

négligé le respect envers Dieu, la nature humaine a glissé [1] et a été emportée vers le péché. Mais la nécessité de mourir et la soumission au pouvoir de la corruption se sont pour ainsi dire introduits en même temps que les accusations relatives au péché. En effet, l'homme s'est aussitôt entendu dire : « Tu es terre et tu retourneras à la terre [dd]. » Mais le Créateur de toutes choses, qui est bon par nature, décidait de remodeler l'être vivant en vue de l'incorruptibilité, et en restaurant sa forme pour lui permettre la piété, de le régénérer complètement selon la beauté intacte qu'il avait à l'origine.

Les raisons de l'Incarnation

C'est donc pour cela que le Verbe Monogène de Dieu est devenu homme : il a revêtu une forme comme la nôtre, mais conserve la propriété d'être Dieu qu'il ne peut perdre. En effet, la nature qui est au-delà et au-dessus de toute intelligence ne connaît pas de changement. Il est donc resté ce qu'il était, même avec la chair, et se laissant descendre dans la kénose de l'économie, comme il est écrit, « il a été vu sur la terre et il a vécu parmi les hommes [ee] » transformant en vue de la sanctification, justifiant par la foi celui qui s'approchait de lui, ouvrant la porte du royaume des cieux, enseignant ce qui était utile, montrant la vérité. Et cela tant par le fait de diffuser la lumière divine que par la grandeur de ses actions qui rendaient manifeste aux gens de bon sens qu'il est Dieu par nature, même s'il s'est fait chair. C'est d'ailleurs pourquoi il disait : « Si je ne fais pas les œuvres de mon Père, ne me croyez pas. Mais si je les fais, quand bien même vous ne me croiriez pas, croyez en mes œuvres [ff]. » En effet, cette parole était propre à entraîner l'assentiment,

des compléments comme : « vers la transgression » ou « vers la mort ». Voir par exemple *LF* I, 6, 117 (ὀλισθαίνω) ; X, 5, 5 (κατολισθαίνω). Ici παρολισθαίνω est employé sans complément comme si c'était un terme technique (cf. *In Rom.* 5, 18, Pusey III, p. 186, l. 14-15). Cf. B. MEUNIER, *Le Christ de Cyrille d'Alexandrie*, Paris 1997, p. 31-34.

340 <δύναμις> ἀποχρῶσα λίαν εἰς ἀπόδειξιν ἐναργῆ τοῦ κατὰ φύσιν Θεὸν αὐτὸν εἶναι.

Ἀλλ' οὐκ ἐδόκει φρονεῖν ὀρθὰ τοῖς ἐξ Ἰσραήλ· τὸν γάρ τοι Σωτῆρα τῶν ὅλων καὶ Λυτρωτὴν ταῖς εἰς ἄγαν ἀπειθείαις 728 ὑβρίζοντες, μακροὺς διατετελέκασι χρό‖νους καὶ τελευ- 345 τῶντες ἐσταύρωσαν, πονηρὰ ἀντὶ ἀγαθῶν ἀποδιδόντες αὐτῷ [gg], κατὰ τὸ γεγραμμένον, καὶ τοῖς τοῦ διαβόλου νεύμασιν ἀμελητὶ συνθέοντες. Ἆρ' οὖν ἀπομεμένηκεν ἐν νεκροῖς, καὶ μεθ' ἡμῶν τὸν ἀνθρώπινον ὑπομείνας θάνατον, τοῖς τῆς ἐπεισάκτου φθορᾶς ἐνεσχέθη βρόχοις ; Οὐμενοῦν. 350 Ζωὴ γὰρ ἦν κατὰ φύσιν, καὶ ἀνεβίω τριήμερος, ἀρχὴ καὶ θύρα καὶ ὁδὸς τῇ ἀνθρώπου φύσει κἀν τούτῳ γενόμενος. Ἐπειδὴ δὲ ἀνεβίω, σκυλεύσας τὸν ᾅδην, πρὸς τὸν ἐν τοῖς οὐρανοῖς ἀνέβη Πατέρα καὶ Θεόν. Ἥξει τε κατὰ καιρούς, καθὰ πιστεύομεν, μετὰ τῶν ἁγίων ἀγγέλων, καὶ καθιεῖται μὲν ἐπὶ 355 θρόνου δόξης αὐτοῦ, διανεμεῖ δὲ ἑκάστῳ κατὰ τὸ ἔργον αὐτοῦ [hh].

Οὐκοῦν ἑορτάζωμεν, ἐξῃρημένου θανάτου, καὶ ἀναιρεθείσης φθορᾶς, προκαταργηθείσης δὲ τῆς ἁμαρτίας διὰ τῆς πίστεως, καὶ προκειμένης μὲν ἡμῖν οὐρανῶν 360 βασιλείας, προσδοκωμένης δὲ οὕτως ἐλπίδος λαμπρᾶς. Ἐπειδὴ δὲ παραστησόμεθα τῷ κριτῇ λόγους ἀποδώσοντες τῆς ἑαυτῶν ζωῆς, φροντίσωμεν ἐπιεικείας. Ἐπιμελησώμεθα δικαιοσύνης, ἀγάπης, φιλαλληλίας, πραότητος, ἐγκρατείας, καὶ ἁπαξαπλῶς ἁπάσης ἀρετῆς. Ἐπισκεψώμεθα χήρας, 365 ὀρφανοὺς ἐλεήσωμεν [ii], τοὺς ἐν ἀρρωστίαις σωματικαῖς ταῖς ἐνδεχομέναις ἀνακτησώμεθα θεραπείαις, ἐπισκεψώμεθα δεσμίους.

Mss : A DEFG BHI (= b) CJKLM (= c)

340 <δύναμις> vel aliquid simile add. putamus ‖ 343 εἰς + τὸ I edd. ‖ ἀπειθείαις coni. Boulnois *incredulitate* verss : ἀπειθείας F *ἴσως ἀπειθείας* C[mg2] εὐπειθείαις A DEG b KL edd. εὐπειθείας CJM ‖ 347 ἀμελλητὶ Aub. Mi. ‖ 360 βασιλίας A DEF CK ‖ δὲ : καὶ edd.

---

gg. Cf. Ps 34, 12 ; 37, 21 hh. Cf. Mt 16, 27 ii. Cf. Jc 1, 27.

et la puissance des miracles divins [1] suffisait bien assez à montrer clairement qu'il est Dieu par nature.

Pourtant les fils d'Israël ne voulurent pas garder des pensées droites ; en effet, ils passèrent beaucoup de temps à outrager le Sauveur et Rédempteur de l'univers par une incrédulité excessive et finirent par le crucifier, « lui rendant le mal pour le bien [gg] », comme il est écrit, et obtempérant sans tarder aux moindres signes de tête du diable. Est-il donc demeuré parmi les morts et après avoir subi la mort humaine avec nous, a-t-il été retenu dans les filets de la corruption venue du dehors ? Nullement. Car il était la vie par nature et il ressuscita le troisième jour, devenant en cela encore pour la nature humaine un principe, une porte et une voie. Lorsqu'il fut ressuscité, après avoir dépouillé l'Hadès, il remonta vers Dieu le Père qui est dans les cieux. Il reviendra en temps voulu, comme nous le croyons, avec les saints anges et il siègera sur le trône de sa gloire ; il rétribuera chacun selon son œuvre [hh].

Exhortation finale et comput pascal

Célébrons donc la fête, puisque la mort a été chassée, la corruption supprimée, le péché auparavant aboli par la foi, puisque le royaume des cieux nous est proposé, et qu'ainsi nous vivons dans l'attente de cet espoir lumineux. Lorsque nous nous approcherons du juge pour rendre des comptes de notre vie, songeons à une conduite mesurée. Appliquons-nous à pratiquer justice, charité, affection mutuelle, douceur, tempérance, bref toutes les formes de vertu. Allons visiter les veuves, ayons pitié des orphelins [ii], réconfortons par les soins que nous pouvons ceux qui souffrent de maladies corporelles, visitons les prisonniers.

1. Dans l'expression ἡ τῆς θεοσημίας il manque un substantif féminin que nous avons suppléé par le terme δύναμις (cf. traduction latine manuscrite de Schott qui contient « potestas »).

Οὕτω γάρ, οὕτω πᾶσαν ἀποβαλόντες κηλῖδα καὶ ὀρθῇ διαπρέποντες πίστει, καθαρῶς ἑορτάσομεν, ἀρχόμενοι τῆς
370 μὲν ἁγίας Τεσσαρακοστῆς ἀπὸ πέμπτης τοῦ Φαμενὼθ μηνός, τῆς δὲ ἑβδομάδος τοῦ σωτηριώδους Πάσχα ἀπὸ δεκάτης τοῦ Φαρμουθὶ μηνός, καταπαύοντες μὲν τὰς νηστείας τῇ πεντεκαιδεκάτῃ τοῦ αὐτοῦ Φαρμουθὶ μηνός, ἑσπέρᾳ βαθείᾳ, κατὰ τὸ εὐαγγελικὸν κήρυγμα· ἑορτάζοντες
375 δὲ τῇ ἑξῆς ἐπιφωσκούσῃ Κυριακῇ, τῇ ἑκκαιδεκάτῃ τοῦ αὐτοῦ μηνός· συνάπτοντες ἑξῆς καὶ τὰς ἑπτὰ ἑβδομάδας τῆς ἁγίας Πεντηκοστῆς. Οὕτω γάρ, οὕτω τοῖς θείοις ἐντρυφήσομεν λόγοις, ἐν Χριστῷ Ἰησοῦ τῷ Κυρίῳ ἡμῶν, δι' οὗ καὶ μεθ' οὗ τῷ Πατρὶ σὺν τῷ ἁγίῳ Πνεύματι τιμὴ καὶ
380 δόξα καὶ κράτος εἰς τοὺς αἰῶνας. Ἀμήν.

Mss : A DEFG BHI (= b) CJKLM (= c)

369 ἑορτάσωμεν F HI edd. || 372 Φαρμουθὶ C^{pc2} : μαρμουθὶ A DEF B C^{ac} || 373 πεντεκαιδεκάτῃ : δεκάτῃ πέμπτῃ EF || 374 βαθείᾳ + Σαββάτου I edd. || 379 τῷ^2 om. A DEFG b CKLM Sal.

De cette manière, oui, de cette manière, en rejetant toute souillure et en nous distinguant par une foi droite, nous célébrerons la fête avec un cœur pur, en commençant le saint Carême le cinq du mois de phamenoth et la semaine de la Pâque salutaire le dix du mois de pharmouthi, rompant le jeûne le quinze du même mois de pharmouthi, en fin de soirée, selon le kérygme évangélique ; célébrant la fête dès l'aube du dimanche suivant, le seize du même mois [1] ; en ajoutant à la suite les sept semaines de la sainte Pentecôte. Car c'est ainsi, oui, ainsi que nous ferons nos délices des paroles divines, dans le Christ Jésus notre Seigneur, par qui et avec qui honneur, gloire et puissance soient au Père avec le Saint-Esprit pour les siècles [2]. Amen.

1. Le 11 avril 426.
2. On a ici la même formule qu'en *LF* XI, 8, 119-121 ; XII, 6, 65-68.

QUINZIÈME FESTALE
(427)

Introduction

Dans la ligne des précédentes, cette lettre reste marquée par des préoccupations dogmatiques antiariennes. Ce qui faisait l'essentiel des premières lettres, à savoir une exhortation morale appuyée sur une lecture spirituelle de la Loi, n'occupe ici que les deux premiers paragraphes (**1-2**). Les textes commentés sont : *Nombres* 10, 9-10 sur les guerres, *Joël* 4, 9-10 (3, 9-10 LXX) sur les armes et *Nombres* 5, 2-3 sur les maladies.

Le § **3**, le plus long, est un développement sur la génération du Fils et sur sa kénose, qui vise à montrer que la divinité du Fils reste au-dessus, et comme en dehors, de toutes les vicissitudes de l'économie. Le résumé habituel d'histoire du salut (§ **4**) se greffe sur ce développement.

Plan

Comment bien célébrer la fête

— Exhortation au combat	**1**, 1-31
— Le combat spirituel et ses armes	32-105
— Exégèse spirituelle des maladies de l'âme	**2**, 1-67
— Exhortation à l'effort	68-88

L'incarnation du Fils de Dieu

— La génération en Dieu **3**, 1-51

— La kénose

• la divinité reste sans changement 52-85

• réponse à l'incrédulité : le projet de salut de Dieu et l'incapacité humaine de comprendre les pensés divines 86-155

Histoire du salut

— Liberté, chute et péché de l'homme **4**, 1-10

— Difficultés du remède 11-45

— Incarnation 46-54

— Refus d'Israël, malgré les prophètes 55-82

— Mort et résurrection 83-89

Exhortation finale et date de Pâques 90-113

ΕΟΡΤΑΣΤΙΚΗ ΠΕΝΤΕΚΑΙΔΕΚΑΤΗ

(728) **α´.** « Δεῦτε δὴ πάλιν, ἀγαλλιασώμεθα τῷ Κυρίῳ [a]. » Καιρὸς γὰρ ἤδη πως ἑορτάζειν, ἀγαπητοί, καὶ εἰς πανδαισίαν ἡμᾶς τὴν πνευματικὴν εὖ μάλα συνενεγκεῖν· μονονουχὶ δὲ καὶ τῇ τοῦ Ψάλλοντος λύρᾳ συναναkραγεῖν ἀστείως· « Κατα-5 τρύφησον τοῦ Κυρίου, καὶ δώῃ σοι πάντα τὰ αἰτήματα τῆς καρδίας σου [b]. » Ἀποπερανοῦμεν δὲ τὸ κεκελευσμένον, οὐκ ὀψοποιῶν καρυκεύμασι γαστέρα καταπιαίνοντες, ἀλλ' οὐδὲ κύλιξι ταῖς συχναῖς καὶ ταῖς ἐπέκεινα μέτρου καταθολοῦντες τὸν νοῦν· ἱεροῖς δὲ μᾶλλον καὶ θείοις ἐνσπαταλῶντες λόγοις, 10 καὶ εἰς νῆψιν ἔτι τὴν ἀμείνω καὶ τῆς ἐνούσης ἀεὶ τὴν 729 προφερεστέραν τὸν τῆς διανοίας || κατευρύνοντες ὀφθαλμόν, καὶ εἰς αὐτά που λοιπὸν τὰ ὑπερτενῆ τῆς θεοπτίας ἰόντες ὑψώματα. Ἔψεται γὰρ οὕτω, Θεοῦ κατανεύοντος ἐκ φιλοτιμίας, καὶ τὸ ἰσχύσαι τῶν ἀνθεστηκότων κρατεῖν, καὶ 15 βδελυρωτάτων ἀμείνους ὁρᾶσθαι παθῶν.

Mss : A DEFG BHI (= b) CJKLM (= c)
Edd. et Verss : Sal. Aub. Mi. (= edd.) ; Sal.[v] Sch. (= verss latt.)
(c = CKLM ab ἂν εἴη [lin. 16] usque ad μέχρι θανάτου [γ´ lin. 57-58] ; folium unum codicis J perditum esse videtur.)

Inscriptio : ἑορταστικὴ πεντεκαιδεκάτη A D (ἑορ. ιε´) EG b (ὁμιλία + ἑορ. π.) CJ : ἑορ. κυρίλλου π. KLM λόγος ιε´ edd. om. F

α´. 1 δὴ om. edd. || 4 τῇ... λύρᾳ I[mg] : τὴν... λύραν b edd. || 9 ἐνσπαταλόντες b Sal. || 12 ἰόντες codd. : ἱέντες edd.

---

1 a. Ps 94, 1 b. Ps 36, 4.

QUINZIÈME FESTALE

Le temps de la fête spirituelle

1. « Venez encore, soyons dans l'allégresse pour le Seigneur [a]. » Oui, bien-aimés, voici venu le temps de célébrer la fête, et de bien nous rassembler pour un grand festin spirituel ; disons même, d'accorder gracieusement nos cris à la lyre du Psalmiste : « Prends tes délices dans le Seigneur, et il te donnera tout ce que réclame ton cœur [b]. » Nous accomplirons ce qui est ordonné, sans nous engraisser l'estomac de fins ragoûts, ni nous embrumer l'intelligence en buvant coupe sur coupe au-delà de toute mesure ; mais en nous régalant plutôt des saintes paroles divines, en élargissant l'œil de la pensée [1] pour acquérir une tempérance toujours meilleure et plus haute que précédemment, et en nous avançant alors, en quelque sorte, jusqu'aux cimes élevées de la vision de Dieu. Notre ambition obtiendra ainsi, avec l'assentiment de Dieu, de pouvoir vaincre les obstacles et nous montrer supérieurs aux passions les plus repoussantes.

1. L'œil de la pensée (ὁ τῆς διανοίας ὀφθαλμός) est une expression chère à Cyrille (elle revient l. 36). Elle est souvent liée à l'idée du sens spirituel à rechercher, qui suppose un œil purifié : cf. *LF* X, 1, 146-147 et n. 2 (*SC* 392, p. 196-197).

Ὅτι δὲ τοῖς ὧδε λαμπρῶς ἑορτάζουσι πρέπων ἂν εἴη, καὶ μάλα εἰκότως, ὁ πρὸς ἔφεσιν ἡμᾶς τῆς ἀξιαγάστου καὶ ἐν Χριστῷ πολιτείας παραθαρσύνων λόγος, ἀποχρήσει μέν, οἶμαί που, καὶ ὁ θεῖος ἡμῖν Μελῳδὸς ἐπιμαρτυρῶν καὶ
20 λέγων· « Σαλπίσατε ἐν νεομηνίᾳ σάλπιγγι, ἐν εὐσήμῳ ἡμέρᾳ ἑορτῆς ὑμῶν [c]. » Παροίσω δὲ πρὸς ἐναργεστάτην ἀπόδειξιν καὶ ἀρχαῖον ἐπὶ τούτῳ χρησμῴδημα. Πρὸς γάρ τοι τὸν ἱερώτατον Μωσέα, « Ἐὰν δὲ ἐξέλθητε », φησίν, « εἰς πόλεμον ἐν τῇ γῇ ὑμῶν πρὸς τοὺς ὑπεναντίους τοὺς
25 ἀνθεστηκότας ὑμῖν, καὶ σημάνητε ἐν ταῖς σάλπιγξι, καὶ ἀναμνησθήσεσθε ἔναντι Κυρίου καὶ διασωθήσεσθε ἀπὸ τῶν ἐχθρῶν ὑμῶν. Καὶ ἐν ταῖς ἡμέραις τῆς εὐφροσύνης ὑμῶν, καὶ ἐν ταῖς ἑορταῖς ὑμῶν, καὶ ἐν ταῖς νουμηνίαις ὑμῶν, σαλπιεῖτε ταῖς σάλπιγξιν ἐπὶ τοῖς ὁλοκαυτώμασι καὶ ἐπὶ ταῖς θυσίαις
30 τῶν θυσιαστηρίων ὑμῶν, καὶ ἔσται ὑμῖν ἀνάμνησις ἔναντι τοῦ Θεοῦ ὑμῶν. Ἐγὼ Κύριος ὁ Θεὸς ὑμῶν [d]. »

Κεχρησμῴδηκε δὲ ταυτὶ πρὸς ἡμᾶς οὐ μάτην ὁ νόμος. Ἀποφέρει δὲ ὥσπερ διὰ τύπου καὶ αἰνιγμάτων ἀναλόγως ἐπὶ τὸ ἀληθές, καὶ παχεῖαν ὥσπερ τινὰ παραθεὶς εἰκόνα τὰ ὡς ἐν
35 ὄψει συμβαίνοντα, τῆς αἰσθήσεως ἀνωτέρω τὸν ἰσχνὸν τῆς διανοίας ἐφίστησιν ὀφθαλμόν. Συνήσεις δὲ ὅ φημι τοῖς ἀρτίως ἡμῖν εἰρημένοις ὀξυωπέστατα προσβαλών. Τοῖς μὲν γὰρ ἀρχαιοτέροις πρὸς αἷμα καὶ σάρκα ὁ πόλεμος ἦν. Μωαβῖται γὰρ δὴ καὶ Μαδιηναῖοι [e], καὶ πρὸς τούτοις ἕτερα
40 μυρία τε ὅσα καὶ μαχιμώτατα γένη, τὴν τῶν Ἰουδαίων προσοικοῦντα χώραν, συχνάς τε καὶ ἀκηρύκτους ἐποιοῦντο καταδρομάς· οἷς ἦν ἀεί πως ἀντανίστασθαί τε καὶ ἀντεξάγειν

Mss : A DEFG BHI (= b) CKLM (= c)

16 πρέπων : πρέπον B^ac H^ac IJSal. Aub. ‖ 25 σημάνητε I^mg : σημάνηται EF σημαίνητε G I edd. σημανεῖτε *LXX* (σαλπιεῖτε cod. A) ‖ 28 σαλπιεῖτε *LXX* : σαλπιεῖται A DEFG B CK^ac ‖ 33 ἀποφέρει leg. putamus ex -ει(ν) Mi. *deducit* Sal.^v *ducit* Sch. : ἀποφέρειν codd. edd. ‖ 34 εἰκόνα om. c ‖ 35 τῆς[1] : τοῖς A DEFG B^ac CK τοῖς τῆς LM ‖ 36 φημι I^mg edd.^mg *dico* verss : φησι b edd. ‖ τοῖς C^pc2 : τῆς C^ac K^ac ‖ 38 σάρκα edd. *carnem* Sal.^v *cum carne* Sch. : σάρκας codd.

c. Ps 80, 4 d. Nb 10, 9-10 e. Cf. Nb 22, 3-4.

Quand on veut ainsi célébrer la fête avec splendeur, ce qui conviendrait à juste titre, ce sont les paroles qui donnent de l'élan pour vivre une admirable vie en Christ. Le divin chantre nous en donnera, je pense, un témoignage suffisant ; il dit : « Sonnez de la trompette pour la néoménie, au jour glorieux de votre fête [c]. » J'ajouterai, pour le prouver avec le plus d'évidence, l'antique oracle qui s'y rapporte. Car il dit au très saint Moïse : « Si vous partez en guerre sur votre terre contre des adversaires qui vous font obstacle, et si vous faites un signal [1] avec les trompettes, vous serez rappelés à la mémoire du Seigneur et sauvés de vos ennemis. Et aux jours de votre joie, dans vos fêtes et vos néoménies, vous sonnerez des trompettes pour les holocaustes et pour les sacrifices de vos autels, et ce sera pour vous un rappel à la mémoire de votre Dieu. Je suis le Seigneur votre Dieu [d]. »

Ce n'est pas en vain que la Loi nous a rendu cet oracle. À travers figure et énigmes, elle nous emmène pour ainsi dire par analogie vers la vérité : après avoir présenté ces événements visibles comme une image matérielle, elle établit l'œil subtil de la pensée plus haut que le domaine des sens [2]. Tu comprendras mes paroles si tu apportes l'attention la plus aiguë à ce que je viens de dire. Dans les temps plus anciens, la guerre était de sang et de chair. Moabites et Madianites [e], et en outre d'innombrables autres peuples, tout ce qu'il y a de plus belliqueux, habitaient le voisinage de la terre des juifs et y faisaient continuellement des incursions par surprise. Les juifs devaient sans cesse y résister et les repousser, et dans

1. Σημάνητε au lieu de σημανεῖτε semble être une variante fréquente chez Cyrille d'après l'apparat de l'édition Wevers des *Nombres* (*Septuaginta. Numeri*, Göttingen 1982, p. 152). Plus loin en revanche, la variante θυσιαστηρίων au lieu de σωτηρίων qui ne se trouve qu'ici, semble être simplement due à l'influence du mot θυσίαις.

2. Parmi bien d'autres occurrences de ce thème, voir *LF* X, 1, 192-194.

ἀνάγκη τοὺς ὑπέρ γε δὴ σφῶν αὐτῶν πρό τε παίδων καὶ πρὸ γυναικῶν οὐκ ἀμελέτητον ἔχοντας τὸ εὐδοκιμεῖν ἐν μάχαις.
45 Ποιησόμεθα δὴ οὖν εὑρῆσθαι τοῖς πάλαι, πρὸς τὴν τοῦ πολέμου χρείαν, οὐκ ἀσυντελῆ πρὸς ὄνησιν τὴν διὰ σαλπίγγων ἠχήν.

Ἀλλ᾽ ὧδε μὲν τὰ ἐκείνων. Ἡμῖν δὲ τοῖς ἐν Χριστῷ διὰ πίστεως εὐδοκιμεῖν εἰωθόσιν, οὐ πρὸς αἷμα καὶ σάρκα ὁ
50 πόλεμος, ἀλλ᾽ οὐδὲ ῥώμης ἐπίδειξις τὸ χρῆμα σωματικῆς. « Τὰ γὰρ ὅπλα τῆς στρατείας ἡμῶν οὐ σαρκικά [f] », κατὰ τὴν τοῦ Παύλου φωνήν· ἀλλ᾽ ἐπ᾽ αὐτοὺς ἤδη τοὺς πάλαι κρατήσαντας, καὶ κατὰ παντὸς τοῦ ἐν ἡμῖν ὄντος πάθους ἱερός τε καὶ ἅγιος αἴρεται πόλεμος. Σημαινέτω δὴ οὖν ἡ
55 σάλπιγξ ἡ νοητή, τουτέστι τῆς ἁγίας τε καὶ θεοπνεύστου Γραφῆς τὸ διαπρύσιον κήρυγμα, καὶ παραθηγέτω μὲν ἐπὶ τὸ λίαν εὐσθενὲς τὸν εὐφυᾶ καὶ ἐμπειροπόλεμον, ἀποφοιτᾷν δὲ ὅτι προσήκει δειλίας αὐτὸν διαγγελλέτω· σαφῶς οὕτω που Θεὸς διὰ φωνῆς προφήτου φησί· « Κηρύξατε ταῦτα ἐν τοῖς
60 ἔθνεσιν· ἁγιάσατε πόλεμον, ἐξεγείρατε τοὺς μαχητάς· προσαγάγετε καὶ ἀναβαίνετε, πάντες ἄνδρες πολε‖μισταί· συγκόψατε τὰ ἄροτρα ὑμῶν εἰς ῥομφαίας, καὶ τὰ δρέπανα ὑμῶν εἰς σειρομάστας. Ὁ ἀδύνατος λεγέτω, ὅτι Ἰσχύω ἐγώ [g]. » (732)

Ἀκούεις ὅπως ἔφη ἁγίαν τὴν μάχην, καὶ ἀρρωστεῖν οὐκ
65 ἐᾷ τὸ δυσκλεές τε καὶ ἄναλκι, δυσαπόνιπτα τοῖς πεπονθόσι τὰ τῆς κακανδρίας εἰδὼς ἐγκλήματα. Τί δ᾽ ἂν βούλοιτο

Mss : A DEFG BHI (= b) CKLM (= c)

43 πρὸ[2] I[sl2] : πρὸς F om. b ‖ 49 σάρκα : σάρκας A DEFG BI[ac] c ‖ 51 στρατίας c ‖ 62 τὰ[1] *LXX* : om. I edd. ‖ 65 δυσκλεές b edd. : δυσκελεές I[mg] C.

---

f. 2 Co 10, 4 g. Jl 4, 9-10.

---

1. L'adjectif νοητός a un sens technique : il renvoie au sens spirituel de l'Écriture, ou, plus largement, aux réalités spirituelles auxquelles se réfère ce sens. Il est pratiquement synonyme de πνευματικός : cf. A. KERRIGAN, *St. Cyril of Alexandria interpreter of the Old Testament*, Rome 1952 (*Ana-*

leur intérêt, comme dans celui de leurs femmes et de leurs enfants, ils avaient à cœur d'être réputés bons combattants. Nous estimerons donc que le son de la trompette ne s'est pas trouvé sans profit, pour les anciens, dans la pratique de la guerre.

Le combat spirituel et ses armes

Mais c'est assez pour ce qui les concerne. Pour nous, qui sommes habituellement réputés par la foi au Christ, la guerre n'est pas de sang et de chair, et il n'est pas question d'une démonstration de force physique. « Car l'équipement de notre armée n'est pas charnel [f] », comme le dit Paul ; mais nous, désormais, c'est une guerre sacrée et sainte que nous entreprenons, contre ceux-là même qui ont vaincu autrefois, et contre toute passion qui est en nous. Que sonne donc la trompette intelligible [1], c'est-à-dire la proclamation perçante de la sainte Écriture divinement inspirée, et qu'elle excite le bien portant habile à la guerre à acquérir le plus de force, qu'elle l'avertisse qu'il lui convient de se détourner de la lâcheté. Dieu le dit clairement par la voix d'un prophète : « Proclamez ceci parmi les nations : Sanctifiez la guerre, excitez les combattants ; avancez-vous et montez, tous ceux qui guerroient, taillez vos charrues pour en faire des glaives, et vos faucilles pour en faire des lances. Le faible, qu'il dise : je suis vigoureux [g]. »

Tu entends comme il a déclaré saint le combat, et ne laisse pas dans la faiblesse ce qui est sans gloire et sans force, sachant combien ceux qui se font accuser de lâcheté ont du mal à s'en laver. Mais qu'est-ce que la parole prophétique veut

lecta Biblica 2), p. 123-124, où la liste de parallèles montre que les deux mots sont interchangeables ; voir aussi *ibid.*, p. 191, n. 3, qui cite *In Io.* IX, I, 811 c, éd. Pusey, t. II, p. 469, l. 30 où l'adverbe νοητῶς est associé à la présence de l'Esprit. Cependant, pour respecter la variété des mots en grec, nous rendons νοητός par sa traduction habituelle d'« intelligible ».

κατασημῆναι πάλιν ὁ λόγος ἡμῖν ὁ προφητικός, ὅτι χρὴ
συγκόπτειν τὰ ἄροτρα μὲν εἰς ῥομφαίας, τὰ δρέπανα δὲ εἰς
σειρομάστας, εὖ μάλα παρεγγυῶν ; Φέρε διασκεψώμεθα.
70 Ἄροτρα μὲν γὰρ καὶ δρέπανα, ῥομφαία τε καὶ σειρομάστης [h],
τὰ μὲν εἶεν ἂν ταῖς γεωπονίαις χρειωδέστατα τῶν σκευῶν, τὰ
δ' αὐταῖς τοῦ πολέμου πρέποντα χρείαις. Ἆρ' οὖν ἐκεῖνο
ἐροῦμεν, ὡς ἐξίστησι μὲν ἡμᾶς τῆς ἠρεμαίου ζωῆς καὶ
φιλοπονίας ὁ νόμος, τὴν ἀγρίαν δὲ μᾶλλον καὶ φιλοπόλεμον
75 τῆς ὧδε σεπτῆς ἀνθελέσθαι κελεύει ; Καίτοι πῶς τοῦτό ἐστιν
οὐκ ἀπηχὲς ἐννοεῖν ; Ληρίας γάρ, οἶμαι, τὸ χρῆμα γραφὴ καὶ
ἀτρεκὴς ὁ λόγος. Παιδαγωγεῖ μὲν γὰρ ἡμᾶς πρὸς πᾶν ὁτιοῦν
τῶν τεθαυμασμένων ὁ τοῦ Θεοῦ νόμος, ἀποίσειε δ' ἂν ἥκιστά
γε πρὸς τὸ δρᾷν ἑλέσθαι τὸ πλημμελές. Οὐκοῦν ὅ τί ποτέ ἐστι
80 τὸ μεταπλάττεσθαι μὲν τὸ ἄροτρον εἰς ῥομφαίαν, τὴν δέ γε
δρεπάνην εἰς σειρομάστην [i] καταθρῶμεν, εἰ δοκεῖ.

Ἔοικε δὴ οὖν ὑποφαίνειν ἡμῖν ἀστείως ὁ νόμος, ὡς ἤδη
καιρὸς τοὺς ἐν Χριστῷ δεδικαιωμένους [j] καὶ ἡγιασμένους ἐν
Πνεύματι [k], πόλεμόν τε τὸν κατὰ παθῶν καὶ ἁμαρτίας
85 ἠρμένους, οὐ τοῖς περὶ γῆν σπουδάσμασιν ἐμφιλοχωρεῖν
ἀναπεπεισμένους διαμέλλειν, ὅτι καὶ βραδεῖς ὁρᾶσθαι περὶ τὸ
χρῆναι πληροῦν τὰ ἀμείνω πρεπωδέστερα· μετασκευάσαι δὲ
ὥσπερ τὸν ἐπ' ἐκείνοις ἱδρῶτα πρὸς κατόρθωσιν ἀρετῆς, καὶ
εἰ σὺν μάχῃ προσίοι τὸ χρῆναι κρατεῖν, καὶ τῶν ἐν σφίσιν
90 αὐτοῖς καταneανιεύεσθαι παθῶν, ὄκνου τε ἀμείνους ὁρᾶσθαι
φιλεῖν, καὶ ἐν πανтευχίαις εἶναι ταῖς πνευματικαῖς. Οὕτω καὶ
ὁ σοφώτατος Παῦλος τὸν πανάριστόν τε ἡμῖν καὶ
ἀλκιμώτατον μαχητὴν ἐξαρτύει, λέγων· « Στῆτε οὖν

Mss : A DEFG BHI (= b) CKLM (= c)

67 ὁ[1] om. edd. ‖ 70 ῥομφαῖαί I edd. *gladiique* Sal.[v] ῥομφαί (sic) B ‖ σειρομάστεις I edd. ‖ 80 γε om. I edd. ‖ 82 ἀστεῖος A DEFG KLM ‖ 86 τρ..εις supra βραδεῖς scr. C *tardi* Sal.[v] *tardos* Sch. ‖ 89 εἰ σὺν μάχῃ C[ac] : εἰ σὴν μάχην C[pc] εἰς ἥν μάχην KL (ἥν) εἰς τὴν μάχην M (vid.) ‖ προσίοι τὸ A DEF c : προσίοιτο b edd. ‖ 90 καταneανιεύεσθαι b Mi. ((ι)) : -νεανεύ- I[sl2] CKL Sal. Aub.

h. Cf. Jl 4, 10 i. Cf. Jl 4, 10 j. Cf. Ga 2, 17 k. Cf. Rm 15, 16.

encore nous indiquer, lorsqu'elle nous recommande vivement de tailler les charrues pour en faire des glaives, et les faucilles pour en faire des lances [h] ? Examinons-le. On peut dire que les charrues et les faucilles, le glaive et la lance sont, les uns les outils les plus utiles aux agriculteurs, les autres les outils adaptés précisément aux besoins de la guerre. Dirons-nous donc que la Loi veut nous faire sortir d'une vie paisible, adonnée aux travaux, et nous ordonne plutôt de choisir, à la place d'une vie si digne, une vie sauvage et belliqueuse ? Comment ne serait-ce pas choquant à concevoir ? C'est là, je pense, une sotte accusation et un raisonnement tordu. Car la Loi de Dieu nous enseigne toujours de faire des choses admirables, et ne nous en détournerait jamais pour nous faire choisir un acte répréhensible. Examinons donc, si vous voulez, ce que signifie transformer la charrue en glaive et la faucille en lance [i].

Il semble que la Loi nous suggère avec finesse que pour ceux qui ont été justifiés dans le Christ [j] et sanctifiés dans l'Esprit [k], qui se sont chargés de faire la guerre aux passions et au péché, le moment est désormais venu de ne pas se complaire dans les soucis terrestres en se laissant convaincre de temporiser, au point [1] de paraître peu pressés d'accomplir des actions meilleures et plus convenables ; mais plutôt de transformer les efforts faits dans les choses terrestres, pour les consacrer à l'accomplissement de la vertu, même si la victoire ne se présente qu'au prix d'un combat ; et aussi, de dompter les passions qui sont en eux-mêmes, de se montrer volontiers supérieurs à l'hésitation, et de s'équiper de toutes les armes spirituelles. C'est ainsi que Paul le très sage prépare à nos yeux le combattant le meilleur et le plus fort, en disant : « Tenez-vous les reins ceints dans la vérité, le torse revêtu de

1. Ὅτι καὶ est à prendre ici comme un équivalent de ὥστε καὶ, cf. LAMPE, *s.v.*, sens 4, avec référence à ce passage.

περιεζωσμένοι τὴν ὀσφὺν ὑμῶν ἐν ἀληθείᾳ, καὶ ἐνδυσάμενοι
95 τὸν θώρακα τῆς δικαιοσύνης, καὶ ὑποδυσάμενοι τοὺς πόδας
ἐν ἑτοιμασίᾳ τοῦ εὐαγγελίου τῆς εἰρήνης· ἐπὶ πᾶσιν
ἀναλαβόντες τὸν θυρεὸν τῆς πίστεως, ἐν ᾧ δυνήσεσθε πάντα
τὰ βέλη τοῦ Πονηροῦ τὰ πεπυρωμένα σβέσαι, καὶ τὴν
περικεφαλαίαν τοῦ σωτηρίου δέξασθε, καὶ τὴν μάχαιραν τοῦ
100 πνεύματος, ὅ ἐστι ῥῆμα Θεοῦ [1]. » Σεμνυνεῖται μὲν οὖν ἐπί γε
τὸ δεῖν ἐσκευάσθαι λαμπρῶς ὁ πανάριστος μαχητής,
ἀξιόμαχον δὲ τὴν ἐπὶ τῷδε δόξαν ἀποίσεται, φρονεῖν τε καὶ
δρᾶν ᾑρημένος, τὰ δι' ὧν ἂν φαίνοιτο νεανικός, καὶ πρὸς πᾶν
ὁτιοῦν τῶν ἀρίστων ἑτοιμότατα διανενευκώς. Σοφός,
105 ἀρτίφρων, καὶ τοῖς θείοις νόμοις τρυφερὸς καὶ εὐήνιος.

β΄. Τίνες δ' ἂν εἶεν οἱ τὴν ἐναντίαν οἷς ἔφην ἐπιτηδεύοντες
ζωήν, ταύτῃ τοι καὶ τῆς ἱερᾶς τῶν ἁγίων πληθύος
ἐξωθούμενοι, πάλιν αὐτὸς ἡμῖν διεσάφει λέγων ὁ τῶν ὅλων
733 Θεὸς πρὸς Μωσέα τὸν μεσιτεύοντα· ‖ « Πρόσταξον τοῖς
5 υἱοῖς Ἰσραήλ, καὶ ἀποστειλάτωσαν ἐκ τῆς παρεμβολῆς
πάντα λεπρόν, καὶ πάντα γονορρυῆ, καὶ πάντα ἀκάθαρτον ἐπὶ
ψυχῇ, ἀπὸ ἀρσενικοῦ ἕως θηλυκοῦ, ἀποστείλατε ἔξω τῆς
παρεμβολῆς· καὶ οὐ μιανοῦσι τὰς παρεμβολὰς αὐτῶν ἐν οἷς
ἐγὼ καταγίνομαι αὐτοῖς [a]. » Ἀκούεις ὅπως παραπέμπεσθαι
10 τῆς παρεμβολῆς δεῖν ἔφη λεπρόν, καὶ γονορρυῆ, καὶ
ἀκάθαρτον ἐπὶ ψυχῇ, μολυσμοῦ δὲ τὸ χρῆμα πρόφασιν
ἔσεσθαι καὶ τοῖς ἑτέροις φησίν, εἰ μὴ τῶν μαχίμων ᾗ τάχος
ἀπονοσφίζοιντο ; Καίτοι τί δή ποτε ; φαίην ἂν ἔγωγε καὶ

Mss : A DEFG BHI (= b) CKLM (= c)

94 περιεζωσμένοι I^mg : περιζωσάμενοι b *NT* edd. ‖ 95 ὑποδυσάμενοι : -δησ- B^ac *NT* ‖ 99 δέξασθε HI M edd. *NT* : -αι A DEF B CKL ‖ μάχαιρα BH ‖ 100 θεοῦ I^mg *NT* : χριστοῦ b edd. ‖ 101 τὸ codd. Sal. Aub. : τῷ Mi. ‖ 104 ἑτοιμώτατα F CKL ‖ 105 εὐήνιος b edd. : ἀήνιος F I^mg2 c

β΄. 3 λέγων : λόγων A F C^ac K ‖ 6 γονορρυῆ B^ac *LXX* : -ρρυᾶ B^pc HI^ac ‖ 10 λεπρὸν καὶ γονορρυῆ leg. putamus ex λ. καὶ -ρρυᾶ A DEFG BH c (-ριᾶ CKL) : -ρρυᾶ καὶ λ. I edd. (-ῆ) ‖ 11 ψυχῆς DEFG c ‖ 12 ᾗ τάχος C^mg2 edd. *quam celerrime verss (*cf. LF 12, 1, 60) : ἤ τάχος codd.

---

1. Ep 6, 14-17.

2 a. Nb 5, 2-3.

la justice, et les pieds chaussés pour annoncer promptement l'évangile de la paix ; prenez en toutes actions le bouclier de la foi, grâce auquel vous pourrez éteindre tous les traits enflammés du Mauvais, et recevez le casque du salut et le sabre de l'esprit, qui est la parole de Dieu [1]. » Le meilleur combattant s'honorera donc de porter un splendide équipement, et il remportera une réputation à la hauteur de son combat en choisissant les pensées et les actes propres à manifester sa vaillance, et en optant sans délai pour tout acte excellent. Il sera sage, sensé, docile, et obéissant aux lois divines.

Les maladies de l'âme

2. Quels sont ceux qui mènent une vie contraire à celle dont je parlais, et qui sont pour cela chassés de la foule sacrée des saints ? C'est encore le Dieu de l'univers lui-même qui nous l'expliquait en disant à Moïse le médiateur : « Ordonne aux fils d'Israël : qu'ils chassent du camp tout lépreux, tout homme atteint de perte séminale, tout homme impur à cause d'un mort [1], hommes et femmes, chassez-les du camp ; et ils ne souilleront pas leurs camps où je réside avec eux [a]. » Tu entends comme il a dit qu'il faut renvoyer du camp tout lépreux, tout homme atteint de perte séminale et tout homme impur à cause d'un mort, et qu'il dit que leur présence allait faire accuser de souillure aussi les autres, si on ne les éloigne pas au plus vite des combattants ? Et pourquoi donc cela ? dirais-je pour ma part avec raison ; et même, je pense que tout un chacun serait aussi dans l'embarras, et se

1. Voir sur cette traduction les explications données dans *La Bible d'Alexandrie. 4. Les Nombres*, par G. DORIVAL, Paris 1994, p. 231-232.

μάλα εἰκότως· μᾶλλον δέ, οἶμαι, καὶ ἁπαστισοῦν
15 ἐπαπορήσειεν ἄν, καὶ λογιεῖταί που ποιναῖς ἀνθ' ὅτου τὸν
ἄρρωστον ὑποφέρεσθαι δεῖν ἐθεσμοθέτει Θεός.

Ἦ γὰρ οὐκ ἄμεινον, ὁσιότητος ὄντα καὶ δικαιοσύνης
πρύτανιν τοὺς ταῖς ἀθελήτοις συμφοραῖς ὑπενηνεγμένους
ἡμερότητος ἀξιοῦν, καὶ ἐπεί τοι πεπράχασιν ἀθλίως, ἐν ἴσῳ
20 μὲν τοῖς κειμένοις ἐλεεῖν, κατονειδίζειν δὲ ὅλως τὸ πάθος
αὐτοῖς ἐφεῖναι μηδενί ; Λέπρα μὲν γάρ, καὶ τῶν φυσικῶν
σπερμάτων ζημίαι, καὶ ἀβούλητοι καταφοραὶ τοῖς
ἀνθρωπίνοις ἐπισυμβαίνουσι σώμασιν, ἀλλ' οὐκ ἂν οἴοιντο
τῶν πεπονθότων ἐγκλήματα. Νοσεῖ μὲν γάρ, οἶμαι, τὶς ἑκὼν
25 μὲν οὐδείς. Ἕλοιτο δ' ἂν μᾶλλον, κἂν εἷς σφόδρα τις ᾖ τῶν ἐπὶ
πλούτῳ τεθαυμασμένων, τοῖς ἀπαλλάττειν ὑπισχνουμένοις
ἁπάσης ὁμοῦ τῆς οὐσίας παραχωρεῖν. Εἶτα πῶς ἔσται τὸ
χρῆμα γραφὴ καὶ τοῖς νοσοῦσι κατάρρησις τὸ τοῖς οὕτω
δεινοῖς ἐναλῶναι κακοῖς ; Τρόποι μὲν γὰρ οἱ παμμόχθηροι,
30 καὶ θέλησις ἀχαλίνως τὴν εἰς τὰ αἴσχίω νοσοῦσα ῥοπήν, καὶ
τῶν ἀμεινόνων ὑπερφρονεῖν ἑλομένη κολάζοιντο ἂν εἰκότως.
Τὰ δὲ μὴ οὕτως ἔχοντα τῇ φύσει, συμβαίνοντα δὲ τοῖς
πάσχουσιν ἀπευκτῶς, ἐξοίχοιντο ἄν, οἶμαι, ποὺ καὶ τοῦ
κατασκώπτεσθαι δεῖν, καὶ τὴν ἐκ νομίμων ἐπίπληξιν οὐχ
35 ὁσίαν ἔχειν.

Τί δὴ οὖν πρὸς ταῦτά φαμεν ; Ἠδίκηκε τοὺς λεπροὺς ὁ
νόμος, ἤγουν τοῖς ἑτέροις σκληρὰν ἐπήρτησε δίκην, τῆς τοῦ
πρέποντος θήρας ἠφειδηκώς ; Οὐμενοῦν, πολλοῦ γε καὶ δεῖ.
Γέγραπται γάρ· « Ὅτι ὁ μὲν νόμος ἅγιος, καὶ ἡ ἐντολὴ ἁγία,
40 καὶ δικαία καὶ ἀγαθή [b]. » Ἀλλὰ πῶς ἂν νοοῖτο ταυτὶ πρὸς
ἡμῶν ; Εἴπερ ἔροιτό τις, ἐκεῖνό φαμεν· τῆς ἀληθείας τὸ

Mss : A DEFG BHI (= b) CKLM (= c)

14 εἰκότος BH || 15 ποινὴν b edd. || 16 ἐθεσμοθέτε (sic) Sal.^{mg} : -εις I^{ac} Sal. *γρ. ἐθεσμοθέτε* (sic) I^{mg} || 17 ἤ : ἦ Mi. || 18 ὑπονηνεγμένους b || 23 οἴοιτο c || 27-28 τὸ χρῆμα edd. : *puto τῷ χρήματι* edd.^{mg} || 30 νοσοῦσα I^{mg} : -αν b edd.

b. Rm 7, 12.

1. Il semble que καταφορά désigne l'apoplexie ou le fait de tomber en léthargie (absent de la *LXX*, il désigne dans la version d'Aquila la torpeur

demandera pour quelle expiation Dieu décidait que le faible devait subir une peine.

N'est-il pas préférable, en effet, que celui qui préside à la sainteté et à la justice traite avec douceur ceux qui ont subi des malheurs non voulus, et, puisqu'ils ont eu un sort misérable, ait également pitié de leur condition et ne laisse personne les blâmer pour ce qu'ils subissent ? Car la lèpre, les ennuis dûs à l'écoulement naturel de sperme, et les léthargies [1] involontaires sont des choses qui arrivent aux corps humains, et ne sauraient être reprochés à ceux qui en sont atteints : personne, je pense, n'est malade volontairement. Au contraire : même si l'on fait partie des gens admirés pour leur richesse, on préférerait céder tous ses biens à la fois à ceux qui vous promettraient de vous débarrasser de ces maux. Comment serait-il donc question d'accuser ou d'accabler les malades parce qu'ils sont en proie à des maux aussi terribles ? Des mœurs corrompues, une volonté malade d'un penchant effréné pour les turpitudes et qui choisit de mépriser le bien, voilà ce qu'on aurait le droit de châtier. Mais s'il n'en va pas ainsi par nature, si l'on vient à subir cela contre son souhait, on devrait échapper, je pense, à la raillerie, et il n'est pas juste d'encourir le blâme de la Loi.

Le langage figuré de l'Écriture

Eh bien, que répondre à cela ? La Loi a-t-elle été injuste envers les lépreux, ou encore a-t-elle appliqué aux autres une sentence rigide, en négligeant de rechercher ce qui convient ? Non, tant s'en faut ! Car il est écrit : « La Loi est sainte, le commandement est saint, juste et bon [b]. » Mais comment comprendre cela ? Si on le demande, voici ce que nous disons : le commandement donné aux anciens

que Dieu envoie sur des hommes, cf. Gn 2, 21). Mais, dans le contexte, ce terme reprend le troisième chef d'exclusion énoncé dans le texte des *Nombres*, c'est-à-dire l'impureté à cause d'un mort. Il est difficile de voir ce que veut dire Cyrille avec cette mention de la léthargie.

κάλλος διὰ τύπου καὶ σκιᾶς ἡ διὰ Μωσέως τοῖς ἀρχαιοτέροις παρέδωκεν ἐντολή, καὶ τῶν εἰς νοῦν ἔσω κεκρυμμένων ἡ δύναμις ὡς ἐν ἀρρωστήμασι τοῖς σωματικοῖς διετυποῦτο 45 λαμπρῶς. Λεπροῖς μὲν γὰρ παρεικάζει τὸ γράμμα τὸ νομικὸν τούς, ὅσον ἧκεν εἰς τρόπους, πολυειδεῖς τε καὶ πολυγνώμονας, καὶ μυρίοις ὅσοις ἐμπεποικιλμένους κακοῖς, ἔν γε δὴ σφίσιν αὐτοῖς τὸν οἰκεῖον ἔχοντας νοῦν. Γονορρυῆ δέ φησι τὸν ἀκάθεκτον εἰς φιλοσαρκίαν, καὶ τῆς εἰς ἄγαν 50 αἰσχρότητος ἀκαταλήκτως ἡττώμενον, ὡς αὐτό που δοκεῖν τὸ τῆς ἀθελήτου γονορροίας ὑπομεῖναι πάθος. Καταμυσάττεται δὲ πρὸς τούτοις τὸν ἀκάθαρτον ἐπὶ ψυχῇ, τουτέστι, τὸν ἐπὶ τῶν τεθνεώτων πενθεῖν ᾑρημένον καὶ καταλγύνεσθαι λίαν.

736 55 Οὐκ || οὖν ἀνόπιν ὥσπερ ἰόντες καὶ μονονουχὶ τὸν λόγον ἀνασειράζοντες, ἐκεῖνό φαμεν, τῇ τῶν θεωρημάτων ἑπόμενοι φύσει καὶ εἰς νοῦν ὁρῶντες τῶν γεγραμμένων τὸν ἐσωτάτω, ὡς ἀδρανεῖς εἰς μάχην, καὶ πρός γε τὸ δεῖν ἀμείνους ὁρᾶσθαι παθῶν οὐδαμόθεν ἐπιτήδειοι, τὸ πολυειδὲς εἰς φαυλότητα 60 νοσεῖν εἴπερ ἕλοιντό τινες. Τοῦτο γὰρ ἡ λέπρα καὶ τὸ κατ' αὐτήν ἐστι πάθος. Ἀλλ' οὐδ' ἂν ἐγγράφοιντο ταῖς τῶν ἁγίων φάλαγξιν οἱ ἀχάλινοί τε καὶ ἀκρατεῖς εἰς ἐκτόπους ἡδονάς. Ἀπόπεμπτοι δὲ πρὸς τούτοις οἱ τοῖς τεθνεῶσιν εἰς ἅπαν ἀπολωλόσιν οὐ μετρίως ἐπιστυγνάζοντες. Ὕβρις γὰρ τὸ 65 χρῆμα εἰς Θεόν, καίτοι διακεκραγότα σαφῶς διὰ φωνῆς ἁγίων· « Ἀναστήσονται οἱ νεκροί, καὶ ἐγερθήσονται οἱ ἐν τοῖς μνημείοις [c]. »

Mss : A DEFG BHI (= b) CKLM (= c)

42 ἡ H^{mg} Mi. : ἥ codd. Sal. Aub. || 43 παρέδωκεν leg. putamus : παρεδόθη codd. Sal. Aub. παρεδείκνυ Mi. || 48 γονορρυῆ edd. : -ᾶ codd. || 53 τὸν ἐπὶ τῶν leg. putamus *eum qui se mortuis lugendis addixit ac se propterea vehementer discruciat* Sal.^{v} *eum qui in mortuorum luget funere nimisque contristatur* Sch. : τῶν ἐπὶ τῷ τὸν A DE τῶν ἐπὶ τῷ τῶν b Sal. Aub. ἐπὶ τῶν c τὸν ἐπὶ τῷ τῶν Mi. τῶν ἐπίτατον F (vid.) τῶν ἐπὶ τῶν ἐπὶ τῷ τῶν G || 55 ἰόντες b edd. : ὄντες I^{mg2} || 56 τῇ τῶν b L^{mg2} edd. : τοῦ τῶν I^{mg} CKL || 58 ἀμείνους B^{pc2} C^{pc} : εὐμείνους B^{ac} C^{ac} || 61 αὐτήν codd. : αὐτόν edd. || 62 ἀχάλιτοί b Sal. *puto ἀχάλινοί τε vel ἀχαλήνωτοί τε* I^{mg} Sal.^{mg} || 64 ἐπιστυγνάζοντες I^{mg} : ἀπο- I edd.

c. Is 26, 19.

par la voix de Moïse a transmis la beauté de la vérité par le moyen de la figure et de l'ombre, et le sens de ce qui est caché à l'intérieur pour l'intelligence était splendidement figuré à travers les faiblesses corporelles. Car le texte de la Loi compare à des lépreux ceux qui sont changeants et versatiles pour tout ce qui se rapporte aux mœurs, qui sont tissés d'innombrables méchancetés et ne portent attention qu'à eux-mêmes. Il déclare atteint de pertes séminales celui qui ne peut contenir son amour de la chair, vaincu sans fin par des excès honteux, si bien qu'il a l'air d'être atteint justement du mal de l'écoulement séminal involontaire. En outre, le texte a en horreur celui qui est impur à cause d'un mort, c'est-à-dire celui qui a choisi de souffrir et de se lamenter à l'excès pour un mort.

Donc, revenant en arrière et renouant pour ainsi dire le fil de notre propos, en suivant la nature de notre sujet et en considérant le sens le plus intérieur des textes, voici ce que nous disons : ils sont faibles pour le combat, et nullement préparés à se montrer supérieurs aux passions, ceux qui choisissent de souffrir d'une multiplicité de vices. Voilà ce qu'est la lèpre et le mal qui s'y attache. Mais ils ne risquent pas non plus d'être inscrits parmi les phalanges des saints, ceux qui ne se maîtrisent pas et se soumettent à des plaisirs inconvenants. Et ils sont à renvoyer de surcroît, ceux qui montrent une douleur immodérée pour les morts disparus une fois pour toutes. Car c'est là un outrage fait à Dieu, qui avait pourtant proclamé clairement par la voix des saints : « Les morts ressusciteront, ceux qui sont dans les tombeaux seront éveillés [c]. »

Ἀνδριζώμεθα δὴ οὖν, εἴς γε τὸ χρῆναι, φημί, παθῶν ὁρᾶσθαι βελτίους· ὧδε γὰρ δή τις τοῖς εἰωθόσιν εὐδοκιμεῖν
70 ἐγγράφεται· καὶ τοῖς ἀριστίνδην ἐξηλεγμένοις ἐναρίθμιος ὢν τὴν πολύευκτον ἀληθῶς ἀποίσεται δόξαν. Μὴ καταπτοείτω πόνος, κἂν εἰ φαίνοιτο τραχὺ τὸ ἐφικέσθαι ζωῆς τῆς ἐπαινουμένης, κἂν εἰ τῆς ἀρετῆς δυσέμβατος μὲν καὶ ἀνάντης προκέοιτο τρίβος, ἱδρῶτες δὲ τῆς εὐκλείας προαναφαίνοιντο.
75 Οὐ γὰρ ἔστιν, οὐκ ἔστιν, ὀλίγους κομιδῇ δαπανῶντας πόνους, τῶν κατορθωμάτων τὰ ἐξαίρετα καταπλουτεῖν δύνασθαί τινας· ἀναλόγως δὲ τοῖς ἱδρῶσιν ἀεὶ τὰ ἐξ αὐτῶν ἀνίσχει καὶ φαίνεται.

Τοιούτοις ἡμᾶς παραθήγει λόγοις καὶ ὁ θεσπέσιος Παῦλος
80 εἰς ἔφεσιν ἀρετῆς. Προστέταχε γὰρ ὑπογραμμόν, ὥσπερ τινὰ ποιεῖσθαι φιλεῖ, « τὸν τῆς πίστεως ἡμῶν ἀρχηγὸν καὶ τελειωτὴν Ἰησοῦν, ὅς, ἀντὶ τῆς προκειμένης αὐτῷ χαρᾶς, ὑπέμεινε σταυρὸν αἰσχύνης καταφρονήσας[d]. » Τίνα δὲ τρόπον καὶ ἐπὶ τίσι τὸν ὑπὲρ ἡμῶν ἀνέτλη σταυρόν, καθεὶς
85 ἑαυτὸν εἰς κένωσιν[e], καίτοι Θεὸς ὢν κατὰ φύσιν ὁ Λόγος, φέρε δὴ λέγωμεν, βραχὺ μὲν ἐξαίροντες ὕψοῦ τὸ διήγημα, καταβιβάζοντες δὲ χρησίμως εἰς καλουμένην ἑκούσιον κένωσιν.

γʹ. Γεγέννηται μὲν γὰρ ἐκ Θεοῦ καὶ Πατρὸς ἀπορρήτως καὶ ὑπὲρ νοῦν ὁ ἐν αὐτῷ τε καὶ ἐξ αὐτοῦ κατὰ φύσιν Υἱός. Γεγέννηται δὲ ὅταν λέγωμεν, ἐπέκεινα μὲν ἡκέτω σωμάτων ὁ νοῦς, καὶ τῆς ἐπ' αὐτοῖς φαντασίας τὸ σμικροπρεπές, κάτω
5 που μένειν ἀφείς, ἄμεινον μὲν ἀσυγκρίτως ἢ κατὰ σώματος φύσιν ὑπονοείτω τὸ Θεῖον, ὑπερτάτω δὲ ὅτι παντὸς γενητοῦ

Mss : A DEFG BHI (= b) CKLM (= c)

72 πόνος I^mg *labor* verss : πόνοις b edd. ‖ 73 δυσέμβατος I^mg *difficilis* verss : δυσέκβατος BI edd. δυσέβακτος H

γʹ. 3 ὅταν I^mg : πάλιν I edd. ‖ 6 φύσιν b edd. : φύσις I^mg2 C^ac KL ‖ ὑπονοείτω M : ὑπονοοῖτο edd.^mg ὑπονοεῖτο CKL ἀπονοοῖτο I Sal. ἀπονοείτω Aub. Mi.

d. He 12, 2 e. cf. Ph 2, 7.

1. Le thème de la fatigue inévitable pour qui veut triompher du péché se trouve déjà en *LF* X, 1, 183-185 où une note (*SC* 392, p. 199, n. 1) renvoie à

Exhortation à l'effort

Soyons donc courageux, puisqu'il faut, dis-je, nous montrer supérieurs aux passions : c'est ainsi qu'on sera inscrit parmi ceux qui jouissent habituellement d'une bonne réputation ; et une fois au nombre de ceux qui ont été choisis pour leurs mérites, on obtiendra vraiment la gloire tant désirée. Qu'on ne soit pas effrayé de l'effort, même si l'on trouve rude le chemin de la vie qu'on loue, et même si la voie de la vertu s'annonce difficile et escarpée, quand les efforts apparaissent avant la gloire. Non ! il n'est vraiment pas possible, si l'on ne dépense que très peu de peine, de mettre à son actif les succès les plus recherchés : au contraire, on voit que les résultats s'attachent toujours de manière proportionnelle aux efforts [1].

C'est avec de tels propos que Paul l'inspiré nous pousse à désirer la vertu. Car il a établi comme modèle, ainsi qu'il a coutume de le faire, « la cause première et l'achèvement de notre foi, Jésus, qui, au lieu de la joie qui lui était promise, a enduré la croix en méprisant la honte [d]. » De quelle manière et dans quelles circonstances le Verbe a enduré la croix pour nous en se livrant lui-même à l'anéantissement [e] bien qu'il fût Dieu par nature, eh bien ! disons-le en élevant brièvement notre exposé vers les hauteurs, et en le faisant descendre, pour être utile, vers ce qu'on appelle l'anéantissement volontaire.

La génération du Fils

3. Engendré de Dieu le Père d'une manière indicible qui dépasse l'intelligence, le Fils est en lui et de lui, par nature. Quand nous disons qu'il a été engendré, qu'on comprenne cela au-delà des lois des corps, et qu'on laisse loin en dessous la petitesse des représentations qui s'y attachent, pour se faire une idée du divin infiniment supérieure à la nature du corps, et qu'on se mette bien en tête qu'il possède

LF VII, 1, 18, à quoi on peut ajouter *LF* I, 4, 56-100 ; voir aussi *De Adoratione* IV (*PG* 68, 304 A) cité *ibid.*, p. 111, n. 1.

καὶ ἀπαράβλητον ἔχει τὴν δόξαν, διακείσθω καλῶς. Παραδεξόμεθα τοίνυν, οὐχὶ δήπου πάντως τοῖς καθ' ἡμᾶς ἑπόμενοι λόγοις, ὅτι πρεσβύτερον μὲν τοῦ τόκου τῷ
10 γεγεννημένῳ τὸ μὴ ὑπάρχειν ὅλως, προαναφαίνεται δέ πως τῆς εἰς τὸ εἶναι παρόδου τὸ μὴ ὑφεστάναι ποτέ. Ληρία γὰρ τοῦτό γε, καὶ τῆς εἰς ἄκρον ἡκούσης ἐμβροντησίας κατάδειξις ἐναργής. Εἰ μὲν γὰρ περὶ σωμάτων ἤτοι τῶν καθ'
737 ἡμᾶς πο‖λυπραγμονοῖτο τυχὸν ὁ λόγος, τὰ σωμάτων ἴδια
15 προσνέμειν αὐτοῖς, καὶ ἅπερ ἂν φαίνοιτο συμβαίνοντα φυσικῶς τοῖς ὑπὸ γένεσιν καὶ φθοράν, τὸ ἀπεικὸς οὐδέν. Προανίσχει γὰρ ὁμολογουμένως τῆς εἰς ὕπαρξιν ὁδοῦ τὸ μὴ ὑπάρχειν ὅλως. Ὑπομενεῖ δὲ πρὸς τούτοις καὶ μερισμοὺς τοὺς ἐκ τοῦ τεκόντος εἰς ἀποκλήρωσιν ἰδικὴν τοῦ γεγεννημένου.
20 Ἐπὶ δὲ τῆς ἀνωτάτω πασῶν οὐσίας τῆς ἐπέκεινα παντὸς γενητοῦ, πῶς οὐκ ἀπόπληκτον κομιδῇ μερισμοὺς εἰσδέχεσθαι καὶ ἀποκοπάς, καὶ τὸ ἐν χρόνῳ ζητεῖν τὴν γέννησιν. Ἄπαγε τῆς δυσβουλίας, ἄνθρωπε ! ἰσχνὸν ὅτι μάλιστα τοῖς θεωρήμασι τὸν νοῦν ἐνιείς, εἴσῃ τὸ ἀληθές. Ἦ
25 ἴσθι τὴν θείαν περιυβρίζων φύσιν τὰ σωμάτων ἴδια προσνέμων αὐτῇ, καὶ τὴν ὑψοῦ καὶ ἐπέκεινα παντὸς τοῦ πεποιημένου κατακομίζων ὑπεροχὴν εἰς αἰσχίονα δόξαν ἤπερ ἂν αὐτῇ πρέποι τε καὶ ἐνεῖναι πιστεύοιτο.

Mss : A DEFG BHI (= b) CKLM (= c)

7 ἀπαραβλήτον I^{mg} : -του I edd. ἀπαράκλητον F ‖ 8 παραδεξώμεθα DG Aub. Mi. *intelligamus* Sal.^{v} *suscripsamus* Sch. ‖ 9 τοῦ τόκου... *id quod genuit antiquius esse ipsa re genita...* Sch. : τοῦτό μου I Sal. Aub. τοῦτό που Mi. ‖ 11 παρόδους I Sal. Aub. ‖ 13 τῶν b edd. : τῷ I^{mg} c ‖ 15 καὶ ἅπερ I^{mg2} : καίπερ I edd. ‖ 18 ὑπάρχων H ὑπάρχον Aub. Mi. ‖ 25 περιυβρίζων + τὴν A DEFG C (cum linea subscr.).

---

1. Cette insistance sur la coéternité du Fils est sans doute un des derniers échos de la préoccupation antiarienne qui caractérisait les lettres précédentes. En même temps, la volonté de repousser toute représentation corporelle en Dieu peut être une mise en garde en direction des milieux monastiques antiorigénistes, où l'anthropomorphisme a été une tentation réelle (voir les dernières lettres du recueil édité par L.R. Wickham, Cyril of Alexandria, *Select Letters*, Oxford 1983 (*Oxford early Christian Texts*).

une gloire incomparable, bien au-dessus de tout être créé. Nous l'admettrons donc, sans suivre du tout les lois qui nous concernent, qui veulent que pour ce qui a été engendré, l'inexistence totale précède l'enfantement, et que le non-être apparaisse, si l'on peut dire, avant la venue à l'être [1]. Car c'est là une sottise, et la preuve évidente d'une stupidité qui atteint des sommets. En effet, si notre raisonnement s'occupait de corps ou de ce qui nous concerne, il n'y aurait rien de déplacé à leur attribuer les propriétés des corps et tout ce qui arrive naturellement à des êtres soumis à la naissance et à la corruption. Car l'inexistence totale précède, on le sait, la venue à l'existence. Il faut admettre en outre des divisions provenant de celui qui a engendré, pour former la part propre de celui qui a été engendré.

Mais s'agissant de la substance qui est au-dessus de toutes les autres, qui dépasse tout être créé, comment ne serait-il pas parfaitement insensé d'admettre des divisions et des coupures [2], et de chercher une génération dans le temps ? Pauvre homme, laisse cette sottise ! Prête l'intelligence la plus déliée possible à ces considérations, et tu sauras la vérité. Ou bien sache que tu outrages la nature divine en lui attribuant les propriétés des corps et en rabaissant l'excellence qui est en haut, au-delà de tout créé, vers une opinion plus honteuse que celle qui devrait lui revenir et qu'on croirait lui appartenir !

2. C'est l'un des griefs ariens contre le « consubstantiel » (cf. ARIUS, *Profession de foi à Alexandre d'Alexandrie*, éditée par H.G. Opitz, *Athanasius Werke*, t. III, Berlin-Leipzig 1934, *Urkunde* 6, 5, p. 13, l. 15-20). Voir déjà la réponse d'Athanase, dont Cyrille s'inspire peut-être, en *Oratio contra Arianos* I, 15, *PG* 26, 44 A. Voir aussi *LF* XI, 8, 28-33, et n. 6 (*SC* 392, p. 303).

Πατρὸς γὰρ ὄντος ἀεὶ τοῦ Πατρός, καὶ οὐκ ἐκ τοῦ κατὰ
30 δύναμιν ἐν χρόνῳ προήκοντος εἰς τὸ τεκεῖν κατ' ἐνέργειαν,
ἀεὶ συνυπάρχειν ἀνάγκη τὸν δι' ὅν ἐστι Πατήρ. « Ἐν ἀρχῇ
γὰρ ἦν ὁ Λόγος, καὶ Θεὸς ἦν ὁ Λόγος [a] », κατὰ τὰς Γραφάς.
Οὗ δὲ τὸ « ἦν » ὀνομάζεται προεπενηνεγμένου μηδενός, ποῦ
τῆς ἐννοίας ὁ δρόμος στήσεται, καὶ πρὸς ποῖον ἡμῖν
35 καταντήσει τέλος, ὡς ἐν ἰσχναῖς φαντασίαις ὁ νοῦς εἰ διώκειν
ἕλοιτο τὸ « ἦν » ; Οὐκοῦν γεγέννηται μέν, καὶ « Θεὸς ἦν ὁ
Λόγος »· γεγέννηται δέ, οὐ κατὰ σώματος φύσιν, ὡς
ἑτερότητα τὴν εἰς ἅπαν ὑπάρξαι νοεῖν τῷ γεννωμένῳ πρὸς τὸ
γεννῶν. Κεχρώμεθα δὲ ἀναγκαίως ἐκ τῶν καθ' ἡμᾶς τὸ τῆς
40 γεννήσεως ὄνομα, κατασημαίνοντες ὅτι τῆς τοῦ Θεοῦ
Πατρὸς οὐσίας ὁ Μονογενὴς φωτὸς ἀνέλαμψε νόμῳ, καὶ
ὑφέστηκε μὲν ἰδικῶς, καὶ ἐν ὑπάρξει νοεῖται τῇ καθ' ἑαυτόν.
Ἀπόρρητος δὲ παντελῶς ὁ ἐπὶ τῷδε λόγος. Οὐ γάρ τοι τῆς
τοῦ τεκόντος οὐσίας εἰς ἅπαν ἐξεστηκώς, ἀλλ' αὐτός τε
45 ὑπάρχων ἐν τῷ Πατρὶ καὶ ἐν ἰδίᾳ φύσει καταδεικνὺς τὸν
γεννήτορα, συμπροσκυνεῖται καὶ συνδοξάζεται. Ἐπειδὴ δέ
ἐστιν ὁμοούσιος καὶ ἰσοκλεής, ἀναγκαίως ἰσουργός τε ἅμα
καὶ ἰσοσθενής. Συνυφεστηκότος δὲ οὕτως ἡμῖν τοῦ ἁγίου
Πνεύματος, συνθεολογουμένου τε καὶ συνεισθέοντος, ὀρθῶς
50 τε καὶ ἀμωμήτως ἡ περὶ τῆς ἁγίας ἡμῖν Τριάδος συγκείσεται
πίστις.

Ὁ τοίνυν τοῖς τοῦ Θεοῦ καὶ Πατρὸς ἀξιώμασι εὖ μάλα
διαπρεπής, ὁ δι' οὗ τὰ πάντα παρήχθη πρὸς γένεσιν, « οὐχ
ἁρπαγμὸν ἡγήσατο τὸ εἶναι ἴσα Θεῷ », κατὰ τὸ γεγραμ-

Mss : A DEFG BHI (= b) CKLM (= c)

31 δι' ὅν I : δι' οὗ I^{mg2} c *per quem* verss. ἴδι' ὅν (sic) H ‖ 35 καταντήσῃ I edd. ‖ 39 κεχρήμεθα : -ώ- A DEFG b CKL^{ac} Sal. ‖ τῶν : τõν (sic) I τοῦ edd. ‖ 40 τοῦ om. I edd. ‖ 44 εἰς ἅπαν I^{mg} *omnino* verss : εἰσάπαν A FG εἰς ἅπερ I edd. ‖ 49 συνεισθέντος Sch.^{mg} ‖ 50 συγκήσεται C -κλείσ- F ‖ 53 ὁ om. I edd. ‖ γένεσιν : γένησιν BI edd. (-νν- Mi.) ‖ 54 ἴσα *NT* : ἴσον edd.

3 a. Jn 1, 1.

1. Tous ces passages trinitaires trouveraient des parallèles dans les œuvres de Cyrille consacrées à ce thème. On comparera, à titre d'exemple, un

Coexistence et coéternité

En effet, puisque le Père est toujours Père, et ne passe pas dans le temps d'une génération en puissance à une génération en acte, il faut bien que coexiste toujours avec lui celui à cause duquel il est Père. Car « au commencement était le Verbe, et le Verbe était Dieu [a] », selon les Écritures. Pour celui dont on dit « il était » sans rien ajouter avant, où la course de notre pensée s'arrêtera-t-elle, à quel terme aboutira-t-elle, si l'intelligence voulait poursuivre ce « il était » dans des sortes de représentations subtiles ? Donc le Verbe a été engendré, et « il était Dieu » ; mais il n'a pas été engendré selon la nature du corps, qui ferait concevoir une altérité totale entre l'engendré et l'engendreur. Nous avons employé par nécessité le mot de génération comme il en va pour nous, pour signifier que le Fils unique de la substance de Dieu le Père a brillé comme la lumière d'une lampe, qu'il a une subsistence propre et qu'on le pense comme existant par lui-même. Mais parler de cela est totalement impossible. Car il ne s'est pas constitué une fois pour toutes hors de la substance de celui qui l'a engendré, mais il existe dans le Père et montre dans sa propre nature celui qui l'a engendré : voilà pourquoi il est adoré et glorifié avec lui [1]. Et comme il est consubstantiel et égal en gloire, il est nécessairement égal en action et en force. Puisque le Saint-Esprit subsiste avec eux à nos yeux pareillement, et que comme eux il est déclaré Dieu et concourt avec eux, notre foi en la sainte Trinité sera juste et irréprochable.

L'anéantissement du Verbe

Donc celui qui resplendit vivement des prérogatives de Dieu le Père, celui par qui tout a été porté à l'être, « ne considéra pas comme une proie d'être à égalité avec Dieu », selon ce qui est écrit, « mais il s'est anéanti

passage du *Commentaire sur l'évangile de Jean* où il commente le premier verset du prologue : *In Io.* I, I, éd. Pusey, t. I, p. 18-19. Cf. M.-O. Boulnois, *Le paradoxe trinitaire...*, p. 122-124.

55 μένον, « ἀλλ' ἑαυτὸν ἐκένωσε, μορφὴν δούλου λαβών, ἐν ὁμοιώματι ἀνθρώπων γενόμενος· καὶ σχήματι εὑρεθεὶς ὡς ἄνθρωπος, ἐταπείνωσεν ἑαυτόν, γενόμενος ὑπήκοος μέχρι θανάτου, θανάτου δὲ σταυροῦ [b]. » Καίτοι γὰρ ἐνὸν ἐπ' ἐξουσίας αὐτῷ ταῖς ἰδίαις ὑπεροχαῖς ἐνερηρεῖσθαι λαμπρῶς,
60 καὶ ἰσότητι τῇ πρὸς τὸν Πατέρα πλουσίως ἐντρυφᾶν, καὶ τοῖς τῆς θεότητος ἐναγλαΐζεσθαι θάκοισι, καταπεφοίτηκεν ἑκὼν εἰς εἶδος τὸ καθ' ἡμᾶς, οὐδὲν εἰς ἰδίαν ἀδικούμενος φύσιν τῇ
740 προσλήψει τοῦ καταδεεστέρου, προστιθεὶς δὲ μᾶλλον ‖ τὸ ἐνδέον αὐτῷ. Οὐ γὰρ ἦν εἰκός, μᾶλλον δὲ ἦν καὶ
65 σφαλερώτατον, ἐννοεῖν καὶ λέγειν ὡς τὴν θείαν καὶ ἄρρητον πλεονεκτήσει φύσιν ἡ ἀνθρώπου τυχόν, καὶ εἰς τὸ οἰκεῖον αὐτὴν ἀκαλλὲς ἐκβιάσεται καὶ καταβιβάσει τῆς ἰδίας ὑπεροχῆς. Σοφὸν δὲ δήπου καθάπερ ἐγῷμαι τὸ διαλογίζεσθαι δεῖν, ὅτι τῇ τῆς θεότητος φύσει παραχωρήσει τὰ
70 καθ' ἡμᾶς, καὶ πρός γε τὸ ἀσυγκρίτως ἄμεινον μετοιχήσεται, τῇ τοῦ προὔχοντος εὐκλείᾳ νικώμενον.

Καὶ γάρ ἐστι τῶν ἀτοπωτάτων, ἐν μὲν τοῖς ὑπὸ Θεοῦ γεγονόσιν ὁρᾶν τῇ τῶν ἀμεινόνων μίξει τε καὶ παραθέσει καὶ τὰ μὴ σφόδρα περικαλλῆ κοσμούμενα, οἴεσθαί γε μὴν τῇ
75 ἀνθρώπου φύσει Θεὸν προσωμιληκότα, καθ' ὃν οἶδε τρόπον αὐτός, μὴ οὐχὶ δὴ μᾶλλον ἐναπομάξασθαί τι τῶν ἰδίων αὐτῇ, βλάβος δέ τι καὶ τῶν παρ' ἀξίαν εἰς ἰδίαν αὐτὸν ἀνατλῆναι φύσιν. Καὶ ἥλιος μὲν τῆς ἀκτῖνος τὴν προσβολὴν καὶ βορβόροις αὐτοῖς καὶ τέλμασιν ἐνιείς, ἀδιαλώβητον
80 παντελῶς τηρήσει τὸ σέλας· ἡ δὲ θεία καὶ ἀκήρατος καὶ ὑπερτάτη φύσις, ᾗ τὸ δύνασθαί τι παθεῖν τῶν καταλυπεῖν εἰωθότων ἀστιβὲς παντελῶς, πῶς ἂν ἀδικοῖτο τῇ πρὸς τὸ ἔλαττον ὁμιλίᾳ ; Πῶς δὲ οὐχὶ τὴν τοῦ χείρονος ὑπεραλεῖται

Mss : A DEFG BHI (= b) CJKLM (= c)

(ab l. 58 (...θανάτου δὲ) ms. J redintegratur) ‖ 67 ἐκβιάσηται b Sal. Aub. ‖ 70 τὸ : τὸν Aub. τὸ(ν) Mi. ‖ 75 προσομιληκότα F I CJKL Sal. ‖ 81 ὑπερτάτη C^{pc2} : -ω C^{ac}JKLM ‖ ᾗ G (vid.) : ᾗ A D ἥ b Sal. ἥ F Aub. Mi. ἡ E ‖ 83 ὑπεραλεῖται b c edd. : om. E *ἴσ. ὑπερβαλεῖται* I^{mg2} C^{mg}.

---

b. Ph 2, 6-8.

lui-même, prenant forme d'esclave, venant dans la ressemblance des hommes ; et trouvé homme à son aspect, il s'est humilié, devenant obéissant jusqu'à la mort, et la mort de la croix [b]. » En effet, bien qu'il fût en son pouvoir de s'appuyer avec splendeur sur sa propre excellence, de jouir pleinement de l'égalité avec le Père et de briller sur le siège de la divinité, il est descendu volontairement vers notre espèce, sans léser en quoi que ce soit sa propre nature en assumant ce qui lui est inférieur, mais au contraire en apportant ce qui manquait. Car il n'était pas convenable, et même c'était très dangereux que de concevoir et de dire que la nature humaine pourrait surpasser la nature divine indicible, lui imposer sa laideur et la faire descendre de sa propre excellence. Ce qui est sage, à mon avis, c'est de considérer que notre condition cédera devant la nature de la divinité : elle se transportera en une condition incomparablement supérieure, vaincue par la gloire de ce qui la surpasse.

De fait, il est des plus absurdes de voir, quand il s'agit des créatures de Dieu, celles qui ne sont pas particulièrement belles être arrangées par le mélange et le rapprochement avec d'autres qui leur sont supérieures, et de penser que Dieu, quand il s'est approché de la nature humaine d'une manière que lui seul connaît, n'a pu y imprimer aucune de ses propriétés, et a subi lui-même dans sa propre nature un dommage contraire à sa dignité. Le soleil, lui, qui lance ses rayons jusque dans les bourbiers [1] et les marécages, gardera son éclat totalement pur ; et la nature divine, sans mélange, au-dessus de tout, que ne saurait atteindre aucune des passions habituellement nuisibles, comment pourrait-elle être lésée par un contact avec ce qui lui est inférieur ? Ne va-t-elle pas s'élever au-dessus de la nature qui lui est inférieure, et

1. C'est là l'une des utilisations (mais non la plus fréquente) du thème du bourbier dans la littérature chrétienne. Voir M. Aubineau, « Le thème du « Bourbier » dans la littérature grecque, profane et chrétienne », *Recherches de Science Religieuse* XLVII (1959), p. 185-214, repris dans *Recherches patristiques*, Amsterdam 1974, p. 225-254 ; voir p. 210-211.

φύσιν, καὶ τοῖς ἰδίοις αὐτὴν ἀγαθοῖς καταφαιδρύνουσα πρὸς
85 τὸ ἀσυγκρίτως ἄμεινον μετακομιεῖ ;

Ἀνθ' ὅτου δὴ οὖν τοῦ χρῆναι θαυμάζειν ἠφειδηκότες τὰ
οὕτω σεπτά, κατασοβαρεύονταί τινες καὶ τὸ ὑπέροφρυ
νοσοῦσι πάθος· οἴονταί τε τῇ θείᾳ συναγορεύειν δόξῃ τῆς
οὕτως ἀρίστης οἰκονομίας τὸ ἀκαλλὲς καθορίζοντες. Οὐ γὰρ
90 παραδέχονται τὸ μυστήριον· πλατὺ δὲ γελῶντες, ἀσύνετον
κομιδῇ τὸ χρῆμα νομίζουσι καὶ ὕθλοις ἡμᾶς εἰκαίοις
ἐπιθαρσῆσαί φασιν. Οὐκ ἐννοοῦντες ὅτι τοῖς μὲν ἰδίοις
καθηγηταῖς, εἴπερ ἕλοιντό τι νοεῖν ἢ λέγειν, ἀβασάνιστον ἔσθ'
ὅτε τηροῦντες τὴν πίστιν, καὶ τὸ « Αὐτὸς ἔφα » δωρούμενοι,
95 εἶτα τοῖς θείοις κρίμασι τάς γε δὴ σφῶν αὐτῶν
ἀνθιστάντες ἐννοίας, δυσδιάφυκτον κομιδῇ τῆς ἑαυτῶν
κεφαλῆς καταχέουσιν· οὐδὲ οἷς ἄνθρωποι τιμᾶν ἐγνώκασι,
ταῦτα τῇ θείᾳ προσνέμοντες φύσει.

Ἀλλά τις αὐτοῖς, ὡς οἴονται, σοφὸς δὴ λίαν ἐκπεπόρισται
100 λόγος. Πῶς γὰρ δή, φασίν, ὁ ἀκήρατος νοῦς, ὁ ποσότητός τε
καὶ περιορισμοῦ παντελῶς ἐλεύθερος, εἰς ἑνὸς ἀνθρώπου
κεχώρηκε σῶμα ; Ἐγὼ δέ, ὅτι μὲν τῆς τῶν σωμάτων
ποσότητος ἐξιστᾶσι τὸ Θεῖον, ἐπαινέσας ἔχω· συνθήσομαι
γάρ, φημὶ δ' οὖν ὅμως ἐκεῖνο τοῖς ὧδε φρονεῖν ᾑρημένοις· Οὐ
105 γὰρ δὴ περιγεγράφθαι φαμὲν τὴν τοῦ Λόγου φύσιν, εἰ καὶ
κατοικῆσαι λέγοιτο καθάπερ ἐν ἁγίῳ ναῷ τῷ ἐκ τῆς ἁγίας
Παρθένου σώματι· ἀλλ' ἐπλήρου μὲν οὐρανοὺς ὡς Θεός, γῆν

Mss : A DEFG BHI (= b) CJKLM (= c)

86 ἀνθ' ὅτου leg. putamus : ἀνθότου codd. edd. ‖ 87 ὑπέροφρυ : -οφρο EF C^{ac} -οφρον JKLM Sal. Aub. -οφριν I^{ac} C^{pc} ὑπὲρ ὀφρὺν H ‖ 94 ἔφα : ἔφην C^{ac} ἔφη KLM ‖ 96 ἀνθιστάντες leg. putamus ex ἀν(θ)ιστ- Mi. *opponentes* verss. : ἀνιστάντες codd. Sal. Aub. ‖ 96-97 τῆς... κεφαλῆς : ταῖς... -ῆς I ταῖς... -αῖς edd. ‖ 102 τῆς om. I τῆς inter τῶν et σωμάτων I^{sl2} ‖ 104 δ' οὖν : δὴ οὖν I edd. ‖ ᾑρημένοις : εἱρ– G b JL^{ac} εἰρ– Sal. Aub.

---

1. Comme on le voit, le « temple » (ναός) figure toujours dans le vocabulaire christologique de Cyrille. Il est fréquent dans les premières *LF*, notamment dans le passage du résumé de foi final qui concerne la résurrection (« il a ressuscité son propre temple » se retrouve, à d'infimes variantes près, en *LF*

l'illuminer de ses propres bienfaits pour la faire passer à un état incomparablement meilleur ?

Objections des incrédules

Eh bien ! au lieu d'admirer avec respect, comme c'est leur devoir, de si vénérables choses, certains font les fanfarons et sont atteints d'un haussement de sourcils maladif ; ils s'imaginent défendre la gloire divine en dénonçant la laideur d'une si parfaite économie. Car ils n'accueillent pas le mystère : riant grossièrement, ils estiment que tout cela est parfaitement insensé, et déclarent que nous nous aventurons dans de vains badinages. Ils ne voient pas qu'en accordant une confiance parfois peu critique à leurs propres guides en ce qu'ils veulent bien penser ou dire, en donnant du : « C'est lui qui l'a dit », et en substituant leurs propres pensées aux jugements divins, ils accumulent sur leur propre tête un sort qu'il leur sera bien difficile d'esquiver ; et ils refusent d'attribuer à la nature divine ce que les hommes ont appris à honorer.

Mais ils se sont pourvus, croient-ils, d'un raisonnement fort sage ! Ils disent : Comment se fait-il que l'intelligence sans mélange, totalement libre de toute quantité et de toute délimitation, se soit retirée dans le corps d'un seul homme ? Pour moi, je les loue de mettre le divin en dehors d'une quantité corporelle : j'en conviendrai aussi ; mais je n'en déclare pas moins aux partisans de cette opinion : Oui, nous disons que la nature du Verbe n'est pas circonscrite, même quand on dit qu'il a habité dans le corps pris de la sainte Vierge comme en un temple [1] saint ; mais il remplissait les cieux en tant que Dieu, comme la terre et ce qu'il y a dessous,

I, II, V et VI, avec un accent encore très dualiste en *LF* V 7, 86-87). On retrouve encore le mot temple en *LF* VIII à plusieurs reprises (5 et 6), puis il semble s'effacer (mais revient en *LF* XIII, 4, 99). Peut-être se trouvait-il en *LF* X, 5, 60, où il semble manquer un mot (correction de Cyrille ou d'un copiste ancien), cf. *SC* 392, p. 240-241, n. 1.

δὲ καὶ τὰ κατωτέρω, καὶ οὐδενὸς τῶν ὄντων ἀπελιμπάνετο.
Ἦν δὲ μετὰ τούτου καὶ ἄνθρωπος. Τὸ δὲ ὅπως ἢ τίνα τρόπον,
110 εἰ νοεῖν οὐ δύνασαι, παραχώρει τοῖς ὑπὲρ νοῦν, χαρίζου τοῖς
ὑπὲρ λόγον τὴν ὡς ἐξ ἀνάγκης σιγήν. Πολλὰ τούτοις ἕτερα
προσομολογήσεις ἀγνοεῖν. Ποῦ γὰρ ἐρήρεισται γῆ ; Ποίαν
ἔχει τὴν ὑποβάθραν ὁ οὐρανός ; Πεποίηται δὲ τίνα τρόπον ‖
741 ὁ τῶν ἄστρων χορός, καὶ τὴν ὑψοῦ τε καὶ ἄνω διέρπει τρίβον ;
115 Ἀλλὰ γὰρ εἴ τις ἕλοιτο τὰ καθέκαστα λέγειν, μακροὺς ὡς
ἐγῷμαι δαπανήσει λόγους, συντιθείς σοι τὰ διηγήματα.

Ἀλλὰ γὰρ σμικρὸν τῷ ὑπὲρ πάντα Θεῷ φασι τὸ γενέσθαι
καθ' ἡμᾶς. Ἐγκαλεῖς οὖν, ὅτι φιλάνθρωπος ὢν καὶ ἀγαθὸς τῇ
φύσει, προὐργιαιτέραν τοῦ πρέποντος τὴν εἰς ἡμᾶς φροντίδα
120 πεποίηται. Σμικρὸν μὲν γὰρ ὁμολογουμένως αὐτῷ τὸ
γενέσθαι καθ' ἡμᾶς· καλεῖται γὰρ κένωσις [c]. Ἀλλ' ὅ γε τῆς
εἰς ἡμᾶς ἡμερότητος λόγος διακρούσεται τὴν γραφήν. Ὃ δὲ
ἦν δή που θαυμάζειν ἄξιον αἰτίαις ὑπενεγκεῖν, πῶς οὐκ
ἀνόσιον κομιδῇ ; Εἰπὲ γὰρ ἐκεῖνο καὶ φιλοπευστοῦντι
125 φράσον. Πότερα δέ φῃς ὡς ἦν ἄμεινόν τε καὶ πρὸς εὐκλείας
αὐτῷ τὸ ἀφειδῆσαι τῶν καθ' ἡμᾶς, καὶ δι' οὐδενὸς ποιεῖσθαι
λόγου πρὸς πᾶν ὁτιοῦν τῶν ἐκτόπων ὠλισθηκότα τὸν
ἄνθρωπον ; Ἢ τοῦτο μὲν οὐδαμῶς, ἀνασῶσαι δὲ μᾶλλον, καὶ
τῆς καθηκούσης ἐπιμελείας ἀξιοῦν ; Εἶτα πῶς ἂν ἐνδοιάσειέ
130 τις τῶν ὀρθὰ φρονεῖν εἰωθότων, ὡς ἦν ἄμεινόν τε καὶ
πρεπωδέστερον τῷ γε ὄντι κατὰ φύσιν ἀγαθῷ, τὸ τοῖς παρ'
αὐτοῦ γεγονόσι τὰ ἐκ τῆς ἰδίας ἡμερότητος διανέμειν ἀγαθά ;

Mss : A DEFG BHI (= b) CJKLM (= c)

108 ὄντων I[mg] : ὅλων b edd. ‖ 114 διέρπει b c edd. : *ἴσως, διέπει* I[mg] C[mg] ‖ 118 οὖν : δ' οὖν I edd. ‖ 120 μὲν I[mg] : om. b ‖ αὐτῷ B[mg]H[mg] C[mg] : θεῷ BH C ‖ 126 ποιεῖσθαι b : ποιεῖσαι C I[sl2] Sal. ποιῆσαι J ποιεῖται Aub. Mi. ‖ 127 ὀλισθηκότα I Sal.

c. Cf. Ph 2, 7.

1. Ces exemples de questions sans solution sur l'univers sont peut-être inspirés des ζητήματα néoplatoniciens auxquels fait écho aussi Grégoire de

sans omettre aucun être. Et avec cela, il était aussi homme. Quant à savoir comment et de quelle manière, si tu ne peux le penser, cède devant ce qui dépasse l'intelligence, gratifie d'un silence nécessaire ce qui dépasse la parole. Tu auras bien d'autres sujets d'ignorance à admettre[1] : sur quoi la terre repose-t-elle ? Quel est le fondement du ciel ? Comment a été constitué le chœur des astres, comment parcourt-il son chemin vers le haut et au sommet ? Si quelqu'un veut traiter chaque point, il lui faudra, je crois, bien des paroles pour aligner devant toi ses explications.

Réponse : la convenance de l'amour de Dieu

Mais ils déclarent que c'est une vile action, pour Dieu qui est au-dessus de tout, de devenir comme nous. Tu lui reproches donc, parce qu'il aime les hommes et qu'il est bon par nature, de s'être soucié plus qu'il ne convenait de nous être profitable. C'est vrai, c'est une chose vile pour Dieu d'être devenu comme nous ; cela s'appelle l'anéantissement [c]. Mais la logique de sa douceur envers nous écartera ce grief. Mettre en accusation ce qu'il aurait fallu admirer, n'est-ce pas parfaitement impie ? Voici ce que tu vas dire au poseur de questions : Dis-moi, qu'est-ce qui était préférable pour Dieu, et plus approprié à sa gloire : n'avoir aucun égard pour notre état, et ne faire aucun cas des absurdités dans lesquelles l'homme était tombé ? Ou bien à l'inverse, le sauver plutôt et le juger digne du soin qui convenait ? Comment les gens sensés douteraient-ils alors qu'il était préférable et plus convenable, pour celui qui est réellement bon par nature, de distribuer les bienfaits de sa propre douceur à ceux qu'il a fait venir à l'être ? Comment peut-on encore l'en

Nysse, *Contre Eunome* II, 72-83 et 106-118 (cf. J. Daniélou dans M. Harl éd., *Écriture et culture philosophique dans la pensée de Grégoire de Nysse*, Leiden 1971, p. 6) ; mais on peut aussi invoquer la seule tradition sapientielle biblique : Si 1, 2-3 ou Jb 38, 4 s. Autres exemples, longuement développés, chez Grégoire de Nazianze, *Discours* 28, 22-31 (*SC* 250).

Πῶς οὖν ἔτι τὸ χρῆμα γραφῇ ; Πῶς δὲ τῆς οἰκονομίας τὸ ἀμωμήτως ἔχειν καταφλυαροῦσί τινες ;

135 Ἀλλ' ἰατροῖς μὲν παραχωρήσομεν τὸ ὅπως ἂν εἰδεῖεν αὐτοὶ τιθασσεύειν δύνασθαι τὰς τῶν παθῶν ἀγριότητας· ἐπιτιμήσομεν δὲ τῷ Θεῷ τῆς εἰς ἡμᾶς φροντίδος οὐκ ἠγνοηκότι τὴν ὁδόν ; Διακεισόμεθα δὲ φληνάφως, λογισμοῦ μὲν τοῦ πρέποντος ἀφαμαρτεῖν αὐτόν, ἐν σκέψεσι δὲ ταῖς 140 πρεπωδεστέραις τὸν ἀνθρώπινον γενέσθαι νοῦν ; Ἆρ' οὖν, εἰπέ μοι, φρενοβλαβείας ταυτὶ καὶ γέλωτος ἀπαλλάξομεν ; Ἄκουε λέγοντος, ἐναργῶς τοῦ πάντα εἰδότος Θεοῦ· « Οὐ γάρ εἰσιν αἱ βουλαί μου ὥσπερ αἱ βουλαὶ ὑμῶν, οὐδὲ ὥσπερ αἱ ὁδοὶ ὑμῶν αἱ ὁδοί μου· ἀλλ' ὡς ἀπέχει ὁ οὐρανὸς ἀπὸ τῆς γῆς, 145 οὕτως ἀπέχουσιν αἱ ὁδοί μου ἀπὸ τῶν ὁδῶν ὑμῶν, καὶ τὰ διανοήματα ὑμῶν ἀπὸ τῶν διανοημάτων μου [d]. » Ὑπερκείσεται γὰρ ὅσον τῇ φύσει τὰ καθ' ἡμᾶς, τοσοῦτόν που πάντως φρονήσει καὶ ἄμεινον, καὶ τὴν ἐφ' ἑκάστῳ τῶν πρακτέων ὁδὸν οὐκ ἐν διασκέψεσι βλέπων· ἀλλ' ἐν πρώταις εὐθὺς 150 ἐννοίαις ἑλών, ἀποπεραίνει τὸ δοκοῦν. « Οὐδὲν γάρ, οὐδὲν ἁμαρτεῖν ἔστι Θεοῦ, καὶ πάντα κατορθοῦν » κατά γε τὸ σοφῶς τοῖς ἀρχαιοτέροις ὑμνούμενον. Ἀλλ' εἴ σοι φίλον καὶ ἐν σπουδῇ καὶ τὴν τῆς ἐνανθρωπήσεως αἰτίαν ἀναμαθεῖν, ὄκνου κρείττονα ποιήσομαι τὴν ἀφήγησιν, καὶ ἐν βραχέσιν 155 ἐρῶ. ‖

744 **δ'.** Ἄφθαρτον καὶ ἀνώλεθρον ἐποίει τὸν ἄνθρωπον ἐν ἀρχαῖς εὐθὺς ὁ πάντων Δημιουργός, οὐκ ἰδίας φύσεως νόμοις ἐρηρεισμένον εἰς τοῦτο, καὶ ἀκλονήτως ἔχοντά ποθεν. Νοσεῖν

Mss : A DEFG BHI (= b) CJKLM (= c)

133 γραφῇ : γραφῆς KLM γραφή Mi. (cf. β' lin. 28) ‖ 141 φρενοβλαβείας I[pc] : φρενοβείας b ‖ ἀπαλλάξομεν B (ω supra scr.) : -ωμεν HI edd. ‖ 142 εἰδότως BH ‖ 144 ὡς *LXX* : ὥσπερ b edd. ‖ 149 οὐκ ἐν I[mg2] : οὐδὲν b edd. ‖ 151-152 κατά γε τὸ σοφῶς B (verba divisa inter duo folia) I[mg] : κατὰ τὸ γεγραμμένον I edd. ‖ 153 ἀναμαθεῖν I[mg2] : καταμαθεῖν b edd.

δ'. 1 ἐποίη C ἐποίησε JKLM ‖ 2 οὐκ ἰδίας : οὐκ ἰδία BH ὁ ἐκ ἰδίας L ὁ ἐξ ἰδίας M *οὐκ ἐξ ἴσ.* L[mg2] M[mg] *γρ. ἐξ* K[mg] L[mg]

d. Is 55, 8-9.

accuser ? Comment certains peuvent-ils se moquer de l'économie parce qu'elle est sans reproche ?

Mais nous laisserons aux médecins le soin de savoir comment ils peuvent adoucir la sauvagerie de leurs passions ; pour nous, allons-nous reprocher à Dieu de ne pas avoir ignoré le chemin par lequel il viendrait prendre soin de nous ? Aurons-nous la sottise de croire qu'il a manqué le bon raisonnement, et que l'intelligence humaine avait des vues plus convenables ? Allons, dis-moi, n'allons-nous pas nous débarrasser de cette démence ridicule ? Écoute donc Dieu qui sait tout, nous dire clairement : « Car mes projets ne sont pas comme vos projets, ni comme vos chemins mes chemins ; mais comme le ciel est éloigné de la terre, ainsi mes chemins sont éloignés de vos chemins, et vos pensées de mes pensées [d]. » Oui vraiment, autant il domine par nature notre condition, autant sa pensée sera absolument meilleure. Il n'a pas besoin d'examiner pour voir la route à suivre en tout ce qu'il a à faire : il choisit immédiatement son dessein, dès ses premières pensées, et l'accomplit. « Car rien, non, rien n'est fautif en Dieu, il réussit toute chose », selon ce qui est chanté sagement par les anciens [1]. Mais s'il te plaît et te tarde d'apprendre aussi la raison de l'Incarnation, je vais vaincre mes hésitations pour l'exposer, et la dire en peu de mots.

Résumé de foi : l'histoire du salut

4. Le créateur de toutes choses faisait dès le commencement l'homme incorruptible et indestructible, affranchi sur ce point des lois de sa propre nature, et par suite établi hors des troubles. Car il est inévitable que

1. Extrait un peu modifié de l'épigramme faite à Athènes pour les morts de Chéronée, transmise par Démosthène dans le *Discours sur la couronne*, § 289 (DÉMOSTHÈNE, *Plaidoyers politiques* IV, *Collection des Universités de France*, Paris 1947, p. 116) : Μηδὲν ἁμαρτεῖν ἐστι θεῶν καὶ πάντα κατορθοῦν / ἐν βιοτῇ.

γὰρ ἀνάγκη τοῖς ὑπὸ γένεσιν τὴν φθοράν, καὶ τὸ ἄρχειν τοῦ
5 πεποιῆσθαι λαχὸν διέρπει που πάντως εἰς τὸ καταλῆξαι δεῖν.
Ἀλλ' ἐπείπερ ὧδε ἔχειν αὐτὸν ὁ Δημιουργὸς ἤθελε, πρὸς τῷ
ἀνωλέθρῳ, καὶ παντὸς εἴδησιν ἀγαθοῦ καὶ μὴν καὶ ἔφεσιν τὴν
εἰς ἀρετὴν ἐνεχάραττε τῷ ζῴῳ. Εἶτα δρᾶν ἐπ' ἐξουσίαις ὅπερ
ἂν ἕλοιτο διδούς, τὴν ἐλευθέροις πρέπουσαν ἐχαρίζετο δόξαν.
10 Ἔδει γάρ, ἔδει προαιρετικὴν ἐν ἡμῖν ὁρᾶσθαι τὴν ἀρετήν.

Εἶτα τοῖς τοῦ διαβόλου φενακισμοῖς ἐξολισθήσας εἰς
ἁμαρτίαν, καὶ τῶν δοθέντων ὀλιγωρήσας νόμων, θανάτῳ
κατεδικάζετο [a], καὶ ταῖς παραβάσεσι συνηρρώστησε τὴν
φθοράν. Ἐπειδὴ δὲ πρὸς τὸ ἐν ἀρχαῖς ἀναπλάττειν τὸ ζῷον
15 ἐδόκει τῷ ποιητῇ, φθορᾶς τε ὁμοῦ καὶ ἁμαρτίας ἀπαλλάττειν
ἤθελε, νόμον ὡρίσατο τὸν διὰ Μωσέως· λελάληκε <δὲ> διὰ
προφητῶν [b] ἁγίων. Ἀλλ' ἦν οὐδὲν ἧττον ἐν πολλαῖς ἄγαν
αἰτίαις τὰ καθ' ἡμᾶς. Τοιγάρτοι καὶ αὐτὸν ἀφικέσθαι λοιπὸν
ἐξ οὐρανοῦ παρεκάλουν, λέγοντες· « Κύριε, κλῖνον οὐρανούς
20 σου, καὶ κατάβηθι [c]. » Πῶς οὖν ἔδει τοῖς ἐπὶ τῆς γῆς
ἐμφανῆ [d] γενέσθαι Θεόν ; Ἆρα γυμνῇ τῇ δόξῃ, καὶ οὐδὲν
ἐχούσῃ τὸ κατασκίασμα ; Καὶ τίς ἂν ὑπέστη τὴν οὕτω
σεπτὴν καὶ δύσοιστον θέαν ; Καίτοι λέγοντος ἀκούω τινὸς
τῶν παρ' Ἕλλησι ποιητῶν καὶ εἰς πολύθεον πλάνησιν
25 ἀπενηνεγμένων·

Χαλεποὶ δὲ θεοὶ φαίνεσθαι ἐναργεῖς.

Mss : A DEFG BHI (= b) CJKLM (= c)

5 πεποιεῖσθαι I Sal. ‖ καταλῆξαι C^{pc2} : -λεῖξαι A DEFG C^{ac} ‖ 8 ἐνεχάραττε M : *ἴσ. ἐνεχάραττε* I^{mg} ἐγχάραττε A DEFG b $CJKL^{mg}$ edd. ἐχαρίσατο L ‖ ἐπ' ἐξουσίας b edd. ‖ 13 συνηρρώστησε : -ηρώ- A DFG ἀνηρώστησε E ἀνιρώστησε (sic) c ἀναρρώσησε C^{mg2} (v. Lampe s.v.) ‖ 15 ἁμαρτίας leg. putamus ex *ἴσως ἁμαρτίας* C^{mg2} *peccato* verss : ἀναμαρτησίας A DFG b JKLM edd. ἀναμαρτισίας E C ‖ 16 <δὲ> leg. putamus ex δὲ καὶ Aub. Mi. : δὲ καὶ om. codd. Sal. ‖ 25 ἀπενενεγμένων I Sal.

4 a. Cf. Gn 2, 17 b. Cf. He 1, 1 c. Ps 143, 5 d. Cf. Ba 3, 38.

1. Cyrille insiste volontiers sur la liberté originelle de l'homme : voir par exemple *De dogmatum solutione* 2 (éd. L.R. Wickham, Cyril of Alexandria, *Select Letters*, Oxford 1983, p. 188, l. 24-26) ; *De Adoratione* I, *PG* 68,

des êtres soumis à la naissance souffrent de corruption : avoir pour sort de commencer à être fait entraîne infailliblement la nécessité de finir. Mais puisque le Créateur voulait qu'il en fût ainsi pour l'homme, en plus de l'indestructibilité, il imprimait aussi dans l'être vivant la connaissance de tout bien et l'élan vers la vertu. Puis, en lui donnant le pouvoir de faire ce qu'il voulait, il le gratifiait de la gloire qui convient à des êtres libres. Car il fallait, oui, il fallait que la vertu apparaisse en nous comme le résultat d'un choix [1].

Ensuite, ayant glissé vers le péché à cause des tromperies du diable, ayant fait peu de cas des lois qui lui avaient été données, il était condamné à mort [a], et à cause de ses transgressions il souffrit lui aussi de la corruption. Comme l'artisan voulait remodeler l'être vivant tel qu'il était au commencement, et qu'il voulait le débarrasser à la fois de la corruption et du péché, il lui définit une loi par Moïse ; il a parlé par les saints prophètes [b]. Mais notre condition n'en restait pas moins en butte à de multiples griefs. C'est pourquoi les hommes l'appelaient lui-même à venir du ciel, en disant : « Seigneur, incline tes cieux et descends [c]. » Comment donc Dieu devait-il se rendre visible aux habitants de la terre [d] ? Avec sa gloire à nu, sans rien pour l'obscurcir ? Mais qui aurait pu soutenir une vue si vénérable et difficile à supporter ? J'entends même l'un des poètes des Grecs, pourtant entraînés dans l'erreur polythéiste, dire : « On peine à supporter l'apparition des dieux [2]. »

145 C-D ; le *Commentaire sur l'évangile de Jean* IX, I, 822 e (sur *Jn* 14, 20), éd. Pusey, t. II, p. 485, l. 22-25, précise que cette liberté est une dimension de l'image de Dieu. On trouvera un développement plus long sur la connaissance du bien et du mal par Adam dans *Contre Julien* III, *PG* 76, 636-644. Cf. aussi *LF* VI, 4, 56 et n. 1 (*SC* 372, p. 352-353).

2. Homère, *Iliade*, XX, 131 (et non V, 72 *PG*). Sur les citations d'Homère chez Cyrille, voir G.J.M. Bartelink, « Homer in den Werken des Kyrillos von Alexandrien », *Wiener Studien* N.F. 17 (96), 1983, p. 62-68 qui donne la bibliographie antérieure.

Ὅτι δὲ τῶν τῆς ἀνθρωπότητος ἐπέκεινα μέτρων ὁρᾶται σαφῶς τὸ τῆς ἀκηράτου φύσεως τὴν δόξαν ἰδεῖν, εἴση κἀντεῦθεν. Καταβέβηκεν ἐν εἴδει πυρὸς ἐπὶ τὸ Σινᾶ
30 καλούμενον ὄρος [e]. Εἶτα προσελάλει τοῖς υἱοῖς Ἰσραήλ, μεσιτεύοντος τοῦ πανσόφου Μωσέως. Ἀλλ' οὐκ ἐνεγκὼν τὴν θέαν ὁ Ἰσραήλ, ἐλιπάρει λέγων· « Λάλει σὺ πρὸς ἡμᾶς, καὶ μὴ λαλείτω πρὸς ἡμᾶς ὁ Θεός, μή ποτε ἀποθάνωμεν [f]. » Καταπεφρικότων δὴ οὖν τῶν ἐξ Ἰσραήλ, καὶ τὴν τοῦ
35 μεσιτεύοντος χρείαν ἀναγκαιοτάτην ἔσεσθαι τοῖς παιδαγωγουμένοις ἀναφανδὸν εἰρηκότων, ἐπήνεγκε τὴν σκέψιν ὁ νομοθέτης, καὶ τύπον ὥσπερ τινὰ τὴν Μωσέως διακονίαν τῆς ἐσομένης διὰ Χριστοῦ τοῖς πάλαι προθεὶς αὐτὸν ἡμῖν ἐναργῶς ἀναδείξειν κατὰ καιροὺς ὑπισχνεῖτο, λέγων· « Ὀρθῶς
40 πάντα ὅσα ἐλάλησαν, προφήτην αὐτοῖς ἀναστήσω ἐκ τῶν ἀδελφῶν αὐτῶν, ὥσπερ σέ· καὶ θήσω τοὺς λόγους μου εἰς τὸ στόμα αὐτοῦ, καὶ λαλήσει αὐτοῖς κατὰ πάντα ὅσα ἂν ἐντείλωμαι αὐτῷ [g]. » Δεσπότην γὰρ ὄντα προφητῶν τὸν Υἱόν, προφήτην ὠνόμαζε τῶν τῆς ἀνθρωπότητος μέτρων
45 εἴσω τιθείς, διὰ τὸ τῆς οἰκονομίας ἀπόρρητον.

Ἵνα τοίνυν γένηται κατὰ Μωσέα, τουτέστιν ἄνθρωπος, καὶ Θεοῦ μεσίτης καὶ τῶν καθ' ἡμᾶς [h], πεφόρηκε τὸ ἀνθρώπινον
745 ‖ σῶμα· καὶ σπέρματος Ἀβραὰμ ἐπελάβετο [i] κατὰ τὰς Γραφάς, ἵν' ὃ ἐπείπερ ἐστὶ κατὰ φύσιν ζωή [j], τὴν τοῖς
50 ἀνθρωπίνοις σώμασιν ἐγκατασκήψασαν ἐξ ἀρᾶς ἐξελάσῃ φθοράν, καὶ μεταστήσῃ σύμπαντα εἰς θεογνωσίαν, εἰς ἐγκράτειαν, εἰς ἀνδρείαν, εἰς ὑπομονήν, καὶ εἰς τὸ δρᾷν ἑλέσθαι καὶ φρονεῖν ἃ ζηλωτοὺς ἀποφαίνει καὶ θείων ἡμᾶς ἐμπίπλησι χαρισμάτων.
55 Ἀλλ' ἠγνόησε τὴν οἰκονομίαν ὁ Ἰσραήλ, καίτοι προ-

Mss : A DEFG BHI (= b) CJKLM (= c)

28 τὸ : τῶν I edd. ‖ 32 ἡμᾶς C^{mg2}M : ὑμᾶς CJKL ‖ 37 διακονίαν $B^{mg}H^{mg}$: νομοθεσίαν BH ‖ 38 προθεὶς b : προσθεὶς D I^{mg2} c ‖ 47 πεφόρεκε A DEFG c ‖ 49 ἐπείπερ : ἐπίπερ E I edd. *puto* ἵν' ὅ ἐπείπερ vel ἵν' ἐπείπερ I^{mg}

e. Cf. Ex 19, 18 — f. Ex 20, 19 — g. Dt 18, 17-18
h. Cf. 1 Tm 2, 5 — i. Cf. He 2, 16 — j. Cf. Jn 1, 4.

Voir la gloire de la nature sans mélange se montre clairement au-delà des limites de l'humanité : tu vas le savoir par ceci. Dieu est descendu sous la forme du feu sur la montagne appelée Sinaï [e]. Il parlait alors aux fils d'Israël, par la médiation de Moïse le très sage. Mais Israël, qui ne supportait pas cette vue, suppliait par ces mots : « Parle-nous, toi, mais que Dieu ne nous parle pas, de peur que nous mourions [f]. » Donc, comme les fils d'Israël frissonnaient de peur et disaient sans détour qu'ils auraient le plus grand besoin d'un médiateur pour être guidés, le législateur a pris cette décision et, présentant aux anciens le ministère de Moïse comme une figure de celui qui allait venir par le Christ, il nous promettait d'apparaître lui-même clairement au temps voulu, en disant : « Tout ce qu'ils ont dit est juste. Je ferai lever pour eux un prophète parmi leurs frères, comme toi ; et je mettrai mes paroles [1] dans sa bouche, et il leur dira tout ce que je leur ordonnerai [g]. » Comme le Fils était le maître des prophètes, il l'appelait prophète pour rester dans les limites de l'humanité, car l'économie est indicible.

Incarnation et refus d'Israël

Donc, afin qu'il devienne comme Moïse, c'est-à-dire homme, médiateur entre Dieu et notre condition [h], il a porté le corps humain ; et « il a pris la semence d'Abraham [i] », conformément aux Écritures, pour que ce qui est vie par nature [j] chasse la corruption qui s'était abattue sur les corps humains à la suite de la malédiction, et emmène tout le monde dans la connaissance de Dieu, la continence, le courage, l'endurance, le choix de faire et de penser tout ce qui nous rend zélés et nous remplit des dons divins.

Mais Israël a ignoré cette économie, bien que les prophètes

1. La variante θήσω τοὺς λόγους au lieu de δώσω τὸ ῥῆμα semble habituelle chez Cyrille (cf. éd. Wevers-Quast, *Septuaginta. Deuteronomium*, Göttingen 1977, p. 226).

φητῶν ἁγίων ἀνακεκραγότων σαφῶς τὸ ἐπ' αὐτῷ μυστήριον. Ὁ μὲν γὰρ ἔφασκεν· « Ἰσχύσατε, χεῖρες ἀνειμέναι, καὶ γόνατα παραλελυμένα· παρακαλέσατε, οἱ ὀλιγόψυχοι τῇ διανοίᾳ· ἰσχύσατε, μὴ φοβεῖσθε [k]. » « Ἰδοὺ ὁ
60 Θεὸς ὑμῶν· ἰδοὺ Κύριος μετ' ἰσχύος ἔρχεται, καὶ ὁ βραχίων μετὰ κυρίας. Ὡς ποιμὴν ποιμανεῖ τὸ ποίμνιον αὐτοῦ, συνάξει ἄρνας [l]. » Ἕτερος δ' αὖ, Ἰεζεχιὴλ δὲ οὗτος πανάριστος προφητῶν· « Τάδε λέγει Κύριος Κύριος· Ἰδοὺ ἐγὼ διακρινῶ ἀνὰ μέσον προβάτου ἰσχυροῦ, καὶ ἀνὰ μέσον προβάτου
65 ἀσθενοῦς. Ἐπὶ ταῖς πλευραῖς καὶ τοῖς ὤμοις ὑμῶν διωθεῖσθε, καὶ τοῖς κέρασιν ὑμῶν ἐκερατίζετε, καὶ πᾶν τὸ ἐκλεῖπον ἐξεθλίβετε· καὶ σώσω τὰ πρόβατά μου, καὶ οὐ μὴ ἔτι ὦσιν εἰς προνομήν· καὶ κρινῶ ἀνὰ μέσον κριοῦ πρὸς κριόν, καὶ ἀναστήσω ἐπ' αὐτοὺς ποιμένα ἕνα, καὶ ποιμανεῖ αὐτούς, τὸν
70 δοῦλόν μου Δαβίδ. Καὶ ἔσται αὐτῷ ποιμήν, καὶ ἐγὼ Κύριος ἔσομαι αὐτοῖς εἰς Θεόν, καὶ Δαβὶδ ἄρχων ἐν μέσῳ αὐτῶν. Ἐγὼ Κύριος ἐλάλησα, καὶ διαθήσομαι τῷ Δαβὶδ διαθήκην εἰρήνης, καὶ ἀφανιῶ θηρία πονηρὰ ἀπὸ τῆς γῆς [m]. »

Ἀκούεις ἄνω τε καὶ κάτω Δαβὶδ ὀνομάζοντος τὸν ἐκ
75 σπέρματος Δαβὶδ κατὰ σάρκα Χριστόν [n], ὡς ἐσόμενον ποιμένα [o]κατὰ καιροὺς τῶν ἐξ Ἰσραήλ ; Ἐννόει γὰρ ὅτι κατ' ἐκεῖνο καιροῦ, καθ' ὃν ὁ προφήτης τὰ τοιάδε φησίν, οὐκ ἦν ἐν ζῶσιν ἔτι Δαβίδ· προαποτεθνήκει γὰρ ἐκ μακρῶν ἔτι καὶ ἄνωθεν χρόνων. Ἀλλ' ὥσπερ ἐστὶν ἔθος τῇ θείᾳ Γραφῇ
80 Ἰακὼβ ὀνομάζειν τοὺς ἐξ Ἰακώβ, καὶ μέντοι καὶ Ἰσραὴλ τοὺς ἐξ Ἰσραήλ, οὕτω καὶ Δαβὶδ τὸν ἐκ σπέρματος Δαβὶδ κατὰ σάρκα Χριστόν.

Mss : A DEFG BHI (= b) CJKLM (= c)

59 φοβεῖσθε + καὶ ἄλλωθι edd. (-οθι Sal.) : om. codd. ‖ 60 ὑμῶν codd. *LXX* (codd. B Sin. A) : ἡμῶν edd. *LXX* (codd. Q Sin[c] et Lucianus Catena) ‖ 61 αὐτοῦ *LXX* : αὑτοῦ I edd. ‖ 62 αὖ I[mg] : οὖν b edd. ‖ 63 κύριος κύριος *LXX* : κύριος ὁ θεός edd. κ. κ. ὁ θ. *LXX*(cod. A) ‖ 70 αὐτῷ codd. edd. *illi* Sal.[v] (om. Sch.) : αὐτῶν *LXX*

k. Is 35, 3-4 l. Is 40, 9-10.11 m. Ez 34, 20-25 n. Cf. Rm 1, 3
o. Cf. Jn 10, 11.

eussent proclamé clairement le mystère qu'il y avait là. En effet, l'un disait : « Soyez forts, mains relâchées, et genoux distendus ; implorez, vous qui avez des pensées timides, soyez forts, ne craignez pas [k] ! » « Voici votre Dieu, voici le Seigneur qui vient avec force, et son bras avec puissance. Comme un pasteur il paîtra son troupeau, il rassemblera ses agneaux [l]. » Et un autre, Ézéchiel, le meilleur des prophètes : « Le Seigneur dit ceci : voici que je vais juger entre le bétail fort et le bétail faible. Sur vos côtés et vos épaules vous écartiez, et de vos cornes vous frappiez, et vous écrasiez tout le reste ; et je sauverai mon bétail, et il ne risque plus de servir de butin ; et je vais juger entre bélier et bélier, et je ferai lever sur eux un seul pasteur, et il les mènera paître, mon serviteur David. Et il sera pour lui un pasteur, et moi le Seigneur je serai leur Dieu, et David sera chef au milieu d'eux. Moi le Seigneur j'ai parlé, et je conclurai avec David une alliance de paix, et je ferai disparaître les méchantes bêtes sauvages de la terre [m]. »

L'entends-tu partout appeler David le Christ qui est de la descendance de David selon la chair [n], lui qui sera aux temps voulus le berger [o] des fils d'Israël ? Songe en effet qu'au temps où parlait le prophète, David n'était plus parmi les vivants : cela faisait bien longtemps, en effet, qu'il était déjà mort. Mais de même que l'Écriture a coutume d'appeler Jacob les descendants de Jacob, ou Israël ceux d'Israël, de même elle appelle David le Christ qui est de la descendance de David selon la chair.

᾿Ηγνοηκότες τοίνυν ἐσταύρωσαν. Ὁ δέ, καίτοι διαδράναι τὸ παθεῖν ἐξόν, οὐ γὰρ ἂν ἐβιάσθη Θεός, ἑαυτὸν προσεκόμιζε
85 ταῖς τῶν φονώντων χερσίν [p], ἵνα καὶ ἐγηγερμένος ἐκ νεκρῶν, πληροφορήσῃ σαφῶς, καὶ πρό γε τῶν ἄλλων τοὺς ἐσταυρωκότας [q], ὅτι ζωὴ κατὰ φύσιν ὑπῆρχεν ὡς Θεός. Καταβέβηκεν ἐν τοῖς καθ' ἡμᾶς ἵνα ἡμᾶς ἀποδείξῃ θανάτου κρείττονας, καὶ νενικηκότας ἤδη τὴν φθοράν.

90 Παθόντος δὴ οὖν ὑπὲρ ἡμῶν τοῦ Χριστοῦ [r], καὶ καταργήσαντος μὲν τὸν θάνατον [s], ἀποστήσαντος δὲ τὴν ἀκλεᾶ καὶ βέβηλον ἁμαρτίαν· ἐγηγερμένου τε καὶ ἀναβεβηκότος εἰς οὐρανοὺς καὶ ὅσον οὐδέπω παρεσομένου· καταβήσεται γὰρ καὶ « κρινεῖ τὴν οἰκουμένην ἐν
95 δικαιοσύνῃ [t] », κατὰ τὸ γεγραμμένον· πάντα ῥύπον τὸν ἐξ ἁμαρτίας ἀποτριψώμεθα, ἀγαπήσωμεν τὴν ἐγκράτειαν,
748 καρποφορήσωμεν ἐν ὑπομονῇ [u] τὴν εἰς ἀλλήλους ἀγά‖πην [v], ἐπιτηδεύσωμεν τὸν εἰς τοὺς δεομένους ἔλεον, τὴν φιλοπτωχίαν. Συναλγήσωμεν τοῖς ἐν δεσμοῖς, τοῖς κακου-
100 χουμένοις, ὡς καὶ αὐτοὶ ὄντες ἐν σώμασι [w]. Καὶ πρό γε τῶν ἄλλων ὀρθὴν καὶ ἀμώμητον ἐν ἑαυτοῖς τὴν πίστιν τηρήσωμεν [x]. Τότε γάρ, τότε νηστεύσομεν καθαρῶς· ἀρχόμενοι τῆς μὲν ἁγίας Τεσσαρακοστῆς ἀπὸ ἑβδόμης καὶ εἰκάδος τοῦ Μεχὶρ μηνός, τῆς δὲ ἑβδομάδος τοῦ
105 σωτηριώδους Πάσχα ἀπὸ δευτέρας τοῦ Φαρμουθὶ μηνός· περιλύοντες μὲν τὰς νηστείας τῇ ἑβδόμῃ τοῦ αὐτοῦ Φαρμουθὶ μηνός, ἑσπέρᾳ βαθείᾳ, κατὰ τὰς ἀποστολικὰς παραδόσεις· ἑορτάζοντες δὲ τῇ ἑξῆς ἐπιφωσκούσῃ Κυριακῇ, τῇ ὀγδόῃ τοῦ αὐτοῦ μηνός, συνάπτοντες ἑξῆς καὶ τὰς ἑπτὰ ἑβδομάδας τῆς

Mss : A DEFG BHI (= b) CJKLM (= c)

84 παθεῖν I[mg] : πάθος BH om. I ‖ προσεκόμισε Mi. ‖ 87 ὡς : ὁ G I edd. ‖ 95 τὸν ἐξ : τὴν ἐξ D τὸν τῆς b edd. ‖ 97 καρποφορήσοντες edd. ‖ ἐν B[ac] (vid.) : τῇ B[pc]HI edd. ‖ εἰς : πρὸς B[ac]H[ac] ‖ 102 νηστεύσομεν M edd. *jejunabimus* verss : -ωμεν A DEFG b CJKL ‖ 103 μὲν : μὴν Mi. ‖ 106 μὲν : δὲ I edd.

p. Cf. Is 50, 6 q. Cf. Ac 2, 36 r. Cf. 1 P 4, 1 s. Cf. 2 Tm 1, 10
t. Ps 9, 9 ou 95, 13 u. Cf. Lc 8, 15 v. Cf. Ep 4, 2 w. Cf. He 13, 3
x. Cf. 2 Tm 4, 7

L'ayant ignoré, ils l'ont crucifié. Et lui, qui pouvait fuir la souffrance, car on ne saurait faire violence à Dieu, s'offrait lui-même aux mains des meurtriers [p], afin que ressuscité des morts il donne la claire certitude, et avant tout à ceux qui l'avaient crucifié [q], qu'il était vie par nature en tant que Dieu. Il est descendu dans notre condition afin de nous rendre plus forts que la mort, et déjà vainqueurs de la corruption.

Exhortation finale et date de Pâques

Donc, puisque le Christ a souffert pour nous [r], qu'il a réduit à néant la mort [s] et déposé le péché sans gloire et impur, puisqu'il est ressuscité et monté aux cieux et qu'il doit bientôt venir, car il descendra et « jugera le monde avec justice [t] », selon ce qui est écrit, eh bien ! effaçons toute souillure qui vient du péché, aimons la continence, portons avec endurance le fruit [u] de l'amour mutuel [v], usons de pitié envers les nécessiteux : c'est l'amour des pauvres. Souffrons avec ceux qui sont dans les liens, ceux qui sont maltraités, comme si nous l'étions nous-mêmes dans notre corps [w]. Et avant toute chose, gardons en nous une foi [x] juste et irréprochable. Alors, oui, alors notre jeûne sera pur ; nous commencerons le saint Carême au vingt-sept du mois de mechir, et la semaine de la Pâque salutaire le deux du mois de pharmouthi ; nous cesserons les jeûnes le sept du même mois de pharmouthi, en fin de soirée, selon les traditions apostoliques ; et nous célébrerons la fête à l'aube du dimanche qui suit, le huit du même mois [1], et nous ajouterons à la

1. Le 3 avril 427.

110 ἁγίας Πεντηκοστῆς. Οὕτω γάρ, οὕτω πάλιν τοῖς θείοις ἐντρυφήσομεν λόγοις, ἐν Χριστῷ Ἰησοῦ τῷ Κυρίῳ ἡμῶν, δι' οὗ καὶ μεθ' οὗ τῷ Πατρὶ σὺν τῷ ἁγίῳ Πνεύματι, δόξα, τιμὴ καὶ κράτος εἰς τοὺς αἰῶνας τῶν αἰώνων. Ἀμήν.

Mss : A DEFG BHI (= b) CJKLM (= c)

Subscriptio : τέλος κυρίλλου ἑορταστικῶν τόμου α^ου J

suite les sept semaines de la sainte Pentecôte. Ainsi, oui, ainsi les paroles divines feront de nouveau nos délices, dans le Christ Jésus notre Seigneur, par qui et avec qui gloire, honneur et puissance soient au Père avec le Saint-Esprit, pour les siècles des siècles. Amen.

SEIZIÈME FESTALE
(428)

Introduction

Après une série de lettres marquées par un souci antiarien, et avant une autre série (surtout la suivante, la *Lettre* XVII) marquée par la lutte antinestorienne, la présente lettre représente une sorte d'accalmie théologique et renoue, pour son contenu, avec les premières lettres. Elle est exclusivement consacrée au thème de la pâque et à l'exégèse spirituelle des textes qui s'y rapportent (ici, *Nombres* 9, 1-3 : le temps de la pâque ; *Exode* 40, commenté avec *Hébreux* 9 : la Tente ; *Exode* 12, 8 et 11 : les rites du repas). On y retrouve la préoccupation morale habituelle (en particulier le refus de la paresse) et un développement sur le symbolisme du printemps. On peut y remarquer également, comme on l'a fait pour des lettres antérieures, des parallèles avec le *De Adoratione* (livre X). Rien, dans les thèmes ou le dossier scripturaire, ne distingue spécialement cette *Lettre Festale* XVI, écrite avant le début de la controverse nestorienne. On notera seulement la présence, discrète mais constante, de l'*Épître aux Hébreux* citée quinze fois.

Plan

Prologue : *captatio benevolentiae.*

Le symbolisme du temps de la pâque

— La pâque, un événement digne d'être fêté **1**, 1-57
— l'Écriture donne des précisions sur le moment 58-74
— Le temps du printemps **2**, 1-19
— la prosopopée, un usage scripturaire 20-40
— explication du symbolisme du printemps
• Satan et le Christ **3**, 1-12
• notre retour à la vie 13-43
— Sens de la « deuxième année »
• s'entraîner au combat 44 — **4**, 10
• pédagogie de la Loi 11-25

Symbolisme de la Tente

— La Tente et l'Église 26-64
— premier accès et Saint des saints 65-111

Symbolisme des rites

— En hâte : refus de la paresse **5**, 1-54
— Azymes et herbes amères 55 — **6**, 15

Histoire du salut

— Misère des hommes dans le péché 16-36
— premiers remèdes divins 37-57
— Incarnation 58-72
— Refus des juifs, Passion et résurrection 73-85

Exhortation finale et date de Pâques 86-105

Πρόλογος.

(748) Ἡμᾶς ἐνθάδε συνήγαγεν ὁ καιρός. Ἥκομεν δὲ εἰς μέσον, οὐ
τὸ ἐν λόγοις πλατὺ καὶ φιλότιμον ὑπισχνούμενοι, μέτριοι ἐν
τούτῳ λίαν ἡμεῖς· ἀλλ' ἔθει πατρῴῳ καὶ ἀναγκαίως
ἐξευρημένῳ κατακολουθεῖν ἐγνωκότες. Δεῖ τοίνυν ὑμᾶς
5 συγγνώμονας εἶναι, κἂν εἰ μὴ φαίνοιτο τοῖς ἔξωθεν κόμποις
κατηγλαϊσμένος ὁ λόγος, καὶ τοῖς εἰς ῥητορικὴν αὐχήμασιν
ἐναβρύνεσθαι μεμελετηκώς. Τὸ γὰρ ἐν τούτοις εὐδοκιμεῖν
περιθείην ἂν εἰκότως, ἥκιστα μὲν ἐμαυτῷ, φαίην δ' ἂν ὅτι
πρέποι ἂν μᾶλλον τοῖς ἀγαθοῖς τουτοισὶ καὶ σοφοῖς διδασ-
10 κάλοις.

ΕΟΡΤΑΣΤΙΚΗ Ις´

α´. Ὁ μὲν νόμος τοῖς ἀρχαιοτέροις ἐδίδου τὸ σύνθημα τοῦ
χρῆναι πληροῦν τὰς ἐν τύποις ἔτι καὶ ὡς ἐν σκιαῖς ἑορτάς.
Ὅτι δὴ ἦν ἀναγκαῖον τῆς καθηκούσης αὐτὰς φροντίδος
ἀξιοῦν, καὶ τὸ ῥᾴθυμον ἐν τούτοις οὐκ ἀπλημμελές, ἀλλ' ἐν
5 αἰτίᾳ καὶ δίκῃ, διεσάφει λέγων ὁ τῶν ὅλων Θεὸς διὰ φωνῆς

Mss : A DEFG BHI (= b) CKLM (= c)
Edd. et Verss : Sal. Aub. Mi. (= edd.) Sal.^{v} Sch. (= verss latt.)

λόγος ις' edd. : om. codd. || πρόλογος + κυρίλλου ἑορταστικὴ δεκάτη ἕκτη KLM || 2 φιλότιμον : ἰσότιμον I edd. || 5 κἂν εἰ : εἰ om. BH || 8 περιθείην M^{mg} : περιθρίην C^{ac} περιθρείην KLM || 9 πρέποι leg. putamus : πρέποιεν A DEFG c πρέπειεν b edd.

Inscriptio ἑορταστικὴ I ς (+ κυρίλλου K) : ἑορταστικὴ δεκάτη ἕκτη b (+ ὁμιλία I) om. L edd.

α´. 3 ὅτι δὴ Sal. : ὅτι δὲ Aub. Mi. καί τι δὴ F || 4-5 ἐν αἰτίᾳ I^{mg} : ἐναντίᾳ b edd.

Prologue [1]

Le temps venu nous a rassemblés ici. Nous intervenons sans promettre un discours développé et ambitieux, car en cette matière, nous sommes bien limités. Mais nous avons décidé de suivre une coutume ancestrale, que la nécessité a fait trouver. Il faut donc nous pardonner si notre discours ne paraît pas tout brillant des emphases profanes, et soucieux de s'enjoliver grâce aux vanités de la rhétorique. Car je ne saurais du tout me parer de renom en ces matières, et je dirais plutôt que cela conviendrait mieux à ces professeurs compétents et savants.

SEIZIÈME FESTALE

Importance de la fête

1. La Loi donnait pour consigne aux anciens d'accomplir les fêtes qui étaient encore en figures et comme en ombres. Il était indispensable de leur accorder le soin qui convenait, et la négligence en cette matière était une faute passible d'accusation et de punition ; on l'apprenait clairement en entendant le Dieu de l'univers dire par la voix de Zacharie :

1. C'est la première fois que les manuscrits distinguent un paragraphe intitulé « prologue ». Cela reviendra par la suite, soit avec le mot πρόλογος comme ici (en *LF* XIX et XXII), soit avec le mot προθεωρία (en *LF* XVII, XVIII, XXIII, XXVIII, XXIX). Cette pratique vient-elle de Cyrille lui-même ? En tout cas, le style de ces prologues est bien le sien, et certains thèmes se retrouvent ailleurs, par exemple en *LF* I, 2, II, 1 et VII, 1.

Ζαχαρίου· « Καὶ ἔσται, ὃς ἂν μὴ ἀναβῇ τοῦ ἑορτάσαι τὴν ἑορτὴν τῆς Σκηνοπηγίας, ἐξολοθρευθήσεται ἡ ψυχὴ ἐκείνη ἐκ τοῦ λαοῦ αὐτῆς [a]. » Τοῖς γὰρ οὕτω σεπτοῖς καὶ εὖ μάλα ὀρθῶς διωρισμένοις ἐπιγάννυσθαι δέον, παρ' οὐδὲν ἀνθ' ὅτου
10 ποιοῖτ' ἄν τις τὴν ἐπιτήρησιν. Τά τε τῶν πραγμάτων ἐξαίρετα καὶ οὐκ ἀγεννῆ λαχόντα τὴν δόξαν, εἴπερ ἕλοιτό τις περιυβρίζειν ἀποτολμᾷν, ὄκνῳ τε καὶ μελισμοῖς τὸ κρατεῖν ἀπονέμων, ὁσίαν ἂν ἔχοι τὴν κατάρρησιν καὶ οὐκ ἔξω τοῦ εἰκότος τὰ ἐγκλήματα. Οὐκοῦν εὐστιβῆ μὲν ὥσπερ
15 διατάττοντες τρίβον, διακηρύξομεν μὲν ἡμεῖς μεμνημένοι τοῦ λέγοντος· « Ἱερεῖς, ἀκούσατε, καὶ ἐπιμαρτύρασθε τῷ οἴκῳ Ἰσραήλ, λέγει Κύριος παντοκράτωρ [b]. » Πρέποι δ' ἂν καὶ ἡμᾶς αὐτούς, προθυμίαις μὲν ταῖς ἀνωτάτω χρωμένους, διαρριπτοῦντας δέ που τὸ ἐξήνιον καὶ τῇ τῶν αἰσχίστων
749 20 μοίρᾳ προσνέμοντας ἀπο‖περαίνειν ἐπείγεσθαι τὰ νενομισμένα.

Πάλαι μὲν γὰρ ὁ τῶν ὅλων Θεὸς τῷ θεσπεσίῳ Μωϋσῇ τὸν τῆς ἁγίας ἡμῶν ἑορτῆς κατασημαίνων καιρόν, καὶ ὅπως ἂν γένοιτο πρὸς ἡμῶν ἱεροπρεπῶς τε καὶ ἀμωμήτως, καὶ ὡς
25 ἐν τύπῳ καταδεικνύς, προσεφώνει λέγων· « Εἶπον· Καὶ ποιείτωσαν οἱ υἱοὶ Ἰσραὴλ τὸ Πάσχα καθ' ὥραν αὐτοῦ, τῇ τεσσαρεσκαιδεκάτῃ ἡμέρᾳ τοῦ μηνὸς τοῦ πρώτου πρὸς ἑσπέραν· ποιήσεις αὐτὸ κατὰ καιροὺς κατὰ τὸν νόμον αὐτοῦ, καὶ κατὰ τὴν σύγκρισιν αὐτοῦ ποιήσεις αὐτό [c]. » Ἡμᾶς δὲ
30 ἀνάγκη τοὺς ταῖς ἱεραῖς λειτουργίαις ὑπεζευγμένους λαμπρῷ καὶ διαπρυσίῳ κεχρῆσθαι κηρύγματι, καὶ τοῖς ἐν Χριστῷ δεδικαιωμένοις ἐπιφωνεῖν· « Δεῦτε, καὶ ἀναβῶμεν εἰς τὸ ὄρος τοῦ Κυρίου καὶ εἰς τὸν οἶκον τοῦ Θεοῦ Ἰακώβ [d]. » Ἐκεῖ τὴν

Mss : A DEFG BHI (= b) CKLM (= c)

7 σκηνοπηγίας : σκινο- BI Sal. σκηνοποιίας E *puto σκηνοπηγίας* I^{mg} $Sal.^{mg}$ ‖ 9 ἀνθ' ὅτου leg. putamus : ἀνθότου codd. edd. ‖ 10 ποιεῖτ' EF CKL ‖ πραγμάτων + τὰ b (oblitt. I) ‖ 13 ὁσίαν : *ἴσ. ὅσην* I^{mg} C^{mg} ‖ 16 ἱερεῖς C^{mg2} : ἱεροῖς E CK^{ac} ‖ 18 ἡμᾶς *nos* verss : ὑμᾶς A DEFG c ‖ 19 τῇ om. BH ‖ 22 Μωσῇ I edd. ‖ 25 εἶπον *LXX* : εἴ πω I edd.

1 a. Za 14, 18 + Lv 17, 4 b. Am 3, 12-13 c. Nb 9, 2-3 d. Is 2, 3.

« Viendra un temps où celui qui ne monte pas célébrer la fête des Tentes, cette vie-là sera supprimée de son peuple [a]. » En effet, alors qu'il faut être dans la joie pour des fêtes aussi vénérables, prescrites à fort juste titre, pourquoi [1] ferait-on peu de cas de leur observance ? Quand il s'agit d'événements singuliers, jouissant d'une noble renommée, celui qui voudrait avoir l'audace de les mépriser, attribuant une victoire à l'hésitation et aux divisions, serait saintement dénoncé, et accusé non sans fondement. Prescrivant donc, pour ainsi dire, un chemin bien tracé, nous ferons nous-mêmes la proclamation, en nous souvenant de celui qui disait : « Prêtres, écoutez, et témoignez auprès de la maison d'Israël, dit le Seigneur tout puissant [b]. » Il conviendrait donc que nous aussi, nous nous appuyions sur les élans les plus élevés et chassions l'immodération en la mettant au dernier degré de la honte, pour nous hâter d'accomplir les prescriptions de la Loi.

Car voici longtemps, le Dieu de l'univers indiquait à Moïse l'inspiré le temps de notre sainte fête et la manière dont nous pourrions la célébrer saintement et sans reproche ; il le montrait comme en figure par les paroles qu'il lui adressait : « J'ai dit : Que les fils d'Israël fassent la Pâque à son heure, le quatorzième jour du premier mois au soir ; tu la feras au temps voulu selon sa loi, et selon son jugement tu la feras [c]. » Et nous qui sommes soumis aux saintes liturgies, il nous faut en faire une proclamation éclatante et perçante, en criant à ceux qui ont été justifiés dans le Christ : « Venez, montons à la montagne du Seigneur, à la maison du Dieu de Jacob [d]. » Là,

1. L'emploi de ἀνθ' ὅτου dans le sens de pourquoi est tardif. Liddell-Scott (*s.v.* ὅστις, sens III-2, p. 1263) donne une référence à JULIEN, *Ep.* 82, p. 109. Voir déjà *supra*, *LF* XIII, 4, 82-83.

πάναγνον ἀποπερανοῦμεν ἑορτήν, καὶ τῆς ἀνωτάτω
35 θυμηδίας ἀναπιμπλάμενοι τὸν τῶν ὅλων Σωτῆρα δοξολογήσομεν, ἐκεῖνο λέγοντες τὸ προφητικόν· « Ἀγαλλιάσθω ἡ ψυχή μου ἐπὶ τῷ Κυρίῳ. Ἐνέδυσε γάρ με ἱμάτιον σωτηρίου καὶ χιτῶνα εὐφροσύνης [e]. »

Εἴη δ' ἄν, ὥς γέ μοι φαίνεται, τῶν ἄγαν αἰσχρῶν, τοὺς μὲν
40 ἐμπόρους ἀθλίων ἡττᾶσθαι κερδῶν καὶ τοῦτο ἡγεῖσθαι τρυφήν· καὶ φροντίδος ἀξιοῦν τῆς προυργιαιτάτης, καί τοι διὰ πλείστων ὅσων ἰόντας χρόνων, καὶ οὐκ ἀνιδρωτὶ συλλέγοντας· ἐπαγάλλεσθαι δὲ ταῖς ἀρούραις γηπόνους, εἰ καρποῖς ὡραίοις ὁρῶνται διαβριθεῖς· ἡμᾶς δὲ τῶν ἐπιγείων
45 τὰ πολὺ λίαν ἐπέκεινα, μᾶλλον δὲ καὶ ἀσυγκρίτως ἀμείνω κερδαίνοντας, μὴ οὐχὶ τὸ χρῆμα ποιεῖσθαι λοιπὸν τοῦ παντὸς ἄξιον λόγου καὶ τῆς εἰς λῆξιν ἡκούσης θυμηδίας πρόξενον. Καίτοι τὰ μὲν τῶν ἐμπόρων, κἂν εἰ πράττοιτο κατ' εὐχὴν τοῖς πεπονηκόσιν, οὐδὲν ἂν ἔχοι τὸ θαῦμα παρά γε τοῖς
50 ἄριστα βιοῦν ᾑρημένοις· γηπόνοις δ' αὖ πεπραχόσι δεξιῶς, περιέσται δή που τρυφᾶν καὶ τοῦτο μετρίως, οὐκ ἐφ' οἷς ἂν ὀνίναιτό τις, εἴς γε τὸ ἀκηράτως ἔχειν, ἤγουν εἰς τὸ δύνασθαι λοιπὸν τὸ θανάτου καὶ φθορᾶς ὑπερφέρεσθαι κράτος, ἀλλ' ἐφ' οἷς ἂν ἔχοι τὰ ζωαρκῆ καὶ τὴν πρὸς καιρὸν τοῦ σώματος
55 θεραπεύειν χρείαν. Νοῦ δὲ δὴ πέρα παντὸς τὰ τοῖς ἁγίοις ηὐτρεπισμένα· « Ἡ γὰρ ἐλπὶς αὐτῶν, ἀθανασίας πλήρης [f] », κατὰ τὸ γεγραμμένον.

Τίς μὲν οὖν ὁ καιρός, καθ' ὃν ἂν προσήκοι πληροῦσθαι τὸ Πάσχα καὶ ὅπως ἂν γένοιτο, πρὸς ἡμῶν εἴρηται σαφῶς.
60 Ἡμέρᾳ γὰρ τῇ τεσσαρεσκαιδεκάτῃ τοῦ μηνὸς τοῦ πρώτου πρὸς ἑσπέραν, κατὰ τὸν καιρόν, καὶ κατὰ τὸν νόμον αὐτοῦ

Mss : A DEFG BHI (= b) CKLM (= c)

37 ἐπὶ τῷ Κυρίῳ *LXX* : τῷ Κυρίῳ I edd. ἐπὶ τῷ Χριστῷ I[mg] ‖ 38 καὶ + οὐ A(scriba oblitterare frustra temptavit) D ‖ 44 ὁρῶντες I edd. ‖ διαβριθοῖς Sal. Aub. ‖ 50 δ' ἂν G edd. ‖ πεπραχόσι : -ώσι C[ac] πετραχόσι K[ac] ‖ 51 τοῦτο leg. putamus ex *ἴσ. τοῦτο* b[mg] : τοῦ A DEFG BH c που[2] I edd. ‖ 55 πέραν I edd.

e. Is 61, 10 f. Sg 3, 4.

nous accomplirons la fête très pure, et remplis de la joie d'en haut nous glorifierons le Sauveur de l'univers, disant cette parole prophétique : « Que mon âme soit dans l'allégresse à cause du Seigneur ! Car il m'a revêtue du vêtement de salut et de la tunique de joie [e]. »

Mais voici, je crois, ce qui serait un grand sujet de honte : que les commerçants cèdent à l'attrait de vils gains et y prennent du plaisir ; qu'ils leur accordent le soin le plus profitable en y passant le plus clair de leur temps, et les rassemblent non sans efforts ; que les agriculteurs, de leur côté, s'enorgueillissent de leurs champs quand ils les voient lourds de beaux fruits ; et que nous en revanche, dont les gains dépassent de beaucoup ceux de la terre, ou plutôt leur sont incomparablement supérieurs, nous ne les trouvions pas dignes de tout notre discours et source d'une joie arrivée à son comble ! De fait, les affaires des commerçants, si elles se passent selon les vœux de ceux qui peinent, ne sauraient exciter l'admiration de ceux qui ont choisi la meilleure vie ; et quand les agriculteurs réussissent avec adresse, il leur appartiendra de jouir avec mesure, non pas de ce qui leur servirait à rester hors du malheur, c'est-à-dire à pouvoir désormais surmonter la force de la mort et de la corruption, mais de ce qui leur donne le nécessaire pour vivre et subvenir en temps utile aux besoins du corps. Tandis que ce qui a été préparé pour les saints dépasse toute intelligence. « Car leur espérance est pleine d'immortalité [f] », selon ce qui est écrit.

Quel est donc le temps où il convient d'accomplir la Pâque, et comment cela se fait, nous l'avons dit clairement. En effet, il a ordonné de le faire selon sa loi le quatorzième

ποιεῖσθαι προστέταχεν [g]. Χρῆναι δὲ ὑπολαμβάνω τῶν τεθεσπισμένων ἕκαστα φυλοκρινοῦντας εὐτέχνως, καὶ τὴν ἀρίστην αὐτοῖς ἐπιρριπτοῦντας βάσανον πολυπραγμονεῖν
65 ἐπείγεσθαι τὰς αἰτίας, τοῦ καὶ ἐν ἦρι γενέσθαι δεῖν καὶ ἐν μηνὶ τῷ πρώτῳ τὸν νομοθέτην εἰπεῖν. Εἴη δ' ἂν οὐκ ἀσυντελὲς εἰς ὄνησιν τὸ ἔν γε τούτοις ἰσχνοεπεῖν. Καὶ τοῦτο, οἶμαι, ἐστὶν ὅπερ ἔφη Θεὸς διὰ προφήτου φωνῆς· « Ζητῶν ζήτει, καὶ παρ' ἐμοὶ οἴκει [h]. » Ὅτι μὲν γὰρ ταῖς καθηκούσαις
752 70 ἐρεύναις κατιχνοῦν, ὡς ἔνι, τὰ γεγραμμένα πειρᾶ‖σθαι προσήκει, τὸ ἱερὸν ἡμῖν ὑποσημῆναν Γράμμα, ἥκιστά γε μὴν τῆς τῶν ἐννοιῶν ὀρθότητος ἀπονοσφίζεσθαι φιλεῖν, παρεγγυᾷ, λέγον τὸ « Οἴκει παρ' ἐμοί. » Ὀρθότης γὰρ πᾶσα μετὰ Θεοῦ, παρ' αὐτῷ τε καὶ ἐξ αὐτοῦ.

β'. Οὐκοῦν ἠρινὸς μὲν τῷ Πάσχα καιρὸς πρέποι ἂν μάλιστα τῶν ἄλλων ἁπάντων, τῶν διὰ Χριστοῦ κατορθωμάτων τὴν δύναμιν καθάπερ πίνακι γράφων τοῖς ἐν αὐτῷ συμβαίνουσιν. Ἀνίσχει μὲν γὰρ καθαραῖς καὶ ἡμερωτάταις
5 ἡλίου βολαῖς περιθάλπων τὴν γῆν, καὶ ταῖς τοῦ χειμῶνος ἐμβολαῖς μονονουχὶ καὶ ἐπιφωνῶν· Δότε δή, δότε λοιπὸν ὄρεσί τε καὶ νάπαις τοῖς εὐπρέμνοις κατακαλλύνεσθαι δρυμοῖς, καὶ τοῖς τῶν πεδίων ἐψιλωμένοις ἁπαλῇ καὶ ἀρτιφανεῖ περιανθίζεσθαι πόᾳ. Καὶ ἐναβρυνέσθω μὴν ἤδη
10 λειμῶσι τὸ κρίνον, γελάτω δὲ καὶ ἐν κήποις τὰ εὐοσμότατα τῶν ἀνθέων, ἀπαιρέτω καὶ αὐτὴ τῶν σίμβλων ἡ μέλιττα καὶ

Mss : A DEFG BHI (= b) CKLM (= c)

63 φιλοκρινοῦντας b FG c edd. *examinantes* Sal.[v] *dividicantes* (vid.) Sch. ‖ ἐντέχνως edd. ‖ 71 ὑποσημῆναν correximus : -αι codd. edd. ‖ 72 φιλεῖν I[pc] : φιλεῖ b ‖ 73 λέγων DE b edd.
β'. 7 κατακαλλύνεσθαι : -καλύν- A DEF BI[ac] CKL ‖ 8 ἐψηλομένοις Sal. Aub. ‖ 9 ἀναβρυνέσθω KLM ‖ μὴν : μὲν DG b edd.

g. Cf. Nb 9, 3 h. Is 21, 12.

1. Nous proposons la correction ὑποσημῆναν pour ὑποσημῆναι, car l'infinitif ne permet pas de construire correctement la phrase. L'idée semble être que l'Écriture invite à chercher (son sens caché), mais pas de n'importe

jour du premier mois au soir, au temps voulu [g]. Je pense qu'il faut classer habilement chacune des prescriptions, et les soumettre au meilleur examen, en mettant toute sa hâte à rechercher pourquoi le législateur a dit qu'il fallait que ce soit au printemps, et au premier mois. Je pense qu'il ne serait pas sans profit de dire les subtilités qu'il y a là. C'est, je crois, précisément ce que Dieu a dit par la voix du prophète : « Cherche en cherchant, et habite auprès de moi [h]. » Car il convient d'essayer d'interroger autant qu'il est possible ce qui est écrit en posant les bonnes questions : la sainte Écriture nous l'a indiqué [1] ; elle nous enjoint en tout cas de ne pas nous écarter volontiers de la justesse des pensées, en disant : « Habite auprès de moi. » Car toute justesse est avec Dieu, auprès de lui et issue de lui.

La pâque et le printemps

2. C'est donc le temps du printemps [2] qui peut convenir mieux que tous les autres à la Pâque, car il dessine comme sur un tableau, par les événements qui s'y produisent, le sens des hauts faits du Christ. Il se lève en effet en réchauffant la terre des rayons purs et très doux du soleil ; et c'est comme s'il disait aux assauts de l'hiver : Laissez, laissez désormais monts et vallons s'embellir de forêts aux beaux troncs, et les plaines dénudées fleurir de gazon tendre et neuf. Que le lis à présent donne grâce aux prairies, que les plus parfumées des fleurs s'épanouissent dans les jardins, que l'abeille elle-même s'éloigne des ruches et bourdonne dans

quelle façon : en restant près de Dieu, c'est-à-dire sans jamais s'écarter de l'orthodoxie.

2. Nous retrouvons ici un développement poétique sur le printemps qui est un de ces morceaux de bravoure que Cyrille affectionne dans les *Festales*. Renvoyons le lecteur, pour des parallèles, à *LF* II, 3, 1-15 (cf. *SC* 372, p. 196-197, n. 4), *LF* IX, 2, 18-37, et *LF* XIII, 2, 11-28 (cf. *supra*, p. 90-91, n. 1). Signalons aussi une homélie qui offre plus d'un parallèle avec ce passage : AMPHILOQUE D'ICONIUM (ou Pseudo-Chrysostome ?), *Oratio VII de recens baptizatis*, éd. C. Datema, *CCG* 3, Turnhout 1978, p. 155-162 (trad. fr. par F. Vinel dans *Connaissance des Pères de l'Église* n° 63, sept. 96, p. 23-25).

περιβομβείτω τοὺς ἀγρούς, οὐ ῥαγδαίων αὐτῇ παρενοχλούντων πνευμάτων, οὐχ ὑετοῦ καταστάζοντος καὶ παραιρουμένου τὴν πτῆσιν. Ἰσχνὸν γὰρ αὐταῖς καὶ καμάτων
15 ἄηθες τὸ πτερόν. Ἀνείσθωσαν δὲ ἤδη σηκῶν μὲν ἀγέλαι, καὶ δὴ καὶ μητέρας ἀμνοὶ τρυφεροῖς καὶ ἀρτιπαγέσι περισκαίροντες ποσί, τῆς πολυειδοῦς κατορχείσθωσαν πόας. Δρεπάνην δὲ ταῖς ἀμπέλοις ἐπιθηγέτω λοιπὸν ὁ ταῦτα τεχνίτης.
20 Εἰ δὲ καὶ αὐτοῖς ὁ λόγος τοῖς καιροῖς τὴν καθ' ἡμᾶς οἱονεί πως ἀπονέμει φωνήν, ἐπιτιμάτω μηδείς. Πεπαιδεύμεθα γὰρ ἐξ ἱερῶν καὶ τοῦτο Γραμμάτων. Καὶ γοῦν ὁ μὲν θεσπέσιος Ψαλμῳδός· « Οἱ οὐρανοί, φησί, διηγοῦνται δόξαν Θεοῦ, ποίησιν δὲ χειρῶν αὐτοῦ ἀναγγελεῖ τὸ στερέωμα. Ἡμέρα τῇ
25 ἡμέρᾳ ἐρεύγεται ῥῆμα, καὶ νὺξ νυκτὶ ἀναγγελεῖ γνῶσιν [a]. » Συγκεχώρηκε δέ που καὶ ὁ προφήτης Ἡσαΐας καὶ αὐταῖς θαλάσσαις ἀριστοεπεῖν καὶ ἀτρεχῆ τινα λόγον μονονουχὶ καὶ ἐρεύγεσθαι δοκεῖν. Ἔφη γὰρ οὕτω· « Αἰσχύνθητι, Σιδών, εἶπεν ἡ θάλασσα· ἡ δὲ ἰσχὺς τῆς θαλάσσης εἶπεν· Οὐκ ὤδινον
30 οὐδὲ ἔτεκον, οὐδὲ ὕψωσα νεανίσκους οὐδὲ ἔθρεψα παρθένους [b]. » Καὶ οὐ δή πού φαμεν καιροῖς καὶ θαλάσσῃ μετεῖναι λόγου. Λῆρος γὰρ ἤδη τὸ χρῆμα καὶ ἕτερον οὐδέν. Τὸ δὲ εὔχαρί τε καὶ ἀναγκαῖον εἰς ὄνησιν τοῖς ἀκροωμένοις φιλοθηρεῖν σπουδάζοντες, τῇ τοῦ λόγου στεφανοῦμεν χρείᾳ
35 καὶ ὅσα λόγου κατὰ φύσιν ἐστέρηται. Φέρε δὴ οὖν κατ' εὐθὺ τοῦ πρέποντος, τὴν τῶν νοημάτων ἀποκομίζοντες δύναμιν, τοῖς ἐξ ἦρος ἀγαθοῖς συμβαίνοντα τὰ διὰ τῆς τοῦ Σωτῆρος ἡμῶν ἐπιδημίας δεικνύωμεν κατορθώματα. Μονονουχὶ δὲ τοῖς ἐν αἰσθήσει γραφόμενον τὸ τῆς θείας χάριτος
40 καταθρήσωμεν κάλλος.

Mss : A DEFG BHI (= b) CKLM (= c)

13 πνευμάτων I^{mg} : om. I edd. ‖ 16-17 περισκέροντες CKL *ἴσ. ἐπισκαίροντες* C^{mg2} ‖ 18 δρεπάνη b edd. ‖ ταῖς I^{mg} : τοῖς I edd. ‖ 24 ἀναγγέλλει *LXX* edd. ‖ 25 νὺξ νυκτὶ *LXX* : νὺξ + τῇ BH c ‖ ἀναγγέλλει *LXX* edd. ‖ 32 λόγου : λόγον DG I^{ac} edd. ‖ 34 φηλοθηρεῖν b Sal.

2 a. Ps 18, 2-3 b. Is 23, 4.

les champs, sans être tourmentée par des vents ravageurs, sans que la pluie s'abatte et détourne son vol. Car leurs ailes ténues ne savent pas peiner. Qu'on laisse maintenant sortir les troupeaux des étables, et qu'enfin les agneaux, trépignant autour de leurs mères sur leurs pattes délicates et tout juste poussées, ornent de leur danse la pelouse multicolore. Que l'homme de l'art aiguise désormais sa serpe pour les vignes.

Et si notre discours prête à ces temps-là une voix comme la nôtre, que personne ne nous le reproche : cela aussi, nous l'avons appris des Écritures sacrées. Voici le Psalmiste inspiré qui dit : « Les cieux racontent la gloire de Dieu, le firmament annonce l'œuvre de ses mains. Le jour au jour rugit la parole, et la nuit à la nuit annoncera la connaissance [a]. » Le prophète Isaïe a concédé lui aussi que les mers savaient très bien parler et semblaient rugir pour ainsi dire un véritable discours. Car il a dit ceci : « Rougis, Sidon, a dit la mer ; et la puissance de la mer a dit : Je n'enfantais pas et je n'ai pas engendré, je n'ai pas élevé des jeunes gens ni nourri des jeunes filles [b]. » Nous ne disons évidemment pas que les temps ou la mer ont la parole : ce serait une sottise, et rien d'autre. Mais dans notre ardeur à pourchasser l'agréable et le nécessaire pour le profit des auditeurs [1], nous couronnons de l'usage de la parole même ce qui en est par nature démuni. Et bien donc, juste comme il convient, apportons le sens de ces pensées et montrons, par les bienfaits qui nous viennent du printemps, tous les hauts faits qui se produisent par la venue de notre Sauveur. Observons, presque dessinée dans le sensible, la beauté de la grâce divine.

1. Cette remarque vient quelque peu nuancer la déclaration d'austérité, voire d'incompétence rhétorique faite dans le prologue.

γ´. Ἀχλύϊ μὲν γὰρ καὶ σκότῳ τὰ πάντα κατείληπτο· καὶ ὥσπερ τινὰ χειμῶνος κατήφειαν ἁπάσης, ὡς ἔπος εἰπεῖν, κατεσκέδασε τῆς ὑπ' οὐρανὸν ὁ πολυκέφαλος δράκων, τουτέστιν ὁ Σατανᾶς· καὶ ἀποψύχων εἰς νέκρωσιν τὸν
5 ἑκάστου νοῦν, ἀνοσίων ἐπιτηδευμάτων ἐθελουργοὺς ἀπετέλει
753 τοὺς ἐπὶ τῆς γῆς. Ἀλλ' ‖ οἴχεται μὲν ὁ χειμών [a], καὶ ὁ πάλαι βαθύς τε καὶ ἀμειδὴς ἀπελήλαται σκότος. Αὐγαὶ δὲ ἡμῖν ἀνίσχουσι καθαραί, καὶ ὁ τῆς δικαιοσύνης ἥλιος [b], τουτέστι Χριστός, νοηταῖς ἀκτίνων βολαῖς περιαστράπτει τὰ
10 σύμπαντα, ὀνίνησί τε καὶ ἑτέρως· καταψύχεσθαι μὲν οὐκ ἔτι πρὸς ἁμαρτίαν ἐφιείς, ζέοντας δὲ μᾶλλον ἀποτελῶν τῷ πνεύματι [c], καθὰ καὶ αὐτός φησι Παῦλος ὁ θεσπέσιος.

Καὶ γοῦν οἱ πρέμνοις ἐν ἴσῳ τοῖς ἀκαρπίαν ἠρρωστηκόσι καὶ αὐτῆς που τῆς ἄνθης ἐστερημένοις, ἀνεθάλομεν εἰς ζωήν.
15 Εὔβοτα δὲ ὥσπερ καὶ χλόῃ ποικίλῃ κατεστεμμένα πεδία, πεπλουτήκαμεν τὰ εὐαγγελικὰ κηρύγματα τῶν ἁγίων ἀποστόλων, τὰς συγγραφὰς τὰς ἐν σκιαῖς καὶ τύποις [d] τῆς ἀληθείας εἰκόνας, φημὶ δὲ δὴ τὰ Μωσέως, τὰς τῶν ἁγίων προφητῶν προαναφωνήσεις ἐπὶ Χριστῷ· δι' ὧν εἰς τὴν τοῦ
20 μυστηρίου κατάληψιν εὖ μάλα παιδαγωγούμεθα. Ταύτην ἡμῖν τὴν εὐφυᾶ τε καὶ εὔβοτον γῆν ἡ νοητὴ καὶ φιλεργεστάτη περιϊπτάσθω μέλιττα, τουτέστι σοφὴ καὶ φιλοπονωτάτη ψυχὴ ἐρανιζέσθω τρόπον τινὰ τὸ τελοῦν εἰς χρείαν αὐτῇ, τὴν ἐπί γε τῷ δύνασθαί φημι, καθάπερ γλυκὺ κηρίον τὴν ἀψευδῆ
25 καὶ ἀμώμητον περὶ Θεοῦ γνῶσιν συναγείρειν ἐν ἑαυτῇ. Ἐν ταύτῃ τῇ ἀγαθῇ πίονί τε νομῇ [e] κατὰ τὴν τοῦ προφήτου

Mss : A DEFG BHI (= b) CKLM (= c)

γ´. 5 ἀπετέλει correximus *effecerat* Sal.^{v} *effecit* Sch. : ὑπετέλει A DEG c ἐπετέλει b edd. ὑπερτέλει F ‖ 12 ὁ + ἀπόστολος B (cum punctis suppos.) I edd. ‖ 14 αὐτῆς : αὐτοῖς b edd. ‖ ἐστερομένοις CKL -ημένης b (-ομένης I^{pc} Sal. Aub.) Mi. ‖ ἀνεθάλλομεν H edd. ‖ 17 τὰς συγγραφὰς (τῆς -ῆς G) : τὰς γραφὰς b edd. ‖ 18 δὲ δὴ : δὲ C^{ac} δὴ I C^{pc2}KLM edd. ‖ 21 εὔβοτον A (vid.) *uberem* Sal.^{v} *laetam* Sch. : εὔβολον I Mi. εὔροτον I^{mg} c edd.^{mg} εὔρητον D I^{mg} edd.^{mg} εὔροστον E εὔοτον G ‖ 25 ἐν ἑαυτῇ : ἑαυτὸ C^{ac}KLM ἑαυτῷ C^{pc2}

3 a. Cf. Ct 2, 11 b. Cf. Ma 3, 20 c. Cf. Rm 12, 11 d. Cf. He 8, 5 e. Cf. Ez 34, 14.

Le temps des fleurs

3. Tout était la proie de l'ombre et des ténèbres ; et comme un morne hiver le dragon à plusieurs têtes, Satan, avait envahi si l'on peut dire tout ce qui est sous le ciel. Refroidissant jusqu'à la mort chaque intelligence, il rendait tous les habitants de la terre désireux de se conduire avec impiété. Mais l'hiver s'en va [a], et l'ancienne obscurité, profonde et maussade, a été chassée. Un éclat pur apparaît à nos yeux, et le soleil de justice [b], le Christ, illumine toute chose en projetant ses rayons intelligibles [1] ; et il nous fait profiter d'un autre bienfait en ne nous laissant plus nous refroidir jusqu'au péché, mais en nous faisant plutôt bouillir en esprit [c], comme le dit Paul l'inspiré lui-même.

De fait, nous étions comme des troncs atteints de stérilité et privés même de floraison, et nous avons refleuri pour la vie. Comme des plaines abondantes, recouvertes d'une verdure variée, nous avons été enrichis des proclamations évangéliques des saints apôtres, des écrits qui sont les images en ombres et en figures [d] de la vérité, je veux dire les textes de Moïse, des adresses des saints prophètes qui concernaient d'avance le Christ : par tout cela nous sommes bien guidés vers la compréhension du mystère. Que l'abeille intelligible et très industrieuse tourne à nos yeux au-dessus de cette terre généreuse et abondante, autrement dit, que l'âme sage et laborieuse quête en quelque sorte ce qui subviendra à ses besoins, je veux dire ce qui lui permettra de récolter en elle-même, comme un miel sucré, la connaissance de Dieu sans mensonge et sans reproche. Que viennent dans ce bon et gras pâturage [e], selon l'expression du prophète, les trou-

1. Sur le sens de νοητός, voir *supra*, p. 174-175, n. 1.

φωνήν, αἱ τῶν λογικῶν θρεμμάτων ἡκόντων ἀγέλαι· καὶ ὁμοῦ μητράσιν ἀμνοί, τουτέστι τοῖς τὴν ἕξιν ἁδροτέροις οἱ νηπιάζοντες ἔτι πρὸς ἔφεσιν ἀρετῆς καὶ πνευματικῆς
30 εὐρωστίας, τὸν οἰκεῖον ἀποτρέφοντες νοῦν, πειράσθωσαν ἀναφοιτᾷν « εἰς ἄνδρα τέλειον, εἰς μέτρον ἡλικίας τοῦ πληρώματος τοῦ Χριστοῦ [f]. » Φαίην δ' ἂν ὅτι γελᾷ μὲν ὥσπερ ἐν κήποις τὰ κρίνα, ἀνέθαλον γὰρ ἐν Ἐκκλησίαις τοῖς εὐοσμοτάτοις τῶν ἀνθέων παραχωροῦντες οὐδέν, οἱ πιστοὶ
35 λελαμπρυσμένοι καὶ τὴν Χριστοῦ δόξαν εὐωδιάζοντες [g].

Ἐνέστηκε δὲ τῆς τομῆς ὁ καιρός [h]. Ὅτι δὲ καὶ λίαν ἀμογητὶ καταθεῷτό τις ἂν ἐν οἷς ἔφην ἀρτίως τὰ Χριστοῦ κατορθώματα, δεήσει μὲν εἰς ἀπόδειξιν οὐχ ἑτέρων, οἶμαι, μαρτύρων· ἀπόχρη δὲ λέγων αὐτὸς πρὸς τὴν ἐξ ἐθνῶν
40 Ἐκκλησίαν· « Ἀνάστα, ἐλθέ, ἡ πλησίον μου, καλή μου περιστερά, ὅτι ἰδοὺ ὁ χειμὼν παρῆλθεν, ὁ ὑετὸς ἀπῆλθεν, ἐπορεύθη ἑαυτῷ, τὰ ἄνθη ὤφθη ἐν τῇ γῇ, καιρὸς τῆς τομῆς ἔφθασεν [i]. »

Οὐκοῦν « ἐν μηνὶ τῷ πρώτῳ » τελεῖσθαι δεῖν ἔφη τὸ
45 Πάσχα Θεός. Πλὴν ἐν ἔτει δευτέρῳ τῆς ἐξόδου τῶν υἱῶν Ἰσραήλ [j]. Καίτοι τί δή ποτε μὴ εὐθὺς ἐν ἀρχαῖς τοὺς ἐπὶ ταῖς πανηγύρεσιν ὡρίσαντο νόμους ; Ἀναγκαία δὲ ὥσπερ ἀνακωχὴ καὶ ἀνάβλησις παρεισκρίνεται, καὶ τοῖς οὕτω σεπτοῖς βραβεύειν τὴν μέλησιν. Τί τὸ χρῆμα τῆς οἰκονομίας
50 καὶ ὁ τοῦ νομοθέτου σκοπός, ὅπουπερ ἂν βλέποι, πῶς οὐκ ἄξιον ἰδεῖν ;

Mss : A DEFG BHI (= b) CKLM (= c)

27 θρεμμάτων I[mg] : προβάτων b edd. ‖ 33 ἀνέθαλλον HI edd. ‖ 36 (ἐνέστηκε — καιρός) Sal. Aub. : *Glossema huc intrusum* Sal.[mg] ‖ 42 γῇ *LXX* : + ἡμῶν edd. ‖ 46 καίτοι τί : καίτοι I Sal. καὶ τί Aub. Mi. ‖ 48 ἀνάβλησις E[mg] I[mg] edd.[mg] *intervalla* Sal.[v] *interpolatio* Sch. : ἀνάκλησις EF b c edd. ‖ 49 μέλλησιν Aub. Mi.

f. Ep 4, 13 g. Cf. 2 Co 2, 15 h. Cf. Ct 2, 12 i. Ct 2, 10-12
j. Cf. Nb 9, 1-3.

1. Cette citation, déjà présente en *LF* II, 3, 47-49 et en *LF* XIII, 2, 25-28 se trouve aussi, avec la même phrase pour l'introduire (le Christ dit à l'Église des nations), en *De Adoratione* X, *PG* 68, 657 A-B, qui la fait précéder aussi

peaux des bêtes douées de raison ; que les agneaux avec leurs mères, c'est-à-dire ceux qui sont encore tout petits dans le désir de la vertu et de la force spirituelle, avec ceux qui sont plus affermis dans leur conduite, que les uns et les autres, nourrissant leur intelligence propre, essaient de s'élever « à l'homme parfait, à la mesure de l'âge de la plénitude du Christ [f]. » Je dirais qu'ils s'épanouissent comme les lis dans les jardins, car ils ont refleuri dans les Églises et ne le cèdent en rien aux fleurs pour le parfum, eux qui ont en eux la splendeur de la foi et fleurent bon la gloire du Christ [g].

Et le temps de la taille est là [h]. On pourrait bien voir sans grand effort, dans ce que je viens de dire, les hauts faits du Christ. Il n'y aura pas besoin, je pense, d'autre témoin là-dessus : il suffit, celui qui dit lui-même à l'Église des nations : « Lève-toi, viens, mon amie, ma belle colombe, car voici que l'hiver est parti, la pluie s'en est allée, elle s'est éloignée, les fleurs ont apparu sur la terre, le temps de la taille est arrivé [i] [1]. »

La deuxième année : pédagogie divine

Donc, Dieu a dit qu'il fallait faire la Pâque au premier mois. Mais c'était pendant la deuxième année de l'exode des fils d'Israël [j]. Et pourquoi n'ont-ils pas fixé dès le commencement les lois qui concernent les assemblées solennelles ? Il fallait bien introduire une sorte de trêve et de délai, et décider d'un temps d'attente [2], s'agissant de choses aussi vénérables ! Qu'en est-il de l'économie, quel est le but vers lequel regarde le législateur : ne vaut-il pas la peine de l'examiner ?

d'un bref développement sur le printemps, et qui commente ensuite également le temps de la Pâque à partir d'Ex 40, 17 comme le fait Cyrille ici. Les deux textes ont donc des parallèles notables (voir notes suivantes), mais dont il ne faut peut-être rien conclure quant à la date du *De Adoratione*, probablement plus ancien que l'année 428.

2. Ici comme un peu plus loin (5, 41.48.51) les mss donnent l'orthographe μέλησιν au lieu de μέλλησιν qu'on attendrait en ce sens : les deux orthographes semblent être devenues équivalentes à l'époque tardive (voir déjà *LF* VII, 2, 147 et n. 3 (*SC* 392, p. 49).

δ΄. Ἔδει τοίνυν ταῖς τοῦ νόμου προεισβολαῖς παρα-‖
756 χωρῆσαι καιροῖς τὸ Χριστοῦ μυστήριον. Ἦν γὰρ ἀναγκαῖον τῆς ἀληθείας τοὺς τύπους προαναφαίνεσθαι, καὶ τῶν ἀγώνων ὁρᾶσθαι πρεσβύτερα τὰ δι' αὐτοὺς γυμνάσματα. Εὐδοκιμεῖ
5 στρατιώτης, εἰ πρὸ τῶν εἰς μάχην ἱδρώτων μελετῴη τὰ τακτικά. Ὁ δὲ τῶν ἐν παλαίστρᾳ τεχνίτης οὐκ ἂν γένοιτο λαμπρός, ἀνεπιτήδευτον ἔχων τὸ τληπαθεῖν ἐν αὐτοῖς. Ἦ γὰρ οὐχὶ καὶ ἡμῖν αὐτοῖς τῶν εἰς σοφίαν καὶ σύνεσιν παιδευμάτων ἀρχή τις ὥσπερ καὶ θύρα τῶν στοιχείων ἡ μάθησις ; Ἀλλ',
10 οἶμαι, σαφής τέ ἐστι καὶ ἀτρεκὴς ὁ λόγος.

Συλλήψεται δὲ καὶ ὁ θεσπέσιος Παῦλος, ὡς ἐν εἴδει παραδειγμάτων· γάλα μὲν τοῖς ἔτι νηπίοις ὅτι μάλιστα πρέπειν εἰπών, προσάγεσθαι δὲ δεῖν τοῖς τελειοτέροις τὰ τῶν τροφείων ἁδρότερα [a]. Ἔδει τοίνυν τοῖς ἀρχαιοτέροις, οὔπω
15 πρὸς ἄνδρα τέλειον ἀναβεβηκόσι τοῦ πληρώματος τοῦ Χριστοῦ [b], νηπιοπρεπῆ δὲ μᾶλλον ἔχουσι γνώμην [c], τῆς στερεωτέρας τροφῆς προαπονέμειν τὸ γάλα. Ἔδει τῶν τελείων μαθημάτων εἰς νοῦν καὶ καρδίαν προεισοικίσασθαι τὰ στοιχεῖα, καὶ τῆς ἐν Χριστῷ νοουμένης ζωῆς
20 προεισκρίνεσθαι τὴν ἐν νόμῳ. Παιδαγωγὸς γὰρ ὁ νόμος [d] δι' αἰνιγμάτων [e] ἡμᾶς εἰς τὴν ἀμείνω καὶ προὔχουσαν ἀνακομίζων σύνεσιν. Ὅτι τοίνυν ἀναγκαία πρὸς ὄνησιν ἡ τῶν εὐαγγελικῶν θεσπισμάτων ἀνάβλησις ἦν, ὑπεμφήνειεν ἄν, καὶ μάλα ἰσχνῶς, τὸ μὴ ἐν πρώτῳ τυχόν, ἀλλ' ἐν ἔτει τῷ
25 δευτέρῳ θεσμοθετῆσαι Θεὸν τελεῖσθαι τὸ Πάσχα [f].

Mss : A DEFG BHI (= b) CKLM (= c)

δ΄. 5 μελετῶν EF c ‖ 6 τῶν I^mg2 : τὸν A DEF b c ‖ 13 τελειωτέροις I edd. ‖ 18 τελείων I^mg : τελέων I edd. ‖ καρδίαν b : -ας I^pc c edd. ‖ 23 ἀνάβλησις *dilationem* Sal.^v *interpellatio* Sch.^mg : ἀνάκλησις EF c *evocatio* Sch.

4 a. Cf. 1 Co 3, 2 b. Cf. Ep 4, 13 c. Cf. 1 Co 13, 11
d. Cf. Ga 3, 24 e. Cf. 1 Co 13, 12 f. Cf. Nb 9, 1.

1. Cette idée des principes élémentaires, στοιχεῖα, qui correspondent à la pédagogie de la Loi, se retrouve en *De Adoratione* X, *PG* 68, 665 D : comme

4. Il fallait bien que le mystère du Christ ait de temps à autre une place grâce à la Loi qui l'insérait d'avance. Car il était nécessaire que les figures apparaissent avant la vérité, et que l'on voie les exercices avant les combats qu'ils préparent. Un soldat est bien jugé s'il s'exerce aux manœuvres avant les efforts du combat. Et celui qui pratique l'art de la palestre ne saurait s'illustrer s'il n'a pas pris l'habitude d'en supporter les souffrances. Et pour nous-mêmes, le commencement et comme la porte des exercices qui mènent à la sagesse et à l'intelligence, n'est-ce pas l'apprentissage des principes élémentaires [1] ? Mais je pense que ce raisonnement est clair et sans détour.

Paul l'inspiré nous aidera aussi à le comprendre, sous la forme d'exemples : il dit que c'est le lait qui convient le mieux à ceux qui sont encore tout petits, et qu'il faut ajouter pour les plus parfaits des nourritures plus abondantes [a]. Il fallait donc prescrire du lait avant la nourriture plus solide, pour les anciens qui ne s'étaient pas encore élevés jusqu'à l'homme parfait dans la plénitude du Christ [b], et dont la pensée était plutôt celle de tout petits [c]. Il fallait établir dans l'intelligence et le cœur les principes élémentaires avant les enseignements parfaits, et faire admettre aux esprits la vie dans la Loi avant la vie dans le Christ. Car la Loi était pédagogue [d] : au moyen d'énigmes [e], elle nous apportait une intelligence meilleure et plus haute. Un délai était nécessaire pour notre profit, avant les prescriptions évangéliques ; c'est assez subtilement suggéré par ceci : ce n'est pas la première année, mais la deuxième, que Dieu a prescrit que soit faite la Pâque [f] [2].

ici un peu plus loin, ce texte utilise la figure du Temple en opposant premiers accès et Saint des saints, et s'appuie beaucoup sur l'*Épître aux Hébreux*.

2. En *De Adoratione* X, 657 B-C, l'explication de la « deuxième année » est un peu différente : c'est le temps du Christ après celui de la Loi ; les deux temps sont opposés non d'un point de vue pédagogique, mais comme temps de la mort et temps du salut.

Συλλήψεται δὲ τῷ λόγῳ κἀκεῖνο, οἶμαί που. Προστέταχε μὲν γὰρ ὁ τῶν ὅλων Θεὸς τῷ θεσπεσίῳ Μωϋσῇ τὴν ἀρχαίαν ἐκείνην διατεκτήνασθαί τε καὶ ἀναδεῖξαι σκηνήν, οὐ καθ' ὃν ἂν βούλοιτο τρόπον αὐτὸς διεσκευασμένην, ἀλλ' ὡς ἂν ἔχειν
30 παρὰ Θεοῦ προστάττοιτο· « Ὅρα γάρ, φησί, ποιήσεις αὐτὴν κατὰ τὸν τύπον τὸν δειχθέντα σοι ἐν τῷ ὄρει [g]. » Ἐπειδὴ δὲ τὸ θεῖον εὐθὺ διεπεραίνετο θέσπισμα, καὶ ἐν κόσμῳ τῷ τελεωτάτῳ τὸ τεχνουργούμενον ἦν, πάλιν ἔφη Θεός· « Ἐν ἡμέρᾳ μιᾷ τοῦ πρώτου, νουμηνίᾳ τοῦ μηνός,
35 στήσεις τὴν σκηνήν [h]. » Τούτοις δὲ προσεπάγει τὸ Γράμμα τὸ ἱερόν· « Καὶ ἐγένετο ἐν τῷ μηνὶ τῷ πρώτῳ, τῷ δευτέρῳ ἔτει, ἐκπορευομένων αὐτῶν ἐξ Αἰγύπτου, νουμηνίᾳ ἐστάθη ἡ σκηνή [i]. » Ἀκούεις ὅπως ἐν ἔτει τῷ δευτέρῳ, καὶ ἐν νουμηνίᾳ τοῦ πρώτου μηνὸς διεπήξατο τὴν σκηνήν ; Τότε
40 γάρ, τότε καὶ ἀμνὸς ἐσφάζετο, τὸ ἱερὸν ἀληθῶς καὶ ἄμωμον θύμα κατασημαίνων ἐφ' ἑαυτῷ, τουτέστι Χριστόν, ὃς εἰς ὀσμὴν εὐωδίας προσκεκόμικεν ἑαυτὸν τῷ Θεῷ καὶ Πατρί [j], εἰς νέον αἰῶνα μεταρυθμίζων τὰ καθ' ἡμᾶς. Αἰῶνος δὲ νέου τύπος ἂν νοοῖτο, καὶ μάλα σαφής, ἡ νεομηνία· Καινὴ γὰρ
45 κτίσις τὰ ἐν Χριστῷ, καὶ τὰ ἀρχαῖα παρῆλθε [k], κατὰ τὰς Γραφάς.

Οὐκοῦν ἐν μηνὶ τῷ πρώτῳ καὶ ἐν μιᾷ τοῦ μηνός, τουτέστιν ἐν νεομηνίᾳ, τὴν ἁγίαν ἀνίστησι σκηνὴν ὁ θεσπέσιος Μωϋσῆς. Ἀλλ' ἔξω γράφει τὸ σχῆμα τῆς ὄντως σκηνῆς τῆς
757 50 ἀληθεστέρας καὶ ἁγίας τὴν ἀνάδειξιν, τουτ‖έστι τῆς Ἐκκλησίας, ἣν αὐτὸς ἡμῖν ὁ Σωτὴρ διεπήξατο [l], τῶν ἀρχαίων ἐκείνων παρῳχηκότων καιρῶν, καθ' οὓς ἐκράτει θάνατος [m], πεπαλαίωκέ τε τοὺς ἐπὶ τῆς γῆς ἡ ἁμαρτία, καὶ

Mss : A DEFG BHI (= b) CKLM (= c)

27 Μωσῇ Aub. Mi. ‖ 37 ἐξ Αἰγύπτου I^mg edd.^mg : εἰς Αἴγυπτον I edd. ‖ 38 ὅπως : ὅτι I edd. ‖ 44 νοεῖτο CKL ‖ 48 δεσπέσιος Sal. ‖ 49 Μωσῆς Aub. Mi. ‖ 51 ἡμῶν b edd.

g. Ex 25, 40 ; He 8, 5 h. Ex 40, 2 i. Ex 40, 17 j. Cf. Ep 5, 2
k. Cf. 2 Co 5, 17 l. Cf. He 8, 2 m. Cf. Rm 5, 14.

La Tente et l'Église

Voici une considération qui aidera, je crois, mon raisonnement. Le Dieu de l'univers a prescrit à Moïse l'inspiré de fabriquer et de consacrer cette ancienne tente, préparée non pas comme il le voudrait lui-même, mais comme il en recevrait de Dieu la prescription : « Vois, dit-il, tu la feras selon le modèle qui t'a été montré sur la montagne [g]. » Et comme il accomplissait immédiatement l'oracle divin, et que l'ouvrage fabriqué était dans sa parure la plus achevée, Dieu lui disait de nouveau : « Au premier jour du premier mois, à la néoménie du mois, tu installeras la tente [h]. » Et l'Écriture sainte ajoutait : « Et voici qu'au premier mois de la deuxième année de la sortie d'Égypte, à la néoménie, la tente a été installée [i]. » Entends-tu comme il a planté la tente la deuxième année, à la néoménie du premier mois ? Car c'est alors, oui, c'est alors que l'agneau était égorgé, signifiant en lui-même le sacrifice vraiment saint et irréprochable, le Christ, qui s'est offert lui-même à Dieu le Père en parfum de bonne odeur [j], transformant notre condition pour une ère nouvelle. C'est la néoménie qui peut être considérée comme la figure très claire de l'ère nouvelle. Car ce qui est dans le Christ est une création nouvelle, et les choses anciennes s'en sont allées [k], selon les Écritures.

Donc, Moïse l'inspiré dresse la tente sainte au premier mois et au premier jour du mois, c'est-à-dire à la néoménie. Mais cette figure dessine de l'extérieur la manifestation de la tente réelle, plus vraie et sainte, l'Église [1], que le Sauveur lui-même a plantée pour nous [l], une fois passés ces temps anciens où dominait la mort [m], où le péché avait fait vieillir [2]

1. Voir aussi *De Adoratione* IX-X sur la typologie Tente-Église, et déjà Origène, *Homélies sur l'Exode* IX, 3 (et la note du P. de Lubac, *SC* 321, p. 278-279, n. 1).

2. L'image du péché comme vieillissement (cf. déjà *LF* II, 3, 39 et VI, 8, 28) vient du « vieil homme » de Rm 6, 6 et Ep 4, 22.

ὅλην κατὰ κράτος αἱρήσειν τὴν ὑπ' οὐρανὸν ὁ τῆς ἀνομίας
55 εὑρετὴς ἐπαπειλεῖ λέγων· « Τὴν οἰκουμένην ὅλην
καταλήψομαι τῇ χειρὶ ὡς νοσσιάν, καὶ ὡς καταλελειμμένα
ὠὰ ἀρῶ· καὶ οὐκ ἔσται ὃς διαφεύξεταί με, ἢ ἀντείπῃ μοι [n]. »
'Αλλ' ἦσαν ἐκείνῳ κόμπος ἁπλῶς, καὶ ἀλαζονείας
ἐγκλήματα τῆς καθ' ἡμῶν πλεονεξίας οἱ λόγοι. Καὶ τῆς
60 ἐλπίδος ἡμαρτηκώς, διὰ πραγμάτων ἠλέγχετο. Σεσώσμεθα
γὰρ ἐν Χριστῷ, καθάπερ ἔφην ἀρτίως, ἀναδεδειγμένης ἡμῖν
τῆς ἁγίας σκηνῆς καιροῖς τοῖς καθήκουσι, καθ' οὓς εἰς
καινότητα ζωῆς μεταστοιχειώμεθα [o], τὸν παλαιὸν ῥιπτοῦντες ἄνθρωπον [p] σὺν τοῖς παθήμασι καὶ ταῖς ἐπιθυμίαις.
65 'Εκδείξειε δ' ἂν εὖ μάλα καὶ αὐτὸς ὁ τρόπος τῆς
κατασκευῆς τῆς ἀρχαίας ἐκείνης σκηνῆς τῶν διὰ Χριστοῦ
θεσπισμάτων προεισθέοντα χρησίμως τὸν τοῦ νόμου καιρόν,
μεθ' ὃν ἦν ἀκόλουθον τὸν ἀμείνω λοιπὸν ὁρᾶσθαι καὶ
ἁγιώτερον, καὶ τελειοτέραν ἔχοντα πρὸς Θεὸν τὴν οἰκείωσιν.
70 Οὐκοῦν νομομαθὴς ὢν ὁ Παῦλος καὶ πεπαιδευμένος κατὰ
ἀκρίβειαν [q], ὡς αὐτός πού φησι, τῆς ἀρχαίας σκηνῆς
καταγραφέτω τὸ σχῆμα, λέγων ὡδί· « Σκηνὴ γὰρ
κατεσκευάσθη πρώτη, ἐν ᾗ ἥ τε λυχνία καὶ ἡ τράπεζα, καὶ ἡ
πρόθεσις τῶν ἄρτων, ἥτις λέγεται 'Αγία. Μετὰ δὲ τὸ δεύτερον
75 καταπέτασμα, σκηνὴ λεγομένη Ἅγια ἁγίων, χρυσοῦν
ἔχουσα θυμιατήριον, καὶ τὴν κιβωτὸν τὴν περικεκαλυμμένην
πάντοθεν χρυσίῳ, ἐν ᾗ στάμνος χρυσῆ ἔχουσα τὸ μάννα, καὶ
ἡ ῥάβδος 'Ααρὼν ἡ βλαστήσασα, καὶ αἱ πλάκες τῆς
διαθήκης [r]. » Ὁρᾷς ὅτι προτέθειτο τῆς δευτέρας καὶ

Mss : A DEFG BHI (= b) CKLM (= c)

55 ἐπαπειλεῖ b edd. : ἐπαπείλει A DEFG ἐπιπείλει C ἐπὶ ἐπηπείλει KL ἐπηπείλει C^{mg2}M I^{mg2} ‖ 56 καταλελυμμένα I Sal. ‖ 57 διαφεύξεται (κατα- b) I^{mg} *LXX* : -ηται Aub. Mi. ‖ 63 μεταστοιχειώμεθα I edd. *transformemur* Sal.^{v} : μετε- A DEFG BH c *translati sumus* Sch. ‖ 65 ἐκδείξειεν ἄν I edd. ‖ 69 τελειωτέραν A DFG CKL ‖ 76 θυμιατήριον I^{mg} edd.^{mg} *NT* : θυμη- C θυσι- I edd.

n. Is 10, 14 o. Cf. Rm 6, 4 p. Cf. Col 3, 9 q. Cf. Ac 22, 3
r. He 9, 2-4.

les habitants de la terre, et où l'inventeur de l'iniquité menaçait de s'emparer par la force de tout ce qui était sous le ciel, en disant : « Je saisirai la terre habitée comme un nid dans ma main, je la prendrai comme des œufs abandonnés, et il n'y a personne qui m'échappera ou pourrait s'opposer à moi [n]. » Mais ses paroles étaient pure vantardise, et ses prétentions sur nous relevaient de la fanfaronnade. Déçu dans son espoir, il était réfuté par les faits. Car nous avons été sauvés dans le Christ, comme je viens de le dire, maintenant que s'est manifestée pour nous la sainte tente aux temps qui convenaient, temps où nous sommes transformés pour une vie nouvelle [o] en rejetant le vieil homme [p] avec ses passions et ses désirs.

La manière même dont cette ancienne tente a été préparée montrerait fort bien que les prescriptions données par le Christ étaient utilement devancées par le temps de la Loi, après lequel il était logique qu'on en voie un meilleur et plus saint, possédant une familiarité plus parfaite avec Dieu. Donc que Paul, qui connaît la Loi et qui a reçu une instruction soignée [q], comme il le dit lui-même, nous dessine la figure de l'ancienne tente par ces mots : « Une première tente avait été faite, où se trouvaient la lampe, la table et les pains de proposition : on l'appelle Saint. Après le deuxième voile se trouvait la tente appelée Saint des saints, avec l'encensoir d'or et l'arche entièrement recouverte d'or où se trouvait la cruche d'or contenant la manne, la baguette d'Aaron qui avait fleuri, et les tables de l'alliance [r]. » Tu vois qu'avant la

80 ἐσωτάτω σκηνῆς ἡ ἐν πρώταις εἰσβολαῖς, ἐν ᾗ καὶ τὸ ἱερὸν κατείθιστο γένος, τὰς δι' αἱμάτων ποιεῖσθαι προσαγωγάς, καὶ τῆς κατὰ νόμον λατρείας ἀποπεραίνειν τοὺς τύπους[s]. Ἀλλ' ἦν ἡ δευτέρα τῆς πρώτης ἁγιωτέρα. Τοιγάρτοι καὶ ὠνομάζετο τὰ Ἅγια τῶν ἁγίων.

85 Τίς οὖν ὁ λόγος τοῦ τῆς δευτέρας προκεῖσθαι τὴν πρώτην, καὶ τῆς ἐσωτάτω προεισβολὴν ὥσπερ τινὰ τετάχθαι τὴν ἐξωτέραν, σαφηνιεῖ πάλιν ὁ σοφώτατος Παῦλος. Ἔφη γὰρ οὕτω· « Τούτων δὲ οὕτω κατεσκευασμένων, εἰς μὲν τὴν πρώτην σκηνὴν διαπαντὸς εἰσίασιν οἱ ἱερεῖς τὰς λατρείας 90 ἐπιτελοῦντες· εἰς δὲ τὴν δευτέραν ἅπαξ τοῦ ἐνιαυτοῦ μόνος ὁ ἀρχιερεύς, οὐ χωρὶς αἵματος, ὃ προσφέρει ὑπὲρ ἑαυτοῦ, καὶ τῶν τοῦ λαοῦ ἀγνοημάτων· τοῦτο δηλοῦντος τοῦ Πνεύματος τοῦ ἁγίου μήπω πεφανερῶσθαι τὴν τῶν ἁγίων ὁδόν, ἔτι τῆς πρώτης σκηνῆς ἐχούσης στάσιν[t]. » Βάσιμος μὲν γάρ, ὡς 95 ἔφην, ἡ πρώτη πολλοῖς· ἀπρόσιτος δὲ ἡ δευτέρα καὶ ἐσωτάτω, τὰ Ἅγια τῶν ἁγίων. Μόνος γὰρ εἰσῄει δι' ἔτους εἰσάπαξ ὁ τῶν ἱερῶν ταγμάτων ἡγούμενος, « οὐ χωρὶς αἵματος » κατὰ τὸ γεγραμμένον. Πρόδρομος γὰρ ὑπὲρ ἡμῶν 760 εἰσῆλθεν ‖ Ἰησοῦς « εἰς τὰ Ἅγια τῶν ἁγίων, αἰωνίαν 100 λύτρωσιν εὑράμενος[u] », οὐ χωρὶς αἵματος κατὰ τὰς Γραφάς. Τέθυται[v] γὰρ ὑπὲρ ἡμῶν, ὡς ἄμωμον ἱερεῖον, εἰς ὀσμὴν εὐωδίας τῷ Θεῷ καὶ Πατρί[w]. Οὐκοῦν ἐν πρώτῃ σκηνῇ τῶν τὸ τηνικάδε θυόντων ἡ στάσις χρησίμως ἐπράττετο, τὴν εἰς τὰ Ἅγια τῶν ἁγίων εἰσδρομὴν οὐκ 105 ἀνιέντος τοῦ νόμου. Πεφανέρωτο γὰρ οὔπω, φησίν, ἡ τῶν ἁγίων ὁδός, « ἔτι τῆς πρώτης σκηνῆς ἐχούσης στάσιν[x]. »

Mss : A DEFG BHI (= b) CKLM (= c)

80 πρώτοις C^{pc} KLM -ων E C^{ac} ‖ 86 προεισβολὴν b : προσβολὴν D I^{mg} ‖ 94 ὡς om. I edd. ‖ 96 εἰσῄει leg. putamus *ingrediebatur* verss : εἰς ἔθει A DEFG L εἰσέθει b CKM edd. εἰσέλθει Aub.^{mg} Mi.^{mg} *ἴσως εἰσέλθῃ* C^{mg2} Sal.^{mg} *εἰσέλθῃ lege pro εἰς ἔθει* Sch.^{mg} ‖ 97 ἱερῶν + ὡς edd. ‖ 100 οὐ χωρὶς αἵματος I^{mg} : om. b ‖ 101 τέθυται I^{mg} : -τε BI Sal. ‖ 103 τηνικάδε I : -δι I^{mg2} ‖ χρησίμως Mi.^{mg} : -μος b edd. χρυσίμως I^{mg2} Sal.^{mg} Aub.^{mg}

s. Cf. He 9, 6 t. He 9, 6-8 u. He 9, 12 v. Cf. 1 Co 5, 7
w. Cf. Ep 5, 2 x. He 9, 8.

deuxième tente, qui était la plus intérieure, il y en avait une dans les premiers accès, là où le peuple saint avait coutume de faire les entrées en énigme et d'accomplir les figures du culte selon la Loi [s]. Mais il y avait une deuxième tente, plus sainte que la première, c'est pourquoi elle était appelée Saint des saints [1].

L'ordre des tentes

Quelle est donc la raison pour laquelle la première se trouve avant la deuxième, et un accès plus extérieur a été placé comme une annonce du plus intérieur ? C'est encore le très sage Paul qui va nous l'expliquer. Il a dit ceci : « Cela étant ainsi disposé, les prêtres qui accomplissent le culte entrent sans cesse dans la première tente ; mais dans la deuxième, seul le grand prêtre y entre une seule fois dans l'année, non sans verser du sang qu'il offre pour lui et pour les manquements du peuple. L'Esprit-Saint montre par là que la route qui mène aux choses saintes n'avait pas encore été manifestée, tant qu'il y avait encore la première tente en place [t]. » Car la première tente, je le disais, est accessible au grand nombre ; mais la deuxième, la plus intérieure, le Saint des saints, est inaccessible. Seul en effet y entrait, une seule fois dans l'année, celui qui présidait aux ordres sacrés, non sans verser du sang, comme il est écrit. Car Jésus « est entré dans le Saint des saints » en éclaireur pour nous, « ayant obtenu une délivrance éternelle [u] », non sans verser du sang, selon les Écritures. Car il a été sacrifié [v] pour nous, comme une victime irréprochable, en parfum de bonne odeur pour Dieu le Père [w]. C'est donc utilement que ceux qui sacrifiaient alors se tenaient dans la première tente, puisque la Loi ne permettait pas d'accéder au Saint des saints. Car, dit-il, « la route qui mène aux choses saintes n'avait pas encore été manifestée, tant qu'il y avait encore la première tente en place [x]. »

1. Voir des développements parallèles en *De Adoratione* X, *PG* 68, 665 s.

Ἀπόχρη μὲν οὖν, καθάπερ ἐγῷμαι, τὰ προειρημένα πρὸς ἀπόδειξιν ἐναργῆ τοῦ καιροῦ, καθ' ὃν ἂν εἰκότως τελοῖτο τὸ Πάσχα. Ἁρμόσειε δ' ἂν ἄρα τισὶ τὸ ἐσθίειν αὐτό, ἢ καὶ ὅπως
110 ἂν τελεῖσθαι πρέποι, φέρε λέγωμεν, ἐκ τῶν ἱερῶν ἑλόντες Γραμμάτων.

ε΄. Ἔφη τοίνυν ὁ μέγας ἡμῖν Μωϋσῆς, τὸ ἐπ' αὐτῷ χρησμῴδημα συντιθείς, ὅτι τοῖς τὸν ἱερὸν καὶ ἀβέβηλον κατεδηδοκόσιν ἀμνὸν ἄρτοις τε ἀζύμοις καὶ τοῖς τῶν λαχάνων πικροῖς κεχρῆσθαι δεήσει [a], μετίσχειν δὲ τῶν
5 κρεῶν ὧδε σχήματος ἔχοντας· « Ἔστωσαν ὑμῶν, φησίν, αἱ ὀσφύες περιεζωσμέναι, καὶ τὰ ὑποδήματα ἐν τοῖς ποσὶν ὑμῶν καὶ αἱ βακτηρίαι ἐν ταῖς χερσὶν ὑμῶν· καὶ φάγεσθε αὐτὸ μετὰ σπουδῆς. Πάσχα ἐστὶ Κυρίου [b]. » Ἀλλὰ τί μοι βούλεται τῶν δαιτυμόνων τὸ σχῆμα ; φαίη τις ἂν ἔσθ' ὅτε,
10 καὶ μάλα εἰκότως. Ἥκιστα μὲν γὰρ εἰκαιόμυθος ὁ νόμος ἦν, ἕψεται δὲ πάντως τῶν τεθεσπισμένων ἑκάστῳ τὸ καταθαυμάζεσθαι δεῖν. Ἦ γὰρ οὐχὶ γελοιότητός τε καὶ ἀμαθίας ἔμπλεον, ὀρθὰ μὲν ἡμᾶς φρονεῖν ᾐρημένους, ἀποσπουδάζειν ὡς ἀκαλλὲς τὸ μάταιόν τι καὶ ἀπηχὲς εἰπεῖν,
15 ἤγουν ἑλέσθαι πληροῦν· τὴν δὲ ἀνωτάτω φύσιν, νόμῳ καταρυθμίζουσαν εἰς τὸ εὖ ἔχειν τὰ καθ' ἡμᾶς, τὸ ἀσυντελὲς εἰς ὄνησιν ὡς ἀναγκαῖον ἰδεῖν, καὶ εἰκαίαν τινὰ καὶ ἀσύφηλον παραρρῖψαι φωνήν ; Ἄπαγε τῆς δυσβουλίας. Διακεισόμεθα γὰρ οὐχ ὧδε ταῦτα ἔχειν· πολλοῦ γε καὶ δεῖ.
20 Τίς οὖν ὁ λόγος τοῦ χρῆναι λοιπὸν τοὺς ἐσθίοντας τὸν ἀμνόν, διεζῶσθαι μὲν τὴν ὀσφύν, ὑποδεδέσθαι δὲ τοὺς πόδας καὶ ῥάβδον ἑλεῖν ; Ἆρα οὐκ ἐναργὴς ὁ τύπος, καὶ μονονουχὶ

Mss : A DEFG BHI (= b) CKLM (= c)

108 τελοῖτο b edd. *ageretur* Sal.^{v} : ἐτελοῖτο I^{mg2} edd.^{mg} ἐτελεῖτο C^{pc2}KLM *perfiniebatur* Sch. ‖ 110 λέγωμεν I^{mg} edd.^{mg} *disseramus* Sal.^{v} *dicamus* Sch. : -ομεν I edd.

ε΄. 1 Μωσῆς Aub. Mi. ‖ 2 ἀβέβηλον I^{mg} : βέβηλον b Sal. ‖ 3 κατεδηδοκόσιν Sal.^{mg} : κατα- edd. ‖ 4 μετίσχειν : μετέσχειν F CKL μετέχειν M edd. ‖ δὲ : καὶ edd. ‖ 10 γὰρ + καὶ I edd. ‖ 13 ἔμπλεον I^{pc2} : -ων A G b ‖ 14 τι : τε c edd.

---

5 a. Cf. Ex 12, 8 b. Ex 12, 11.

Je pense que ce qui vient d'être dit suffit à montrer clairement quel est le temps où l'on peut faire la Pâque à bon droit. À qui il revient de la manger et comment l'accomplir, disons-le à partir des saintes Écritures.

Les rites de la Pâque

5. Le grand Moïse, en rassemblant les oracles à ce sujet, nous a dit que pour manger l'agneau saint et sans tache, il faudrait utiliser des pains non levés et des herbes amères [a], et partager les viandes en se tenant de la façon suivante : « Que vos reins, dit-il, soient ceints, vos sandales à vos pieds et votre bâton dans vos mains ; mangez-là en hâte. C'est la Pâque du Seigneur [b]. » Mais que signifie donc l'attitude de ces convives ? dira-t-on parfois, à juste titre. Car la Loi ne parlait nullement en vain, et il faut absolument admirer chacune de ses prescriptions. Ne serait-il pas parfaitement ridicule et insensé qu'en voulant penser droitement, nous écartions résolument comme laide toute parole ou tout choix d'action vaine et choquante, tandis que la nature qui est au-dessus de tout, qui transforme par la Loi notre condition en un meilleur état, considérerait comme nécessaire ce qui n'est d'aucune utilité, et risquerait une parole vaine et sans valeur ? Fi de cette sottise : nous ne penserons pas qu'il en soit ainsi, tant s'en faut.

Quelle est donc la raison pour laquelle ceux qui mangent l'agneau doivent avoir les reins ceints, les pieds chaussés, et prendre un bâton ? La figure n'est-elle pas évidente, ne crie-

βοᾷ τῆς οἰκονομίας τὸν τρόπον ; Οἱ γὰρ πάναγνον ἀληθῶς ἐπιτελοῦντες πανήγυριν καὶ κεκλημένοι πρὸς μέθεξιν τῆς
25 εὐλογίας Χριστοῦ, μάταιον μὲν ἡγήσονται τὸν ἐν τῷδε τῷ βίῳ περισπασμόν, διαρριπτοῦντες δέ ποι τὸ βιοῦν ἑλέσθαι σαρκικῶς, τὰ ἄνω φρονοῦσι λοιπόν [c], εἰς τὴν ἄνω σπεύδουσι πόλιν, καὶ εἰς ἑτέραν ὥσπερ μεταφοιτῶσι ζωὴν ἁγιοπρεπῆ δηλονότι καὶ τῆς γηΐνης ἀπηλλαγμένην. Ταύτῃ τοι σαφῶς ὁ
30 νόμος ὁδοιπορικὸν τοῖς ἐσθίουσιν ἀπονέμει τὸ σχῆμα, ὡς ὅσον οὐδέπω μετοιχησομένοις εἰς τὰ ἀμείνω καὶ ὑπερκείμενα· χρῆναι γὰρ ἔγωγέ φημι, καθάπερ ἔφην ἀρτίως, τῷ τοιῷδε διαπρέπειν σκοπῷ τοὺς καθαρῶς ἑορτάζοντας, καὶ
761 εἰς ἑνότητα ‖ κεκλημένους τὴν ὡς πρὸς Θεὸν ἐν Χριστῷ.
35 Δι' αὐτοῦ γὰρ τὴν προσαγωγὴν ἐσχήκαμεν, « καὶ αὐτός ἐστιν ἡ εἰρήνη ἡμῶν [d] », κατὰ τὰς Γραφάς.

Ὅτι δὲ τὸ νωθρὸν ἐν τούτοις οὐκ ἀζήμιον, καὶ τὸ ἀναπίπτειν εἰς ῥᾳθυμίαν οὐκ ἔξω δίκης, παραδείξειεν ἂν ὁ νομοθέτης εἰπὼν περὶ τοῦ ἁγίου Πάσχα· « Καὶ φάγεσθε αὐτὸ
40 μετὰ σπουδῆς. Πάσχα ἐστὶ Κυρίου [e]. » Ὄκνου γὰρ ἀμείνους ὁρᾶσθαι προσήκει καὶ μέλησιν οὐ προσιεμένους, τοὺς θεοφιλῆ καὶ εὐδόκιμον κατορθοῦντας ζωήν. Ἐπιδράττεσθαι δὲ ὥσπερ τῶν καιρῶν καὶ παριππεύειν οὐκ ἐᾶν τὸν ταῖς φιλεργίαις πρέποντα χρόνον. Ὅνπερ γὰρ τρόπον, τοῖς μὲν τὴν
45 ἅλα διαπλεῖν ᾑρημένοις, τῶν ἐξ οὐρίας πνευμάτων τὸ ῥᾳθυμεῖν οὐκ ἀζήμιον· γηπόνοις δ' αὖ καιροῦ καλοῦντος εἰς πόνους, τὸ οἴκοι μένειν ἀνάρμοστον· οὕτως εἶναί φημι τοῖς

Mss : A DEFG BHI (= b) CKLM (= c)

28 ἁγιοπρεπεῖν A DE (ἁγιω-) F b CKL Sal. ‖ 30 ἐσθίουσιν b C[mg2] edd. : αἰσθίουσιν I[mg2] C edd.[mg] ‖ 41 μέλλησιν (et infra ll. 48.51) Aub. Mi. : μέλησιν codd. Sal. ‖ 46 δ' αὖ I[mg] edd.[mg] : γὰρ I edd.

c. Cf. Col 3, 2 d. Ep 2, 14 e. Ex 12, 11.

1. Cette idée du chrétien étranger au monde, qui se hâte vers l'au-delà, servait déjà de commentaire à Ex 12, 11 chez Origène, *Sur la pâque* II, p. 44-45 (éd. O. Guéraud — P. Nautin, Paris 1979, p. 240). Voir aussi le Pseudo-Chrysostome, *Sur la Pâque* III, 8 (éd. P. Nautin, *SC* 36, p. 109).

2. L'hésitation (ὄκνος) est ici fustigée d'après Ex 12, 11. Mais le thème revient dans toutes les *Festales* et à peu près dans toutes les œuvres de

t-elle pas pour ainsi dire le mode de l'économie ? Car ceux qui accomplissent en vérité la très sainte fête et qui ont été appelés à participer à la bénédiction du Christ, estimeront vaines les dispersions de cette vie ; et, rejetant le choix de vivre selon la chair, n'ont désormais que les pensées d'en haut [c], se hâtent vers la cité d'en haut, et se transportent en quelque sorte dans une autre vie, digne des saints bien sûr et débarrassée de ce qui est terrestre [1]. C'est pour cela que la Loi prescrit clairement à ceux qui mangent une tenue de voyage, en tant qu'ils ne sont pas encore partis vers un état meilleur et plus élevé ; car, comme je viens de le dire, je déclare qu'ils doivent se distinguer par un tel but, ceux qui célèbrent la fête de manière pure, et qui ont été appelés à l'unité avec Dieu dans le Christ. Car c'est de lui que nous tenons cet accès, « et il est lui-même notre paix [d] », selon les Écritures.

La nonchalance en cette matière n'est pas sans dommage, ni la chute dans la paresse sans châtiment ; c'est ce que pourrait montrer le législateur quand il dit au sujet de la sainte Pâque : « Mangez-la en hâte. C'est la Pâque du Seigneur [e]. » Il convient qu'ils se montrent supérieurs à l'hésitation [2] et n'admettent pas de retard, ceux qui mènent droitement une vie agréable à Dieu et estimable. Il faut saisir les occasions [3] et ne pas laisser filer le temps qui convient aux travaux. Par exemple, ceux qui veulent naviguer sur la mer, ce n'est pas sans dommage qu'ils négligent les souffles du vent ; quant aux cultivateurs, lorsque c'est le moment des efforts, ils ont tort s'ils restent chez eux ; et bien je dis que de

Cyrille : la dénonciation de l'hésitation semble être l'une de ses premières préoccupations morales.

3. Là encore, le thème du καιρός (lié au précédent : ne pas hésiter ni tarder quand le moment est là) fait partie des exhortations habituelles de Cyrille, qui commence souvent les *Festales* par ce mot, en référence à Qo 3, 1 ou Ps 118, 126 (cf. *LF* II, V, VI, IX, XIV), en lui donnant en même temps le sens plus précis du *temps* de la fête de Pâques dans le calendrier liturgique (*LF* IV, VII). En *LF* VIII, 1, 24-34, Cyrille utilise déjà le double exemple des navigateurs et des agriculteurs (cf. *SC* 392, p. 65, n. 3).

τῶν ἀρίστων ἐπιμεληταῖς ἀκλεᾶ τὴν μέλησιν καὶ τοῦ καταψέγεσθαι δεῖν ἐμποιητικόν, μᾶλλον δὲ ἁπάσης ζημίας,
50 καὶ τῶν ἐξ ὄκνου καὶ ῥᾳθυμίας ἀδικημάτων ἀναφανεῖσθαι πρόξενον. Παρείσθω δὴ οὖν ἡ μέλησις, καὶ διερρίφθω μακρὰν τὰ ἐξ ὄκνου πταίσματα, πρέποιεν γὰρ ἂν κατ' οὐδένα τρόπον τοῖς κεκλημένοις διὰ τῆς πίστεως, εἴς γε τὸ χρῆναι μεταλαχεῖν τῆς εὐλογίας Χριστοῦ.
55 Ἐσθιόντων δὲ μᾶλλον ἄρτους τε ἀζύμους καὶ πικρίδας ἐπ' αὐτοῖς [f]· ἔφη γὰρ ὧδε τὸ Γράμμα τὸ ἱερόν. Καὶ τί τὸ βαθὺ καὶ ἀπόρρητον αἴνιγμα τῶν νομικῶν θεσπισμάτων, φέρε λέγωμεν ὡς ἔνι. Ζύμῃ μὲν γὰρ τοὺς τῆς φαυλότητος τρόπους παρεικάζειν ἔθος τῇ θεοπνεύστῳ Γραφῇ [g]. Δέχεται δὲ
60 πικρίδας ὑποτύπωσιν καὶ παράδειγμα τῶν ἀνιᾶν πεφυκότων, τοῦ διώκεσθαί φημι, τοῦ πειράζεσθαι, καὶ ἱδρῶσιν ἔσθ' ὅτε διὰ Χριστὸν ὁμιλεῖν. Καταπικραίνει γὰρ ὥσπερ τὰ τοιάδε τὸν νοῦν, καὶ ταῖς ἀφορήτοις δυσθυμίαις καταικίζεται. Οὐκοῦν εἴ τῳ γένοιτο, φησί, τὸ ἐν μεθέξει γενέσθαι Χριστοῦ,
65 μὴ ἀνεπιτήδευτον ποιείσθω τὴν ἀρετήν, ἀποφοιτάτω παντὸς τοῦ καταμιαίνειν εἰδότος καὶ ὁράσθω τληπαθής. Δεῖν γὰρ ἔγωγέ φημι τοὺς τὸ ἱερὸν εὖ μάλα διαπεράναντας Πάσχα τοῖς περὶ τῆς ἀκηράτου Θεότητος ἐναγλαΐζεσθαι λόγοις, καὶ τὸ χρῆμα ποιεῖσθαι τρυφήν. Σώματα μὲν γὰρ ταῖς αὐτοῖς
70 πρεπούσαις ἥδεται τροφαῖς, νοῦ δ' ἂν γένοιτο τροφὴ θεῖος, οἶμαί που, λόγος [h] καὶ ἱερῶν δογμάτων ἀφήγησις ὀρθῶς καὶ

Mss : A DEFG BHI (= b) CKLM (= c)

55 ἐσθιόντων I^{mg} edd.^{mg} *edant* Sal.^{v} *comedant* Sch. : ἔσθιον b edd. ‖ 58 τοὺς : αὐτοὺς A (vid.) G ‖ 61 διώκεσθαι I^{mg} edd.^{mg} : διώσεσθαι b edd. ‖ 69 τρυφὴν I^{mg} edd.^{mg} *delicias* Sal.^{v} : τρυφᾶν I edd. τροφὴν EF c *pro cibo* Sch. ‖ ταῖς : *ἴσως τῆς* Sal.^{mg} ‖ 70 πρεπούσαις I^{ac} C^{pc2} Sal.^{mg} : -ης BHI^{pc} C^{ac} Sal. ‖ τροφαῖς I^{ac} Sal.^{mg} *ciborum genere* Sal.^{v} *cibis* Sch. : τροφῆς BHI^{pc} τρυφαῖς Aub. Mi. τρυφῆς Sal.

f. Cf. Ex 12, 8 g. Cf Lc 12, 1 ; 1 Co 5, 7-8 h. Cf. Mt 4, 4.

1. Voir par exemple Mt 16, 6 (ou parallèles) cité plus loin, et surtout 1 Co 5, 7-8 dans un contexte d'allusion à Pâques et aux azymes. L'idée est ainsi

la même manière, pour ceux qui se soucient du plus grand bien, le retard est sans gloire et leur attire nécessairement le blâme, ou plutôt toutes sortes de dommages, et on voit qu'il leur fait commettre des fautes par hésitation et par nonchalance. Que soit donc chassé le retard, et arrachées bien loin les erreurs de l'hésitation, car elles ne sauraient convenir en aucune manière à ceux qui ont été appelés par la foi au devoir de participer à la bénédiction du Christ.

Azymes et herbes amères

Qu'ils mangent plutôt des pains non levés, avec des herbes amères dessus [f] : c'est ce que dit l'Écriture sainte. Quelle est l'énigme profonde et indicible qui se trouve dans les prescriptions de la Loi, essayons de le dire autant que possible. L'Écriture inspirée a coutume de comparer à du levain [1] les différents modes de malice [g]. Elle prend les herbes amères comme esquisse et exemple de ce qui est fait pour déplaire : être persécuté, être tenté, et parfois, se livrer à des efforts à cause du Christ. De telles choses rendent l'intelligence comme amère, et la maltraitent en lui infligeant des afflictions insupportables. Donc, dit l'Écriture, quand on commence à participer au Christ [2], qu'on ne laisse pas la vertu sans pratique, qu'on s'éloigne de tout ce qui peut souiller, et qu'on se montre endurant. Je dis en effet que ceux qui ont bien accompli la Pâque sainte doivent faire leur parure des discours sur la divinité sans mélange et y trouver leurs délices. Car les corps aiment les nourritures qui leur conviennent, mais l'intelligence, je pense, devrait avoir pour nourriture la parole divine [h] et un exposé droit et irréprocha-

exploitée chez le PSEUDO-CHRYSOSTOME, *Sur la Pâque* II, 14 (éd. P. Nautin, *SC* 36, p. 87).

2. Le mot μέθεξις appliqué au rapport du chrétien au Christ peut désigner l'eucharistie (cf. le commentaire sur Rm 8, 3, éd. Pusey, p. 213, l. 8-12 ou le commentaire sur Is 55, 1-2, *PG* 70, 1220 B-C), mais aussi simplement (sous l'influence de 2 P 1, 4 ?) la « greffe » du chrétien sur le Christ par son baptême.

ἀνεπιπλήκτως ἔχουσα, κεκομψευμένων ἐννοιῶν, σοφισμοῦ καὶ ἀπάτης καὶ ψευδοεπείας ἀπηλλαγμένη. Καθαρὰ καὶ ἄζυμος ἡ τοιάδε τροφή.

75 Πολλοὶ γὰρ πολλάκις τῆς τῶν θείων δογμάτων ὀρθότητος μονονουχὶ κατορχούμενοι, καὶ τοῖς τῆς ἀληθείας ἐναθύροντες λόγοις ἀθλίων αὐτοῖς ἐννοιῶν ἀνοσίους ἐπεισφορὰς ποιεῖσθαι σπουδάζουσι, καὶ κοσμικῆς ἀπάτης εὑρήματα μυθοπλαστοῦντες οἱ δείλαιοι, τὸν τῶν ἁπλουστέρων κατασίνον-
80 ται νοῦν. Ἀλλ' ἐπιβοάτω Χριστὸς τοῖς αὐτοῦ γνωρίμοις· « Προσέχετε ἀπὸ τῆς ζύμης τῶν Φαρισαίων καὶ Γραμματέων [i]. » Ἰουδαϊκῆς γὰρ εὑρεσιλογίας οὐ μακρὰν τὰ
764 τῆς ἐκείνων ἀβελτη‖ρίας γραοπρεπῆ μυθάρια. Ἀφεξόμεθα δὴ οὖν τῆς τοιᾶσδε τροφῆς, καθαροὺς δὲ εἰς νοῦν εἰσοίσομεν
85 λόγους τοὺς ἐκ τῶν ἁγίων προφητῶν, τὰς διὰ Μωσέως ἐντολὰς μεθιστάντες εἰς ἀλήθειαν τῶν αἰνιγμάτων τὴν δύναμιν, καὶ πρό γε τῶν ἄλλων τὴν εὐαγγελικὴν καὶ σωτήριον παίδευσιν, τὰς τῶν ἀποστόλων συγγραφάς, οὐ καθάπερ ἔθος τισὶ πρὸς ἀκαλλῆ θεωρίαν τὸν τῶν
90 γεγραμμένων καταβιαζόμενοι νοῦν, οὐδὲ τῆς ὀρθότητος ἀνοσίως ἐξέλκοντες, ἀλλ' ἧπερ ἂν ἴοι τῶν θεωρημάτων ὁ σκοπός, ταύτῃ καὶ αὐτοὶ προθύμως διάττοντες. Συνεπιτηδεύσωμεν δὲ τούτῳ τὴν ὑπομονήν, πικροῖς ἐντρίβεσθαι πόνοις οὐ παραιτούμενοι, διά γε τὸ ὀρθῶς ἑλέσθαι βιοῦν καὶ
95 κατόπιν ἴεσθαι τῶν τεθεσπισμένων.

Ἔστι γάρ, ἔστιν ὁμολογουμένως οὐχὶ τοῖς τυχοῦσιν ἁπλῶς βάσιμος ἡ ἀρετή, δυσπρόσιτος δὲ καὶ ἀνάντης. Ἐφίκοιτο δ' ἂν αὐτῆς οὐ φιλήδονός τις ἢ παρειμένος, οὐ τοῖς τῆς σαρκὸς πάθεσιν ἐναλοὺς καὶ ὁλοτρόπως ἐνεσχημένος, καὶ ταῖς εἰς τὰ

Mss : A DEFG BHI (= b) CKLM (= c)

80 ἐπιβοάτω I^{mg2} edd.^{mg} : ἐπιβήτω I edd. ‖ 83 ἀφεξώμεθα c Aub. Mi. *abstineamus* Sal.^{v} *aversemur* Sch. ‖ 84 τοιᾶσδε L^{pc} : τοιάδε A DEFG b CKL^{ac} Sal. ‖ εἰσοίσωμεν C Aub. Mi. *inferamus* Sal.^{v} *ingeramus* Sch. ‖ 85 προφητῶν + καὶ edd. ‖ 91 ἴοι b C^{mg2} edd. *tendit* Sch. : ἴοι A C ἴσοι KL οἴσῃ M ἴσι DE I^{mg} edd.^{mg} ‖ 92 αὐτοὶ M *nos ipsi* Sal.^{v} : αὐτὴ A DEFG b (-ῇ H) CKL Sal. αὐτὸ Aub. Mi. ‖ 97 ἀνάντης b : ἄναντος DEF I^{mg2} c ‖ 99 ἐνεσχημένος Mi. : ἐνισχημένος A DEFG I^{mg} edd.^{mg} ἐνησχημένος b Sal. Aub. ἐνισχυμένος c

i. Mt 16, 6.

ble des saintes doctrines, libre du sophisme des pensées recherchées, de la ruse et du mensonge. Une telle nourriture est pure et sans levain.

Souvent en effet les gens tournent presque en dérision la droiture des enseignements divins, ils se jouent des discours de la vérité et s'efforcent avec impiété d'y ajouter des pensées misérables en fabriquant des fables, les malheureux, avec les trouvailles de l'erreur du monde ; et ils gâtent ainsi l'intelligence des simples. Eh bien ! que le Christ crie à ses disciples : « Gardez-vous du levain des pharisiens et des scribes [i] ! » Car les contes de bonne femme que produit leur sottise ne sont pas loin des inventions juives. Nous nous garderons donc de cette nourriture, et nous nous mettrons dans l'esprit les purs discours venus des saints prophètes, les commandements donnés par l'intermédiaire de Moïse en transposant les énigmes dans leur sens véritable, et avant toute chose, l'enseignement salutaire des évangiles, les écrits des apôtres, non pas en faisant violence au sens des textes, comme certains en ont l'habitude, pour y trouver des pensées laides, ni en les tirant hors de l'exactitude avec impiété, mais en nous élançant nous-mêmes de tout cœur vers le but que visent ces enseignements. Accoutumons-nous par là à la patience, en ne refusant pas de nous frotter à des labeurs pénibles, parce que nous avons choisi une vie droite et que nous suivons les prescriptions.

Car la vertu, c'est une chose reconnue, n'est pas accessible à n'importe qui simplement ; son accès est malaisé et escarpé [1]. On ne saurait l'atteindre par l'amour des plaisirs ou le relâchement, ni si l'on est prisonnier et entravé d'une manière ou d'une autre par les passions de la chair, ni non plus si l'on incline vers plus de honte, ayant lâché toutes les

1. Cf. *LF* XV, 2, 73-74 et p. 184-185, n. 1.

100 αἰσχίω ῥοπαῖς, πάντα μὲν κάλων ἐνείς, ὅλοις δὲ ὥσπερ ἱστίοις ἀκαθέκτως διωθούμενος, ἀλλ' ὁ νήψει διαπρέπων καὶ τῆς ἐπ' ἀγαθοῖς εὐτολμίας ἔμπλεως, εὐκοσμίας ἐραστής, ἐπιεικείᾳ συντεθραμμένος, καὶ ἱδρῶτος μὲν τοῦ πρὸς τὰ ἀμείνω βλέποντος καταφρονητής, πόνοις δὲ τοῖς ὑπὲρ αὐτῆς
105 τὸ εὐδοκιμεῖν ὠνούμενος. Οὐδὲ γὰρ ἂν ὑπάρξαι τισὶ τὸ κατορθοῦν δύνασθαί τι τῶν τεθαυμασμένων, εἰ μὴ ποιοῖτο διὰ σπουδῆς καὶ τὸ δεῖν ἑλέσθαι τληπαθεῖν.

ϛ'. Οὐκοῦν ὡς ἐν τύποις ὁ νόμος, ζύμη τέ φημι καὶ πικρίσιν, ἀναγκαίων ἡμῖν πραγμάτων ποιεῖται δήλωσιν. Ὧν τὴν πεῖραν εἰ παραιτοίμεθα, πόρρω ποι τῆς θείας ἀποφοιτῶντες τρίβου καὶ τὴν τοῖς ἁγίοις πρεπωδεστάτην
5 παρεκθέοντες ζωήν, οὐ μετρίως ἑαυτοὺς ἀδικήσομεν. Εἰ γὰρ ὁ τῆς ζωῆς ἡμῶν ἀρχηγὸς καὶ τελειωτὴς Ἰησοῦς [a] διὰ παθημάτων ἐτελειώθη [b], κατὰ τὸ γεγραμμένον, πῶς οὐκ ἀκλεᾶ καὶ κατεσκωμμένον ἡμεῖς διαζήσομεν βίον, τὸ ἐν ἴσοις γενέσθαι παραιτούμενοι καὶ τοὺς τῆς εὐδοκιμήσεως
10 ἀποσπουδάζοντες τρόπους ; Ἀκουσόμεθα γὰρ εὐθὺς ἐπιβοῶντος καὶ λέγοντος τοῦ Χριστοῦ· « Εἴ τις θέλει ὀπίσω μου ἐλθεῖν, ἀπαρνησάσθω ἑαυτὸν καὶ ἀράτω τὸν σταυρὸν αὐτοῦ καὶ ἀκολουθείτω μοι [c]. » Ἕπεσθαι δὴ οὖν ἀναγκαῖον ἡμᾶς τοῖς ἴχνεσι τοῦ Χριστοῦ, ὃς ἑαυτὸν δέδωκεν ὑπὲρ
15 ἡμῶν [d]. Καὶ διὰ ποίαν αἰτίαν ;

Πάλαι μὲν γὰρ τὸ ἀνθρώπινον κατεληίζετο γένος ὁ τῆς ἁμαρτίας εὑρετής· καὶ τρόπον ἐπιβουλῆς οὐδένα μένειν ἐῶν ταῖς ἑαυτοῦ δυστροπίαις ἀνεπιτήδευτον, πεφενάκικε τοὺς ἐπὶ τῆς γῆς, καὶ τὴν τῆς θεότητος δόξαν ὀνειροπολῶν
20 ἀναδείμασθαί οἱ βωμοὺς καὶ τεμένη προστέταχε, βουθυσίαις καὶ λιβανωτοῖς καταγεραίρειν ἐκέλευεν [e]. Ἀποκομίζων δὲ

Mss : A DEFG BHI (= b) CKLM (= c)

106 ποιοῦτο I edd.

ϛ'. 2 πικροῖσιν I edd. ‖ 3 πεῖραν A DEF HI Sal. Aub. ‖ 8 διαζήσωμεν HI edd. ‖ 16 ὁ C^{pc} : καὶ C^{ac} ὁ καὶ KL ‖ 17 εὑρετὴς b (-ῆς) : ἀρετῆς I^{mg2} ‖ 20 βουθυσίαις I^{mg} edd.^{mg} : -αι BH -αν I edd. ‖ 21 καταγεραίνειν b edd.

6 a. Cf. He 12, 2 b. Cf. He 2, 10 c. Mt 16, 24 d. Cf. Ep 5, 2 e. Cf. 1 M 1, 47.

écoutes, ballotté pour ainsi dire toutes voiles dehors [1] sans pouvoir se retenir ; on l'atteint en se distinguant par le jeûne, en étant plein de hardiesse pour le bien, en aimant la décence, en grandissant dans le respect des convenances ; enfin, en méprisant l'effort quand il s'agit de progresser, et en achetant l'estime au moyen des peines qu'il faut prendre pour cela. Car il serait impossible d'accomplir un seul acte admirable sans y mettre de zèle et sans choisir l'endurance indispensable.

6. La Loi nous représente donc, avec le levain et les herbes amères, comme une figure des activités nécessaires. Si nous refusons d'en faire l'essai et nous écartons du chemin divin en fuyant la vie la plus convenable aux saints, nous nous nuirons grandement à nous-mêmes. Car si celui qui guide et accomplit notre vie, Jésus [a], a été accompli par les souffrances [b], selon ce qui est écrit, ne mènerons-nous pas une vie sans gloire et dérisoire si nous refusons d'avoir un sort égal et méprisons les moyens d'obtenir l'estime ? Nous entendrons immédiatement le Christ proclamer ces paroles : « Si quelqu'un veut venir à ma suite, qu'il se renie lui-même, qu'il prenne sa croix et qu'il me suive [c]. » Il nous faut donc suivre les traces du Christ, qui s'est livré pour nous [d]. Et pour quel motif ?

Histoire du salut

Depuis longtemps le genre humain était aux mains de l'inventeur du péché ; toutes les manières de comploter lui étant bonnes pour servir sa malveillance, il a trompé les habitants de la terre et, dans son obsession d'acquérir la gloire de la divinité, il a prescrit qu'on lui construise des autels et des sanctuaires, et il ordonnait qu'on l'honore de sacrifices de bœufs et d'encens [e]. Et comme il amenait à ce qu'il voulait ceux qu'il

1. Cyrille affectionne les métaphores marines, qui parlaient sans doute au public alexandrin. Cf. *LF* XI, 2, 84-86 et 6, 118-120.

765 τοὺς πεπλανημένους ἐφ' ὅπερ ἂν βούλοιτο, ‖ τοὺς μὲν ἡλίῳ
τὸ σέβας, τοὺς δὲ σελήνῃ καὶ ἄστροις ἀνάπτειν ἀνέπειθεν.
Ἀλλὰ καὶ τοῖς ἔτι τούτων αἰσχίοσιν ἐνιεὶς ἐγκλήμασι, καὶ
25 κτηνῶν ἀλόγων ἀφιεροῦν ἐποίει μορφάς [f], τὸ θεῖον, οἶμαί
που, περιυβρίζων ἀξίωμα· καὶ τῆς ἀνωτάτω πασῶν οὐσίας
τὴν δόξαν ἀποκομίζειν ἀποτολμῶν, καὶ μέχρι τῶν οὕτως
εὐτελεστάτων, καὶ τὰ ὧν οὐδεὶς ἂν γένοιτο λόγος,
φιλαπεχθημόνως αὐτῇ παρεικάζειν ἀξιῶν [g]. Δεινὸν γὰρ ἀεὶ
30 καὶ πάντολμον τὸ θηρίον. Ἀποβουκολήσας δὴ οὖν τῆς
ἀληθοῦς θεογνωσίας τὸν ἄνθρωπον, καὶ βουλῆς ἀρίστης καὶ
διασκεμμάτων ὀρθῶν ἀμοιρεῖν ἀναπείσας καὶ ταῖς αὐτοῦ
ζεύγλαις ἐξ ἀπάτης ὑπενεγκών, ἁπάσης μὲν εὐθὺς
φαυλότητος ἐραστὴν ἀπετέλει, ἀστιβῆ δὲ αὐτῷ καὶ ἀνήνυτον
35 παντελῶς ἀποφήνας τὴν ἀρετήν, βδελυρὸν ἐτίθει καὶ Θεῷ
κατεστυγημένον.

Ἥκοντας δὲ ἤδη πρὸς τοῦτο ταλαιπωρίας ἠλέει λοιπὸν ὁ
τῶν ὅλων Δημιουργός, ἀντετίθει τοῖς ἐκείνου κακουργήμασι
τοὺς διασώζειν εἰδότας. Ἐκάλει διὰ Μωϋσέως, πρωτόλειον
40 ὥσπερ τι τῆς ἐκείνου θεότητος ἐξελῶν τὸν ἀρχαῖον Ἰσραήλ,
καὶ δὴ καὶ νόμοις ἀρίστοις αὐτὸν καταρυθμίζων εἰς
εὐκοσμίαν, ζηλωτὸν ἀπετέλει. Ἀλλ' οὐδὲν ἧττον ἐκεῖνος τὴν
τῶν ἁπλουστέρων ὑποτρέχων καρδίαν, αἰσχρῶν ἐπιτηδευμάτων καὶ ἀνοσίου βουλῆς μεταποιεῖσθαι παρεσκεύαζεν.
45 Ἰατροὶ κατὰ καιροὺς ψυχικῶν ἀρρωστημάτων ἀπαλλάττειν
εἰδότες οἰκονομικῶς ἀνεδείκνυντο. Ἀλλὰ καὶ αὐτοὺς
ἀτιμάζοντες τοὺς ἁγίους προφήτας πολυτρόπως ἡλίσκοντο.
Ἀθλίως δὴ οὖν πεπραχόσιν ἡμῖν αὐτὸν ἀναγκαίως
κατέπεμψε τὸν Υἱὸν ὁ Θεὸς καὶ Πατήρ, μετακομιοῦντα τὰ

Mss : A DEFG BHI (= b) CKLM (= c)

24 ἔτι I^{mg} edd.^{mg} *adhuc* Sal.^{v} : ἐπὶ G I edd. ‖ 29 φιλαπεχθημόνας A D c ‖ 35 ἐτίθει I^{mg} edd.^{mg} : -η b edd. ‖ 38 ἀντετίθει I^{mg} edd.^{mg} : -η b edd. ‖ 39 Μωϋσέος A D B Μωσέως F I edd. ‖ 41 καταριθμίζων E b CK ‖ 42 εὐκοσμίαν I^{mg} edd.^{mg} : ἀ- b edd. ‖ ἀπετέλει I^{mg} edd.^{mg} : ἐπ- I edd.

f. Cf. Sg 13, 10 g. Cf. Sg 13, 14.

avait trompés, il persuadait les uns de vénérer le soleil, les autres la lune et les astres. Mais il se chargeait d'un crime encore plus honteux en faisant consacrer des formes de bêtes sans raison [f], ce qui, à mon avis, faisait injure à la dignité divine ; et il osait transposer jusque sur les êtres les plus vulgaires la gloire de la substance qui est au-dessus de toutes les autres, trouvant bon dans sa malveillance de lui assimiler ce dont on ne saurait parler [g]. Car cette bête sauvage est toujours terrible et d'une audace sans limites. Ayant donc égaré l'homme loin de la véritable connaissance de Dieu, l'ayant persuadé de ne pas avoir part aux meilleures résolutions et aux réflexions droites, et l'ayant amené sous son joug par la ruse, il lui faisait aimer sans retard toutes sortes de vices et, l'ayant totalement détourné des chemins et des effets de la vertu, il le rendait repoussant et détestable pour Dieu.

Comme nous étions désormais arrivés à ce point de misère, le créateur de toutes choses avait alors pitié de nous, il opposait aux méfaits du diable des hommes capables de sauver : il appelait par la voix de Moïse l'ancien Israël comme part choisie pour sa divinité, il le transformait notamment par les lois les meilleures pour l'amener à la décence, et le rendait zélé. Mais l'autre n'en continuait pas moins à circonvenir le cœur des plus simples en le disposant à des conduites honteuses et à des résolutions impies. Des médecins apparaissaient de temps en temps selon l'économie, ils savaient débarrasser des maladies de l'âme. Mais ils étaient pris à mépriser même les saints prophètes de toutes sortes de manières. Donc, à cause de notre état misérable, Dieu le Père nous envoya de toute nécessité son Fils lui-même, pour ame-

50 καθ' ἡμᾶς εἰς τὸ ἀσυγκρίτως ἄμεινον ἢ πάλαι, καὶ ἀνασώσαντα τοὺς ἐπὶ τῆς γῆς, ἐξῃρημένης δηλονότι τῆς ἁμαρτίας, καὶ τοῦ δι' αὐτὴν ἀναφύντος θανάτου τῇ ἰδίᾳ ῥίζῃ συνολωλότος [h], καὶ αὐτῆς δὲ πρὸς τούτοις τῆς τοῦ διαβόλου τυραννίδος [i] καθῃρημένης. Ἔπρεπε δὲ τὰ οὕτω λαμπρὰ καὶ 55 περιφανῆ τῶν κατορθωμάτων, τῶν μὲν γενητῶν οὐδενί, μόνῃ δὲ μᾶλλον τῇ πάντα ὑπερκειμένῃ φύσει, καὶ ταῖς ἀνωτάτω δυνάμεσι καὶ ὑπεροχαῖς εὖ μάλα κατεστεμμένῃ.

Γέγονε τοίνυν ἄνθρωπος ὁ μονογενὴς τοῦ Θεοῦ Λόγος [j], ὁ δι' οὗ τὰ πάντα παρήχθη πρὸς γένεσιν [k], καὶ πεποιημένα 60 σώζεται. Καὶ τίς μὲν ὁ τρόπος τῆς οἰκονομίας, ἤτοι τῆς ἑνώσεως τοῦ Λόγου πρὸς τὸ ἀπὸ γῆς σαρκίον, πολυπραγμονεῖν οὐκ ἀζήμιον. Τὸ γὰρ ὑπὲρ νοῦν καὶ λόγον βασάνου κρεῖττον ἀεί, καὶ ὑποφέρεσθαι ταῖς ἐρεύναις <οὐκ> ἀξιοῖ. Γεγονὼς δὲ καθ' ἡμᾶς, δίχα μόνου τοῦ εἰδέναι πλημμελεῖν [l], 65 ὅτι Θεὸς κατὰ φύσιν ἐστὶ ταῖς τῶν τερατουργημάτων ὑπερβολαῖς σαφῶς τε καὶ ἐναργῶς ἀνεδείκνυτο. Νεκροὺς γὰρ ἐκ μνημάτων ὀδωδότας ἤδη καὶ κατεφθαρμένους παλινδρομεῖν ἐκέλευεν εἰς ζωήν [m]· τυφλοῖς τοῖς ἐκ γενετῆς ἐδίδου τὸ βλέπειν [n]· μακρῶν ἀπήλλαττε νοσημάτων· 70 θαλάσσῃ καὶ πνεύμασιν ἐπιτιμῶν ἐθαυμάζετο [o], καὶ πολὺς ἂν γένοιτο περὶ τούτων ὁ λόγος, ἕκαστα σαφῶς εἰπεῖν ἑλόμενος. ‖

768 Ἀλλὰ δέον ἐπὶ τούτοις ὑπεράγασθαι μὲν αὐτὸν τοὺς ἐξ Ἰσραήλ, ἀνακραγεῖν δὲ λοιπὸν ἐξ αὐτῶν τῶν θεοσημιῶν 75 ἀναπεπεισμένους· « Ἀληθῶς Θεοῦ Υἱὸς εἶ [p] », κατὰ πολλοὺς ἀτιμάζοντες ἡλίσκοντο τρόπους, καὶ τελευτῶντες ἐσταύρωσαν. Καθίει γὰρ οἰκονομικῶς ἑαυτὸν εἰς τοῦτο

Mss : A DEFG BHI (= b) CKLM (= c)

52 αὐτὴν : αὐτῆς I edd. ‖ 63 καὶ + *οὐχ ἴσ.* L^mg M^mg ‖ οὐκ rest. putamus (ad ἐρεύναις *f. addendum οὐκ* edd.^mg *nec* Sal.^v) : om. codd. ‖ 70 θαλάσσης DEFG CKL

h. Cf Rm 5, 12 i. Cf. He 2, 14 j. Cf. Jn 1, 14 k. Cf. Jn 1, 3
l. Cf. He 4, 15 m. Cf. Jn 11, 38-44 n. Cf. Jn 9, 1-7 o. Cf. Mt 8, 26-27
p. Mt 14, 33.

ner notre condition à un état incomparablement supérieur à jadis et pour sauver les habitants de la terre, une fois supprimé bien sûr le péché, anéantie avec sa propre racine la mort qui avait poussé à cause de lui [h], et détruite en outre la tyrannie même du diable [i]. Des hauts faits aussi illustres et éclatants ne convenaient à aucun des êtres créés, mais seulement à la nature qui dépasse tout, bien couronnée des puissances et de l'excellence d'en haut.

L'Incarnation

Le Verbe Fils unique de Dieu est donc devenu homme [j], lui par qui toutes choses ont été amenées à l'être [k] et sont sauvées une fois faites. Quel est le mode de l'économie, de l'union du Verbe avec le charnel venu de la terre, il n'est pas sans dommage de trop s'en occuper, car ce qui dépasse l'intelligence et la raison est toujours au-dessus de l'examen et ne saurait être soumis à investigation. Devenu comme nous, à part la seule capacité de pécher [l], il montrait avec clarté et évidence qu'il était Dieu par nature, grâce aux merveilles qu'il accomplissait en surabondance. Car il ordonnait à des morts qui déjà sentaient et s'étaient corrompus de revenir de leurs tombeaux à la vie [m], à des aveugles de naissance il donnait de voir [n], il enlevait des maladies graves, on admirait ses reproches à la mer et aux vents [o], et le discours serait long si on voulait exposer clairement chacun de ces points.

Mais, tandis que les fils d'Israël auraient dû l'admirer pour cela et, convaincus par ces signes divins, s'écrier alors : « Vraiment tu es le Fils de Dieu [p] », ils étaient pris à le mépriser de différentes manières, et pour finir l'ont crucifié.

Χριστός, ἵνα μεθ' ἡμῶν γεγονὼς ἐν νεκροῖς καὶ τοῖς ἐν ᾅδου κηρύξας πνεύμασιν [q], ἀνεβίω τριήμερος, τὸ ἀμειδὲς καὶ
80 ἀμείλικτον τοῦ θανάτου καταργήσας κράτος [r] καὶ ἐκ τῆς ῥίζης αὐτῆς ἀναβοθρεύσας τὴν φθοράν, οὕτω τε λοιπὸν βάσιμον τοῖς ἐπὶ τῆς γῆς καὶ αὐτὸν ἀποφήνῃ τὸν οὐρανόν [s]. Πρόδρομος γὰρ ὑπὲρ ἡμῶν ἀνέβη πρὸς τὸν Πατέρα [t]. Ἥξει τε κατὰ καιροὺς ἐν τῇ δόξῃ τοῦ γεγεννηκότος μετὰ τῶν
85 ἁγίων ἀγγέλων ἀποδώσων ἑκάστῳ κατὰ τὸ ἔργον αὐτοῦ [u].

Ὡς οὖν κριθησόμενοι, τὴν πίστιν τηρήσωμεν [v], συννόμως πολιτευσώμεθα, ζήσωμεν ὀρθῶς, κατακιβδηλεύοντες μὲν τῆς κακίας τοὺς τρόπους, ἐπιτηδεύοντες δὲ πᾶν εἶδος ἀρετῆς, τὴν φιλαλληλίαν, τὴν φιλοπτωχίαν, θεραπεύσωμεν ὀρφα-
90 νούς, ἐπισκεψώμεθα χήρας [w], ἐλεήσωμεν τῶν ἐν ἀρρωστίαις τὸ δάκρυον, τοὺς ἐν δεσμοῖς ὄντας ἐπισκεψώμεθα [x], τὴν τοῦ σώματος ἁγνείαν ἐπιτηδεύσωμεν. Οὕτω γάρ, οὕτω νηστεύοντες, καθαρῶς τὴν ἁγίαν καὶ πάναγνον ἐπιτελέσομεν ἑορτήν, ἀρχόμενοι τῆς μὲν ἁγίας Τεσσαρακοστῆς ἀπὸ
95 ἑκκαιδεκάτης τοῦ Φαμενὼθ μηνός, τῆς δὲ ἑβδομάδος τοῦ σωτηριώδους Πάσχα ἀπὸ μιᾶς καὶ εἰκάδος τοῦ Φαρμουθὶ μηνός, καταπαύοντες μὲν τὰς νηστείας τῇ ἕκτῃ καὶ εἰκάδι τοῦ αὐτοῦ Φαρμουθὶ μηνός, ἑσπέρᾳ βαθείᾳ, κατὰ τὸ εὐαγγελικὸν κήρυγμα, ἑορτάζοντες δὲ τῇ ἑξῆς ἐπιφωσκούσῃ
100 Κυριακῇ, τῇ ἑβδόμῃ καὶ εἰκάδι τοῦ αὐτοῦ μηνός, συνάπτοντες ἑξῆς καὶ τὰς ἑπτὰ ἑβδομάδας τῆς ἁγίας Πεντηκοστῆς. Οὕτω γάρ, οὕτω πάλιν τοῖς θείοις ἐντρυφήσομεν λόγοις, ἐν Χριστῷ Ἰησοῦ τῷ Κυρίῳ ἡμῶν, δι' οὗ καὶ μεθ' οὗ τῷ Πατρὶ σὺν τῷ ἁγίῳ Πνεύματι δόξα καὶ
105 κράτος. Ἀμήν.

Mss : A DEFG BHI (= b) CKLM (= c)

78 καθ' ἡμῶν b edd. *ἴσως καθ' ἡμᾶς* b^{mg} edd.^{mg} ‖ 86 συννόμως *ex praescripto divinae legis* Sal.^{v} *ex lege Dei* Sch. : συντόμως b edd.

---

q. Cf. 1 P 3, 19 r. Cf. He 2, 14 s. Cf. He 9, 24 t. Cf. He 6, 20
u. Cf. Mt 16, 27 v. Cf. 2 Tm 4, 7 w. Cf. Jc 1, 27 x. Cf. Mt 25, 43.

Car le Christ s'abaissait jusque là à cause de l'économie, afin que venu avec nous parmi les morts, et ayant prêché aux esprits des enfers [q], il ressuscitât le troisième jour après avoir réduit à rien le pouvoir triste et amer de la mort [r] et déterré la corruption en l'arrachant avec sa propre racine [1], pour rendre ainsi désormais le ciel même [s] accessible aux habitants de la terre. Car il est monté pour nous auprès du Père en précurseur [t], et il viendra aux temps voulus avec les saints anges dans la gloire de celui qui l'a engendré, pour rendre à chacun selon son œuvre [u].

Exhortation finale et date de Pâques

Nous donc qui devons être jugés, gardons la foi [v], conduisons-nous selon la Loi, vivons droitement, jetant le discrédit sur les voies du mal et pratiquant toutes sortes de vertus : l'amour fraternel, l'amour des pauvres ; prenons soin des orphelins, visitons les veuves [w], ayons pitié des larmes de ceux qui sont faibles, visitons les prisonniers [x] et pratiquons la pureté du corps. Car c'est ainsi, en jeûnant ainsi, que nous accomplirons avec pureté la fête sainte et toute pure, en commençant le saint Carême au seize du mois de phamenoth, la semaine de la Pâque salutaire au vingt et un du mois de pharmouthi, en cessant les jeûnes le vingt-six du même mois de pharmouthi, en fin de soirée, selon la proclamation évangélique, et en célébrant la fête le matin du dimanche qui suit, le vingt-sept du même mois [2], enchaînant ensuite les sept semaines de la sainte Pentecôte. Car c'est ainsi, oui, c'est ainsi que nous retrouverons les délices des paroles divines, dans le Christ Jésus notre Seigneur, par qui et avec qui gloire et puissance soient au Père avec le Saint-Esprit. Amen.

1. C'est-à-dire le péché (cf. Rm 5, 12 ou 1 Co 15, 56).
2. Le 22 avril 428.

DIX-SEPTIÈME FESTALE
(429)

Introduction

La présente *Lettre festale* a une certaine importance dogmatique, car elle est un des tout premiers textes de la controverse nestorienne qui a commencé dans le courant de 428. La lettre a dû être écrite dans le tournant de 428/429, presque en même temps que la *Lettre aux moines* qui est sans doute légèrement postérieure, puisqu'elle défend à plusieurs reprises le mot *theotokos* que notre présente lettre n'emploie pas encore. Pour une étude doctrinale de cette *Festale*, comparée avec la *Lettre aux moines*, on consultera la bibliographie citée *in fine* dans la note complémentaire. L'importance de cette *Lettre Festale* XVII a été reconnue dès l'Antiquité, puisqu'elle a fait l'objet d'une traduction latine (publiée dans *PG* 77 à la suite du texte grec), attribuée (à tort) à Arnobe le Jeune, qui l'a en tout cas citée dès 451.

De fait, la lettre est presque toute consacrée au débat christologique (§§ 2-4) et à l'affirmation contre Nestorius, qui n'est pas nommé, de l'unité du Christ. Cyrille argumente à partir d'un exemple (la pierre précieuse et son éclat) et de trois textes de l'Ancien Testament : *Isaïe* 8, 1-4 (le stylet d'homme), *Exode* 3, 1-6 (le buisson ardent), et *Osée* 13, 11 (un roi donné dans la colère). À chaque fois, il tente de montrer l'unité du Verbe avec la chair qu'il a assumée : il est « Dieu dans l'humanité », c'est Dieu qui naît dans la chair,

Marie est mère de Dieu. L'unique Christ est un sujet divin, on ne peut parler de « l'homme » comme sujet à côté du Verbe : les grandes intuitions de Cyrille sont présentes dans cette *Lettre* et n'évolueront guère. Nous voyons ainsi sur quelles bases il aborde cette controverse.

En dehors de la christologie, le début de la *Lettre* offre les thèmes habituels sur l'exhortation morale et l'exégèse spirituelle de l'Ancien Testament (offrande des tourterelles) et, ce qui est moins fréquent, du Nouveau, avec l'exégèse symbolique de *Luc* 22, 7-11 (le lieu choisi par le Christ pour célébrer la pâque, dans une salle à l'étage). La fin aussi revient au modèle classique des *Festales* avec le résumé d'histoire du salut et l'exhortation finale.

Plan

Προθεωρία

(768) Τὰ συνήθη καὶ νῦν ἀναγνωσόμεθα, καὶ λόγοις ἡμᾶς ἐκκλησιαστικοῖς ἑστιάσομεν, πρόσκλησιν ὥσπερ τινὰ χρῆμα ποιούμενοι τοῦ δεῖν ἑλέσθαι, καὶ ὀρθῇ διαπρέπειν πίστει καὶ τὴν εὔκλεᾶ καὶ ἀμώμητον ἀγαπῆσαι ζωήν.

ΕΟΡΤΑΣΤΙΚΗ ΕΠΤΑΚΑΙΔΕΚΑΤΗ

α΄. Οἱ τὴν εὐφυᾶ καὶ ἀπόλεκτον καὶ τοῖς θείοις συμβαίνουσαν νόμοις ἐπησκηκότες ζωήν, καὶ πρός γε τοῦτο διάττειν οὐκ ἀγεννῶς προθυμούμενοι, ὄκνου μὲν ἀμείνους εἶεν ἄν, οἶμαι, παντός, ἀεί τε τὸ ἐμποδὼν ῥιπτοῦντες ὡς 5 ἀπωτάτω, τῶν ἐν χερσὶ σπουδασμάτων τὸ πέρας τῆς προυργιαιτάτης φροντίδος ἀξιοῦν ἐγνώκασι. Φαίην δ᾽ ἂν ὅτι δεήσει πρὸς τοῦτο καὶ ὡς πλείστης ὅσης τῆς νουθεσίας

Mss : A DEFG BHI (= b) CKLM (= c)
Edd. et Verss : Sal. Aub. Mi. (= edd.) ; Sal.^{v} Sch. (= verss latt.)
Vers. lat. antiqua (PG 77, 789-800) Arnobio iuniori falso tributa sigillo Arn. notatur.
Lectiones ex *ACO* (ed. E. Schwartz 1929) citatae sigillo S notantur

1 ἡμᾶς : ὑμᾶς I^{mg2} C^{mg2} ‖ 2 ἑστιάσομεν B^{pc}I : -ωμεν A DEFG B^{ac}I^{mg} c ‖

Inscriptio : ἑορταστικὴ ἑπτακαιδεκάτη : ἑορ. κυρίλλου KLM ὁμιλία ἑορ. ἑπτα. λόγος ιζ᾽ I om. edd.
α΄. 3 ἀγενῶς b edd. ‖ 5 ἀποτάτω F CK ‖ 7 ὅσης : οὔσης I edd.

DIX-SEPTIÈME FESTALE

Préliminaire [1]

Nous lirons aujourd'hui encore ce qui est habituel, et nous nous régalerons de discours d'Église [2], considérant qu'on nous mande en quelque sorte de faire ce choix : nous distinguer par une foi droite, et aimer une vie glorieuse et sans reproche.

Dix-septième festale

Raisons d'exhorter à l'effort

1. Ceux qui se sont exercés à une vie noble et choisie, accordée aux lois divines, et qui en outre sont empressés de s'y élancer non sans générosité, ceux-là sont, je crois, au-dessus de toute hésitation ; ils rejettent sans cesse l'obstacle le plus loin possible, et savent consacrer le soin le plus efficace à l'accomplissement des œuvres qui sont à leur portée. Je dirais qu'il leur faudra pour cela l'avertissement le plus fort possible, capable de les pousser à l'effort le plus

1. Ce préliminaire ne se trouve pas dans la version latine ancienne, qui commence directement au § 1.

2. Par « ce qui est habituel » et « les discours d'Église », le prologue désigne-t-il les textes liturgiques, ou la présente *Lettre Festale*, destinée en effet à être lue là où elle est envoyée, sans doute par l'évêque qui la reçoit ? Dans ce dernier cas, le prologue serait une sorte de billet d'accompagnement, et ne ferait pas partie de la *Lettre* proprement dite.

αὐτοῖς, καὶ τοῦ καταθήγειν εἰδότος εἰς ἀκμαιοτέραν σπουδήν, καθάπερ ἀμέλει καὶ τοῖς παλαίειν εἰωθόσι τῶν νέων
769 10 ‖ τῆς τοῦ παιδοτρίβου φωνῆς, διανιστάντος ἀεὶ πρὸς τὸ τληπαθὲς καὶ τῆς τοῦ νικᾷν ἐφίεσθαι δόξης μονονουχὶ καὶ ἐπαναγκάζοντος. Ἀφῖγμαι δὴ οὖν εἰς μέσον καὶ αὐτὸς ἐγώ, τοῖς τῶν ἀγαθῶν αὐχημάτων ἐρασταῖς τῇ τοῦ Ψάλλοντος λύρᾳ συγκεκραγώς· « Ἀνδριζέσθω καὶ κραταιούσθω ἡ
15 καρδία ὑμῶν, πάντες οἱ ἐλπίζοντες ἐπὶ Κύριον [a]. » Ὡς γὰρ αὐτός που πάλιν φησὶν ὁ θεσπέσιος Δαβίδ· « Καιρὸς τοῦ ποιῆσαι τῷ Κυρίῳ [b]. »

Δεῖν δὲ δὴ οἶμαι πρὸς ὑμᾶς τοὺς τῆς παρακλήσεως ποιεῖσθαι λόγους, ὀλίγα πεφροντικότας τοῦ μὴ ἐπαξίως
20 δύνασθαί τι τῶν προκειμένων εἰπεῖν, ἤγουν διά τοι τὸ τῆς τινων εὐγλωττίας ἰέναι κατόπιν, ἐννοηκότας δὲ μᾶλλον ἐκεῖνο σοφῶς, ὡς πολὺ δή τι τὸ ἄμεινον, οἷς ἄν τις ἔχοι καὶ δύναιτο τοὺς γνωρίμους ἑστιᾷν, καὶ εἰσοικίζεσθαι τοὺς ἐπιτηδείους, ἢ τὸν ἀπηνῆ καὶ κακόδοξον ἀνθελέσθαι βίον,
25 αἰδοῖ τοῦ μὴ δοκεῖν τῆς ἑτέρων ἡττῆσθαι φιλοτιμίας.

Θαρρεῖν δέ, οἶμαι, καὶ ἑτέρως τὸν ἀγῶνα περίεστιν ἐκεῖνο διεσκεμμένῳ. Διαμεμνήσομαι γὰρ τοῦ πάντων κρατοῦντος Θεοῦ, τῷ παναρίστῳ λέγοντος Μωσεῖ· « Τίς ἔδωκε στόμα ἀνθρώπῳ ; καὶ τίς ἐποίησε δύσκωφον καὶ κωφόν ; βλέποντα
30 καὶ τυφλόν ; Οὐκ ἐγὼ Κύριος ὁ Θεός ; Καὶ νῦν πορεύου, καὶ ἐγὼ ἀνοίξω τὸ στόμα σου [c]. » Σκιὰ μὲν οὖν καὶ τύποι τὸ ἀρχαῖον ἐκεῖνο χρησμῴδημα, καὶ εἰ λελάληται δι' ἀγγέλων μεσολαβοῦντος Μωσέως. Ἀμοιρήσειε δ' ἂν οὔ τί που τῶν ὑπὲρ αἴσθησιν ἐννοιῶν, εἰ λεπτοῖς αὐτό τις καταθρήσειεν
35 ὀφθαλμοῖς, καὶ τῶν τοῦ γράμματος κατασκιασμάτων ἀλογεῖν εἰθισμένος τὸν ἐν βάθει τε καὶ ἐσωτάτω κατασκέπτοιτο νοῦν.

Mss : A DEFG BHI (= b) CKLM (= c)

23 δύναται I edd. ‖ 29 ἀνθρώπῳ, ... καὶ κωφόν, Sal. *LXX* : -πῳ ; ... καὶ κ. ; Aub. Mi. ‖ 32 λελάληται : λελάχηται I edd. ‖ 33 ἀμοιρήσειε : -σειες G -σει I edd. ‖ 34 καταθρήσεεν b ‖ 36-37 κατασκέπτοι τὸν νοῦν F CKL

1 a. Ps 30, 25 b. Ps 118, 126 c. Ex 4, 11-12.

intense, comme la voix du pédotribe [1] pour les jeunes qui s'exercent à la palestre : celui-ci les relève toujours pour les rendre endurants, et les force presque à convoiter la gloire de la victoire. Eh bien ! J'interviens donc moi aussi, en joignant mes clameurs à la lyre du Psalmiste pour dire à ceux qui aiment les justes sujets de gloire : « Que votre cœur soit viril et fort, vous tous qui espérez dans le Seigneur [a]. » Comme David l'inspiré le dit encore lui-même quelque part : « C'est le moment d'agir pour le Seigneur [b]. »

Je pense qu'il faut vous tenir le langage de l'exhortation, sans souci de ne pouvoir être à la hauteur du propos, c'est-à-dire d'être inférieur à l'éloquence de certains, mais en se disant plutôt avec sagesse qu'il vaut bien mieux régaler ses proches et accueillir ses familiers avec les moyens dont on dispose, que de préférer vivre en sauvage et être mal vu, par peur de paraître inférieur aux libéralités affichées des autres.

Je pense avoir une autre raison d'affronter hardiment le combat, quand j'examine ceci. Je me rappellerai en effet que Dieu qui règne sur toute chose disait à Moïse, le meilleur des hommes : « Qui a donné une bouche à l'homme ? Qui l'a fait sourd et muet ? Voyant et aveugle ? N'est-ce pas moi le Seigneur Dieu ? Et maintenant avance, et moi, j'ouvrirai ta bouche [c]. » Ombre et figures que cet ancien oracle, même si ce sont des anges qui l'ont prononcé par la bouche de Moïse. Aucune des pensées qui dépassent les sens n'échapperait si on les regardait avec des yeux perçants et si, habitué à ne tenir aucun compte des voiles de la lettre, on considérait le sens profond, le plus intérieur.

1. La même comparaison se trouve dans un texte presque contemporain de celui-ci : *Lettre aux moines* 1 (*ACO* I, 1, 1, p. 10, l. 11-18).

Προστέταχε τοίνυν ὁ νόμος καταγεραίρεσθαι δεῖν τὸν τῶν
ὅλων Θεὸν κατὰ πολλοὺς μὲν τρόπους· προσετίθει δὲ ὅτι καὶ
40 τρυγόνας [d] αὐτῷ καθιεροῦν ἀναγκαῖον. Καί τοι, μυρίαι μὲν
ὅσαι κατὰ τὸν κόσμον αἱ τῶν ὀρνίθων ἀγέλαι, ὧν εἰσιν οἱ μὲν
τὴν ἄνω πτῆσιν νόμῳ φύσεως ἐκτετιμηκότες, οἱ δὲ πρὸς
τοῦτο καὶ ὑγροί· μέγεθος δὲ καὶ σχῆμα καὶ κάλλος οὐκ ἐν
αὐτοῖς. Γράφει δὲ ἄλλον ἄλλως ἡ φύσις, καί ταῖς τοῦ
45 πεποιηκότος τέχναις εἰς εὐανθῆ χρωμάτων ἰδέαν τὸ γένος
αὐτοῖς κατευρύνεται. Εἶτα τί δή ποτε, φαίη τις ἄν, παρεὶς ὁ
νόμος ἐκεῖνα καὶ τὰ πάντων ἄριστα παραδραμών, μονονουχὶ
ταῖς ἀνωτάτω τιμαῖς τὴν τρυγόνα στεφανοῖ, ποιεῖσθαι
προστεταχὼς ἱερὸν αὐτὴν τῷ Θεῷ ἀνάθημα ; Τί τὸ αἴνιγμα,
50 καὶ τί τὸ σοφὸν τοῦ νόμου ; Ἀποδέχεται τὸν λόγον, ὡς Λόγου
Πατήρ, ὁ παντὸς ἐπέκεινα νοῦ, φημὶ δὴ Θεός· καὶ τὰ τῶν
στρουθίων εὐστομεῖν εἰωθότα ποιεῖται δεκτὰ καὶ προτίθησι
τῶν ἄλλων, καίτοι πολὺ τὸ ἐπίχαρι καταπλουτούντων
ἔσθ' ὅτε· διδάσκων ἡμᾶς αἰνιγματωδῶς, ὅτι τῶν
55 ἄλλων ἀμείνους καὶ ἱερώτατοι καὶ παρ' ἡμῖν αὐτοῖς οἱ λόγου
χρείαν πεπιστευμένοι, καὶ νουθετεῖν οἷοί τε τῶν καλλίστων
εἰσηγημάτων τοὺς ἐραστάς. Φέρε τοίνυν τὸν Δεσποτικὸν
ἀμπελῶνα [e] τοῖς ἀπὸ τῆς θείας Γραφῆς κατακηλήσωμεν
772 λόγοις, οὐκ ἀτρανῆ καὶ ἄση‖μον ἁπλῶς ἱέντες ἠχήν, ἀλλ'
60 ἑορτάζειν ὑμᾶς ἀναπείθοντες τοῖς καθήκουσι λογισμοῖς, ὡς
ἂν εὖ ἔχοι τὸ χρῆμα, δρῷτό τε ὀρθῶς καὶ ἀνεπιπλήκτως,
κατά γε τὸ τῷ νομοθέτῃ δοκοῦν.

β΄. Ἔφη τοίνυν ἡμῖν ὁ θεσπέσιος Λουκᾶς ἐν ἰδίαις
συγγραφαῖς· « Ἦλθε δὲ ἡ ἡμέρα τῶν Ἀζύμων, ἐν ᾗ ἔδει
θύεσθαι τὸ πάσχα. Καὶ ἀπέστειλε Πέτρον καὶ Ἰωάννην

Mss : A DEFG BHI (= b) CKLM (= c)

38 προστέταχε I^{mg} : προτέταχε b edd. ‖ 39 δὲ om. b edd. ‖ 40 τρυγῶνας HI edd. ‖ μὲν : δὲ I edd. ‖ 41 ὅσα CKL ‖ 43 οὐκ ἐν I^{mg} *in his* Sal.^{v} : οὐχ ἕν A G (ἐν EF) b c edd. *nec his... una* Sch. *non una est* Arn. ‖ 44 ἄλλως I^{ac} : ἄλλων BHI^{pc} ‖ 48 τρυγῶνα HI edd. ‖ 49 αἴνιγμα I^{mg} : αἴτημα I edd. ‖ 51 καὶ τὰ : κατὰ c ‖ 59 ἱέντες I : ἰέντες A EFG H c ἰόντες D I^{mg} ‖ 61 δρῷτό τε I^{mg} Sal.^{mg} Aub.^{mg} : δρῷτέ τε Mi.^{mg} δρῷτε I Aub. Mi. δρῶτε Sal.

d. Cf. Lv 5, 7 e. Cf. Mt 21, 33

L'enseignement des tourterelles

La Loi a donc ordonné d'honorer le Dieu de l'univers de nombreuses manières ; mais elle ajoutait qu'il fallait lui consacrer des tourterelles [d]. Il y a pourtant d'innombrables troupes d'oiseaux de par le monde. Les uns ont illustré le vol vers le haut de par la loi de leur nature, et les autres, de plus, sont aquatiques ; mais ils n'ont pas la grandeur, la grâce et la beauté. La nature dessine chacun différemment et, par l'art du créateur, diversifie leur race pour lui conférer un aspect riche en couleurs. Pourquoi donc, dira-t-on, la Loi les a-t-elle négligés et a-t-elle dédaigné les meilleurs, pour couronner presque des plus hauts honneurs la tourterelle en ordonnant d'en faire à Dieu l'offrande sacrée ? Quelle est cette énigme, cette sagesse de la Loi ? Il approuve la parole, en tant que Père de la Parole, celui qui est au-delà de toute intelligence, je veux dire Dieu ; et il estime recevables les moineaux à la belle voix, il les met avant les autres qui sont pourtant riches parfois de bien des attraits. Il nous enseigne ainsi par énigme qu'ils sont supérieurs aux autres et particulièrement sacrés, chez nous aussi, ceux à qui a été confié l'usage de la parole, et qui sont capables d'avertir ceux qui aiment qu'on leur rappelle les plus beaux conseils. Allons ! Apprivoisons donc la vigne du Seigneur [e] par des paroles venues de l'Écriture, non pour produire un simple son dénué de clarté et de sens, mais pour vous persuader de célébrer la fête avec les pensées qui conviennent, pour que les choses se passent bien et soient accomplies droitement et sans reproche, selon ce que veut le législateur.

Le lieu de la Pâque

2. Luc l'inspiré nous a dit dans ses propres écrits : « Vint le jour des Azymes, où il fallait immoler la Pâque. Et il envoya Pierre et Jean en disant : Allez nous préparer la Pâque pour

εἰπών· Πορευθέντες ἑτοιμάσατε ἡμῖν τὸ πάσχα, ἵνα
5 φάγωμεν. Οἱ δὲ εἶπον αὐτῷ· Ποῦ θέλεις ἑτοιμάσωμεν ; Ὁ δὲ
εἶπεν αὐτοῖς· Ἰδού, εἰσελθόντων ὑμῶν εἰς τὴν πόλιν,
ὑπαντήσει ὑμᾶς ἄνθρωπος κεράμιον ὕδατος βαστάζων.
Ἀκολουθήσατε αὐτῷ εἰς τὴν οἰκίαν εἰς ἣν εἰσπορεύεται, καὶ
ἐρεῖτε τῷ οἰκοδεσπότῃ τῆς οἰκίας· Λέγει σοι ὁ διδάσκαλος·
10 Ποῦ ἐστι τὸ κατάλυμα, ὅπου τὸ πάσχα μετὰ τῶν μαθητῶν
μου φάγω ; Κἀκεῖνος ὑμῖν δείξει ἀνάγαιον μέγα ἐστρωμένον·
ἐκεῖ ἑτοιμάσατε [a]. » Ἀκούεις ὅπως τοῖς τῆς θεότητος
ὀφθαλμοῖς ὅποι ποτὲ ἄρα καταλύειν ἄξιον, εὖ μάλα
διερευνώμενος, ἀνάγαιον ἔφη καταδειχθήσεσθαι τοῖς ἁγίοις
15 ἀποστόλοις μέγα τε καὶ ἐστρωμένον, καὶ ποδηγὸν εἰς τοῦτο
ποιεῖσθαι προστέταχε τὸν τῷ κεράμῳ κατηχθισμένον,
εἰσκομίζοντά τε τὸ ὕδωρ τῷ τῆς ἑστίας δεσπότῃ ; Ἴθι δὴ οὖν
ὡς δι᾽ ἰσχνῶν ἐννοιῶν ἐπὶ τὰ ἔτι μείζω καὶ νοητά.

Καὶ εἴπερ τῳ σκοπὸς αὐτὸν ἔχειν εἰς νοῦν ἐνοικισθέντα [b],
20 καὶ ἐνηυλισμένον καὶ συνεορτάζοντα τὸν Χριστόν, κατα-
πλουτοῦντι τῷ τέως τὴν δι᾽ ὕδατος κάθαρσιν, ἀπονιζέτω τὴν
ἁμαρτίαν τῆς ἑαυτοῦ ψυχῆς καὶ τῶν ἀρχαίων αἰνιγμάτων
ἀποτριβέσθω τοὺς μολυσμούς [c]. Οὕτω γάρ που Θεὸς καὶ διὰ
φωνῆς Ἡσαΐου φησί· « Λούσασθε, καθαροὶ γένεσθε, ἀφέλετε
25 τὰς πονηρίας ἀπὸ τῶν ψυχῶν ὑμῶν ἀπέναντι τῶν ὀφθαλμῶν
μου. Παύσασθε ἀπὸ τῶν πονηριῶν ὑμῶν, μάθετε καλὸν
ποιεῖν, ἐκζητήσατε κρίσιν, ῥύσασθε ἀδικούμενον, κρίνατε
ὀρφανῷ, καὶ δικαιώσατε χήραν, καὶ δεῦτε καὶ διελεγχθῶμεν,
λέγει Κύριος. Καὶ ἐὰν ὦσιν αἱ ἁμαρτίαι ὑμῶν ὡς φοινικοῦν,
30 ὡς χιόνα λευκανῶ· ἐὰν δὲ ὦσιν ὡς κόκκινον, ὡς ἔριον

Mss : A DEFG BHI (= b) CKLM (= c)

β΄. 5 ἑτοιμάσωμεν *NT* : -σομεν A DEFG αἰτημάσωμεν I ‖ 11 ἀνάγαιον B^{pc}H^{pc} *NT* : ἀνώ- B^{ac} edd. ἀνάγεον H ἀνώγεον M ‖ ἐστρωμένον *NT* : -μμ- A DE (-στρομ-) FG B c (et in l. 15) ‖ 14 ἀνάγαιον F^{pc} B^{pc} : ἀνώ- B^{ac}I edd. ἀνάγκαιον F^{ac} ‖ 16 κεράμιῳ edd. ‖ 17 γοῦν I edd. ‖ 18 ἔτι A^{pc} I^{pc} C^{pc} : ἔτη A^{ac} F HI^{ac} C^{ac}KL ‖ 24 λούσασθε + καὶ b edd. ‖ γένεσθε D^{sl}E^{pc} I^{mg} *LXX* : γίνεσθε DE^{ac} I edd. ‖ 27 ῥύσασθε I^{mg} *LXX* : ῥύσατε b edd. ‖ 28 διελεγχθῶμεν D^{sl} *LXX* : -λεχθ- DF b c (δια- L^{sl} edd.) διελεγχῶμεν E

---

2 a. Lc 22, 7-12 b. Cf. 2 Co 6, 16 c. Cf. 2 Co 7, 1.

que nous mangions. Ils lui répondirent : Où veux-tu que nous la préparions ? Il leur dit : Voici, tandis que vous irez vers la ville, que viendra à votre rencontre un homme portant un pot d'eau. Suivez-le dans la maison où il entre, et vous direz au chef de la maison : Le maître te dit : Où est l'endroit où je vais manger la Pâque avec mes disciples ? Et lui vous montrera une vaste salle à l'étage, avec des lits ; là vous ferez les préparatifs[a]. » Tu entends cela : cherchant soigneusement avec les yeux de la divinité un lieu qui soit digne de son séjour, il a dit qu'une vaste salle à l'étage, avec des lits, serait montrée aux saints apôtres, et il a ordonné de prendre pour guide un homme chargé d'un pot, apportant l'eau au maître du foyer ? Avance-toi donc, en affinant pour ainsi dire tes pensées, vers des objets encore plus grands et intelligibles.

Si quelqu'un a pour but de garder le Christ installé dans son intelligence [b], y demeurant et célébrant la fête avec lui, s'il est déjà riche de la purification par l'eau, qu'il nettoie son âme du péché, qu'il se débarrasse des souillures des anciennes énigmes [c]. Car c'est ainsi que parle Dieu par la voix d'Isaïe : « Lavez-vous, soyez purs, enlevez les vices de vos âmes pour les faire disparaître de devant mes yeux. Cessez vos méchancetés, apprenez à bien agir, recherchez le jugement, protégez la victime d'une injustice, jugez en faveur de l'orphelin et rendez justice à la veuve, et venez, discutons, dit le Seigneur. Si vos péchés sont comme la pourpre, je les rendrai blancs comme la neige ; s'ils sont comme l'écarlate, je

λευκανῶ [d]. » Χρῆναι γὰρ ἔγωγέ φημι προεκθλίβεσθαι μὲν ὥσπερ τῶν ἡμετέρων διανοιῶν τὸν ἐκ φαυλότητος ῥύπον, εἰσοικίζεσθαι δὲ οὕτω λοιπὸν τὴν εὐκλεᾶ καὶ ἀξιόληπτον ἀρετήν, ἧς ἂν γένοιτο τὸ ἰσοστατοῦν οὐδὲν παρά γε τοῖς 35 ἀρτίοις τὴν φρένα, καὶ ἀποκρίνειν εἰδόσι τοῦ πεφυκότος ἀδικεῖν τὸ μὴ οὕτως ἔχον.

Ὥσπερ γάρ, οἶμαι, πάντη τε καὶ πάντως, ἀσυνύπαρκτα μὲν ἀλλήλοις ἐν ἑνὶ κατὰ ταὐτὸν τὰ τῇ φύσει μαχόμενα· « Τίς γὰρ κοινωνία φωτὶ πρὸς σκότος ; [e] » κατὰ τὸ γεγραμμένον· 40 εἰ δὲ ἀναιροῖτο τὸ ἕν, θατέρῳ δὴ πάντως ἀνήσει τὴν εἰσδρομήν· κατὰ τὸν αὐτόν, οἶμαι, τρόπον, φαυλότης τε καὶ ἀρετὴ μαχομένην ἔχουσαι τὴν ἐν ἔργοις ποιότητα, πλείστῃ τε ὅσῃ διαφορᾷ διεσχοινισμέναι, πῶς ἂν εἰς ἕνα χωρήσειαν 773 νοῦν ; εἶτα ‖ τὸν εἰσδεδεγμένον οὐκ ἀκαλλῆ τε καὶ 45 ἀλλοπρόσαλλον ἀποφήνειαν ἄν, καὶ οἷον ἀμφοῖν ἐπισκάζοντα τοῖν ποδοῖν ; Ἀλλ' ὅ γε προφήτης Ἠλίας τοῖς οὕτω ζῆν εἰωθόσιν ἐπιτιμᾷ λέγων· « Ἕως πότε χωλανεῖτε ἐπ' ἀμφοτέραις ταῖς ἰγνύαις [f] ; » Ἐξείργει δὲ καὶ ὁ νόμος τῶν τοιούτων ἠθῶν τε ἡμᾶς καὶ τρόπων, τὸ ἀσυμφυὲς καὶ 50 ἀσύμβατον παραιτεῖσθαι προστάττων αἰνιγματωδῶς. Ἔφη γὰρ οὕτως· « Οὐκ ἀροτριάσεις ἐν μόσχῳ καὶ ὄνῳ ἐπὶ τὸ αὐτό [g]. » Καὶ πάλιν· « Οὐκ ἐνδύσῃ ἔρια καὶ λίνον ἐν τῷ αὐτῷ [h]. » Ἄθρει γὰρ ὅπως ἡμᾶς πανταχῇ τὸ οἱονεί πως ἀσυμμιγὲς καὶ οὐκ ἐν κόσμῳ συνεζευγμένον, ὡς ἀκαλλὲς καὶ 55 ἀνόσιον δεῖν ἔφη μισεῖν, καὶ τῶν ἀνομοίων τὴν συνδρομὴν οὐκ οἶδε τιμᾷν. Δεῖ δὴ οὖν ἄρα τοὺς ἄριστά γε βιοῦν ᾑρημένους, προαποτρίβεσθαι μέν, ὡς ἔφην, τοὺς ἐκ φαυλότητος ῥύπους, ἀπαλλάττεσθαι δὲ μολυσμῶν. Οὕτως

Mss : A DEFG BHI (= b) CKLM (= c)

43 διεσχοινισμέναι I^{mg} : -σχιν- b edd. ‖ 45 ἀλλοπρόσαλον A DF B CK ἄλλη πρόσαλον E ‖ 46 τοῖν ποδοῖν b^{mg} : τοῖς ποσίν codd. edd. ‖ οὕτως I edd. ‖ 51-52 ἐπιτοαυτό b edd. ‖ 57 προαποτρίβεσθαι : -κρίβ- B κρύβ- HI^{ac} τρύβ- I^{pc} Sal. ‖ 58 δὲ I^{pc} : om. b

d. Is 1, 16-18 e. 2 Co 6, 14 f. 1 R 18, 21 g. Dt 22, 10
h. Dt 22, 11.

les rendrai blancs comme la laine [d]. » Oui, je dis qu'il faut en quelque sorte expulser de nos pensées la tache qui vient de la méchanceté, pour pouvoir ainsi faire ensuite entrer la vertu, réputée et bien venue, auprès de laquelle rien ne peut être mis en balance, du moins pour ceux qui ont l'esprit bien ajusté et savent distinguer ce qui est injuste par nature et ce qui ne l'est pas.

C'est ainsi en effet, je pense, qu'il est absolument impossible que cohabitent ensemble dans un même être des choses qui s'opposent par nature : « Car qu'y a-t-il de commun entre la lumière et l'obscurité [e] ? », selon ce qui est écrit : si l'une est supprimée, elle permettra forcément à l'autre d'arriver ; et bien de la même manière, je pense, le vice et la vertu, qui ont une qualité opposée dans les œuvres, et sont séparés par la plus grande différence possible, comment se rejoindraient-ils dans une même intelligence ? Et puis celui qui les aurait accueillis, ne le rendraient-ils pas sans beauté et inconstant, comme quelqu'un qui boite des deux pieds ? Le prophète Élie adresse des reproches à ceux qui vivent ainsi : « Jusqu'à quand allez-vous boiter des deux jarrets [f] ? » La Loi elle aussi nous interdit de telles mœurs et de telles manières en ordonnant par énigme de refuser ce qui est incompatible et ne peut aller ensemble. Elle dit en effet : « Tu ne laboureras pas avec un veau et un âne ensemble [g]. » Et encore : « Tu ne mêleras pas dans le même vêtement la laine et le lin [h]. » Vois comment elle nous dit partout qu'il faut haïr comme laid et impie tout ce qui ne peut se mélanger et s'apparier harmonieusement, et ne sait honorer le concours des dissemblables. Il faut donc que ceux qui ont choisi la vie la meilleure se nettoient d'abord, comme je le disais, des taches du vice, et se débarrassent des souillures. Il conviendrait alors que celui qui en

ἔχοντι καὶ λελαμπρυσμένῳ πρέποι ἂν ἤδη καὶ τὸ ὑψοῦ
60 δωμάτιον ἔχειν, καὶ ὥσπερ ἐν ὑπερῴῳ [i] τοῖς ἐξ ἀρετῶν
αὐχήμασι συνεορτάζειν τε καὶ συναυλίζεσθαι τῷ Χριστῷ, ὃς
δι' ἡμᾶς ἐπτώχευσε πλούσιος ὤν, ἵν' ἡμεῖς τῇ αὐτοῦ πτωχείᾳ
πλουτήσωμεν [j].

Αὐτὸ γὰρ ὑπάρχων τὸ εἶδος, ὁ χαρακτὴρ τοῦ Θεοῦ καὶ
65 Πατρός, ὁ Υἱὸς τὸ ἀπαύγασμα τῆς δόξης [k], καὶ ἐξ αὐτοῦ
κατὰ φύσιν γεγεννημένος, καὶ τῇ κατὰ πᾶν ὁτιοῦν ἰσότητι
διαπρέπων, συνυφεστηκώς τε καὶ συναΐδιος ἰσοσθενὴς καὶ
ἰσουργός, ἰσοκλεὴς καὶ ὁμόθρονος, « οὐχ ἁρπαγμὸν ἡγήσατο
τὸ εἶναι ἴσα Θεῷ [l] », κατὰ τὸ γεγραμμένον. Καθίκετο γὰρ ἐν
70 τοῖς καθ' ἡμᾶς, καὶ ὑπέστη κένωσιν ἐθελούσιον [m]· καί, ᾗ
φησιν ὁ σοφὸς Ἰωάννης, « σὰρξ ἐγένετο καὶ ἐσκήνωσεν ἐν
ἡμῖν [n] », καὶ ὁ πρὸ παντὸς αἰῶνος καὶ χρόνου τὴν ἐκ Θεοῦ τοῦ
καὶ Πατρὸς ἀπότεξιν ἔχων, τὴν ἐπέκεινα νοῦ καὶ λόγου
παντός, ἐπειδὴ γέγονε σὰρξ καὶ ἀνθρωπίνην ἀνέτλη γέννησιν
75 οἰκονομικῶς, καὶ ὁ χρόνου παντὸς ποιητὴς καὶ τεχνίτης, ὡς
εἰς ἀρχὰς τοῦ εἶναι παρενηνεγμένος, ὅτε γέγονε καθ' ἡμᾶς,
ἤκουσε τοῦ Πατρὸς λέγοντος· « Ἐγὼ σήμερον γεγέννηκά
σε [o]. »

Ἆρ' οὖν διὰ τοῦτο νομιοῦμεν αὐτὸν τὴν τοῦ προϋπάρχειν
80 τῶν ὅλων ἀπεμπολῆσαι δόξαν ; Οὐδαμῶς. Περινοήσωμεν δὲ
μᾶλλον ἐκεῖνο σοφῶς, ὅτι καὶ ἐν σαρκὶ γεγονότα τὸν ἴδιον
Υἱὸν οὐκ ἔξω τίθησιν ὁ Πατὴρ τῶν ἐνόντων αὐτῷ φυσικῶν
ἀξιωμάτων. Ὁμολογεῖ δὲ πάλιν αὐτόν, κἂν εἰ ἐν τῷ καθ' ἡμᾶς
ὁρῷτο σχήματι [p]. Οὐ γὰρ διὰ τοῦτο γέγονεν ἄνθρωπος ὁ
85 μονογενὴς τοῦ Θεοῦ Λόγος, ἵνα τοῦ εἶναι Θεὸς ἀπολισθή-

Mss : A DEFG BHI (= b) CKLM (= c)

70 ᾗ : ἡ D *ἄλλ. ἥ, puto* ᾗ I[mg] || 73 ἀπόταξιν D I[mg] || 83 κἂν εἰ : κἂν καὶ εἰ I κἂν καὶ edd.

---

i. Cf. Lc 22, 12 j. Cf. 2 Co 8, 9 k. Cf. He 1, 3 l. Ph 2, 6
m. Cf. Ph 2, 7 n. Jn 1, 14 o. Ps 2, 7 ; Lc 3, 22 ; Ac 13, 33 ; He 1, 5
p. Cf. Ph 2, 7.

est là, tout resplendissant, ait la hauteur pour demeure et que, parvenu pour ainsi dire à l'étage [i] par les titres de gloire que donnent les vertus, il célèbre la fête et vive avec le Christ qui, étant riche, s'est fait pauvre à cause de nous, afin de nous enrichir de sa pauvreté [j].

Dieu dans l'humanité

Car le Fils, étant la forme même, l'empreinte de Dieu le Père, le rayonnement de sa gloire [k], engendré de lui par nature, brillant d'une égalité totale avec lui, coexistant et coéternel, de même force et de même activité, de même gloire et de même trône, « n'a pas considéré comme une proie d'être égal à Dieu [l] », selon ce qui est écrit. Car il est venu dans notre condition et s'est soumis à un anéantissement volontaire [m] et, comme le dit le sage Jean, « il est devenu chair et il a habité parmi nous [n] ». Lui qui tient de Dieu le Père, avant tout siècle et tout temps, un enfantement qui dépasse toute intelligence et toute parole, lorsqu'il est devenu chair et a enduré une génération humaine [1] selon l'économie, lui, l'auteur et l'artisan de tout temps, comme s'il avait été amené à commencer d'exister, lorsqu'il est devenu comme nous, il a entendu le Père dire : « Moi, aujourd'hui, je t'ai engendré [o]. »

Allons-nous penser pour cela qu'il a aliéné la gloire de préexister à toute chose ? Nullement. Ayons plutôt la sagesse de considérer que même lorsque son propre Fils est venu dans la chair, le Père ne l'a pas banni des prérogatives qui lui appartiennent par nature. Il le reconnaît au contraire, même quand il se montre sous un aspect comme le nôtre [p]. Car le Verbe, Fils unique de Dieu, n'est pas devenu homme pour

1. Le même qui est engendré éternellement par le Père naît humainement de surcroît : ce thème qu'on pourrait appeler de la « double naissance » du Fils est l'un de ceux qui, dans la christologie de Cyrille, mettent le mieux en évidence sa conception de l'unité de sujet dans le Christ.

σειεν, ἀλλ' ἵνα δὴ μᾶλλον, καὶ ἐν προσλήψει σαρκός, τῆς ἰδίας ὑπεροχῆς ἀνασώζοι τὴν δόξαν. Οὕτω γὰρ ἡμεῖς τῇ αὐτοῦ πτωχείᾳ πεπλουτήκαμεν [q], ἀνακομισθείσης ἐν αὐτῷ τῆς ἀνθρωπείας φύσεως εἰς ἀξίωμα τὸ θεοπρεπές, καὶ θάκοις
90 ἐνιδρυμένης τοῖς ἁπάντων ἐπέκεινα. Καίτοι γὰρ ἀεὶ συνεδρεύων ὡς Λόγος τῷ ἰδίῳ Πατρί, καὶ ἐξ αὐτοῦ τε καὶ ἐν αὐτῷ κατὰ φύσιν ὑπάρχων, πάλιν ἤκουε καὶ μετὰ σαρκὸς
776 λέγοντος· « Κάθου ἐκ δεξιῶν μου, ‖ ἕως ἂν θῶ τοὺς ἐχθρούς σου ὑποπόδιον τῶν ποδῶν σου [r]. »

95 Οὕτω καὶ προσκυνεῖσθαί φαμεν αὐτὸν πρός τε ἡμῶν αὐτῶν καὶ τῶν ἁγίων ἀγγέλων, οὐκ εἰς ἀνθρωπότητα ψιλὴν ἀσυνέτως καταβιβάζοντες, ἑπόμενοι δὲ τῇ θείᾳ Γραφῇ καὶ φύσει τῇ καθ' ἡμᾶς τὸν ἐκ Θεοῦ φύντα Λόγον συνδοῦντες εἰς ἕνωσιν, καὶ εἰς ἕν τι τὸ ἐξ ἀμφοῖν ἀναπλέκοντες, ἵνα μὴ ὡς
100 ἄνθρωπος ἁπλῶς θεοφορήσας νοοῖτο, Θεὸς δὲ μᾶλλον

Mss : A DEFG BHI (= b) CKLM (= c)

(n.b. 87-89 = *ACO* I.1.7 p. 58, 2-4 ; 90-96 = *ACO* I.1.7. p.48, 7-11)

87 ἀνασώζῃ c ‖ γὰρ + καὶ S ‖ αὐτοῦ S : ἐκείνου S[mg] ‖ 92-93 καὶ μετὰ σαρκὸς λέγοντος· : λ. κ. μ. σ.· : S ‖ 98 τῇ : τοῦ I[mg] c om. D

q. Cf. 2 Co 8, 9 r. Ps 109, 1 ; Mt 22, 44 et par. ; Ac 2, 34-35 ; He 1, 13.

1. Dans la logique du thème de la double naissance, le Fils ne perd rien de ses prérogatives divines en recevant *en outre* les caractéristiques humaines : Cyrille trouvait déjà de semblables formules chez Athanase, par exemple en *Oratio contra Arianos* III, 31 (*PG* 26, 389 A), avec la même insistance sotériologique : c'est *pour nous* que le Verbe consent à cela.

2. Il s'agit de la nature humaine en général, qui reçoit son salut dans le Christ, non de la nature humaine individuelle du Christ, expression qu'on ne trouve jamais chez Cyrille.

3. Le thème du ψιλὸς ἄνθρωπος est une vieille étiquette hérésiologique, qui avait servi dès le IIIe siècle au moins à qualifier des déviances du IIe siècle comme l'ébionisme de Théodote le Corroyeur à Rome (cf. EUSÈBE, *Histoire Ecclésiastique* V, 28, 6 et VI, 17, 1). Cyrille applique cette étiquette à Nestorius, conformément à la tradition polémique chrétienne qui réduit toujours une « nouvelle » hérésie à une hérésie précédente, pour mieux la discréditer.

4. Voir note complémentaire : le vocabulaire christologique de la *LF* XVII.

cesser d'être Dieu [1], mais plutôt pour que, même en assumant la chair, il conserve la gloire de sa propre excellence. Car c'est ainsi que nous avons été enrichis de sa pauvreté [q] : la nature humaine [2] a été ramenée en lui à une dignité de rang divin, et installée à une place qui surpasse tout. Et c'est bien en continuant de trôner en tant que Verbe avec son propre Père, en existant de lui et en lui par nature, qu'il entendait de nouveau avec sa chair cette parole : « Siège à ma droite, jusqu'à ce que je fasse de tes ennemis le marchepied de tes pieds [r]. »

Eh bien c'est ainsi, disons-nous, qu'il est adoré par nous et par les saints anges : nous ne le faisons pas descendre sottement à une simple humanité [3], mais nous suivons la divine Écriture, en attachant [4] le Verbe issu de Dieu par nature à notre nature pour l'y unir, et en les tressant pour faire une seule chose à partir des deux [5], pour qu'on ne le considère pas simplement comme un homme qui a porté Dieu [6], mais

5. Cette expression qui revient souvent sous la plume de Cyrille (un seul à partir de deux, voir *infra*, 3, 126) semble liée à la comparaison de l'union âme-corps dans l'homme, qui devient un à partir de deux éléments différents (cf. *3e Lettre à Nestorius*, 8, éd. E. Schwartz dans *ACO* I, 1, 1, p. 38, l. 5-8, ou encore *Le Christ est un* 736 ab ; voir aussi B. MEUNIER, *Le Christ de Cyrille d'Alexandrie*, Paris 1997, p. 235-254). Appliquée à la notion de nature, l'expression « une à partir de deux » deviendra, au nom de Cyrille, l'une des causes du refus monophysite de la christologie chalcédonienne accusée de professer deux sujets en confessant un Christ *en* (ἐν) deux natures, et non *de* (ἐξ) deux natures.

6. Le thème de l'ἄνθρωπος θεοφόρος est polémique sous la plume de Cyrille. C'est pour lui un schéma plus ou moins adoptianiste, qui ne rend pas compte de l'unité du Christ, homme et Dieu. Il s'en sert pour dénoncer la pensée de Nestorius. L'expression n'est présente qu'une seule fois avant la controverse nestorienne selon J. LIÉBAERT, « L'évolution de la christologie de S. Cyrille d'Alexandrie à partir de la controverse nestorienne. La lettre pascale XVII et la lettre aux moines (428-429) », *Mélanges de Science Religieuse* 27 (1970), 27-48, qui renvoie à *In Jo.* XI, XI, 998 b (sur Jn 17, 20-21, éd. Pusey, t. II, p. 734, l. 28-29) ; elle devient fréquente à partir des débuts de la crise : *Lettre aux moines* 19, *ACO* I, 1, 1, p. 19, l. 10 ; *1e Lettre à Nestorius*, 2 (*ACO* I, 1, 1, p. 24, l. 9) ; 5e anathématisme (*ibid.*, p. 41, l. 5).

ἐνηνθρωπηκώς, καὶ καθ' ἕνωσιν οἰκονομικήν, τὴν πρός γέ φημι τὴν ἰδίαν σάρκα, καὶ τὴν ἐκ τῆς ἁγίας Παρθένου γέννησιν ὑποδύς. Νοηθείη γὰρ ἂν ὧδέ τε καὶ οὐχ ἑτέρως Χριστὸς εἷς καὶ Κύριος εἷς [s], οὐκ εἰς ἄνθρωπον ἀνὰ μέρος καὶ
105 Θεὸν ἐπιτεμνόμενος μετὰ τὴν ἄρρητον συμπλοκήν, ἀλλ' εἰ καὶ νοοῖτο τῶν εἰς ἑνότητα συνδεδραμηκότων ἡ φύσις διάφορος, εἰς Υἱὸν ἕνα παραδεχθεὶς καὶ νοούμενος.

Ὥσπερ γὰρ ταῖς τῶν λίθων πολυτελεστάταις αὐγαί τινες ἐναστράπτουσι τὰ βάθη καταλευκαίνουσαι, καὶ εἰ βούλοιτό
110 τις ἀποδιελεῖν τῷ λόγῳ τὴν σύγκρασιν, ἕτερον μέν τι καταθρήσειεν αὐτὴν καθ' ἑαυτὴν τὴν λίθον, ἕτερον δὲ αὖ τὸ ἐν αὐτῇ νηχόμενον φῶς, πλὴν ἓν ἐξ ἀμφοῖν νοεῖται τὸ ὑποκείμενον, καταφθερεῖ δὲ πάντως ἡ τομὴ τὸν ἐπ' αὐτῇ λόγον, διιστᾶσα πρὸς τὸ ἀκαλλὲς τὰ πρὸς ἕνωσιν
115 συνενηνεγμένα· οὕτω φαμὲν καὶ ἐπὶ Χριστοῦ· συνδεδραμήκασι γὰρ ἀπορρήτως, καὶ ὡς οὐκ ἂν ἔχοι τις ἢ νοεῖν ἢ φράσαι, πρὸς ἕν τι λοιπὸν τὸ νοούμενον, θεότης τε ὁμοῦ καὶ ἀνθρωπότης· ἵν' ἐν ταὐτῷ νοοῖτο καὶ ἄνθρωπος καθ' ἡμᾶς καὶ Θεὸς ὑπὲρ ἡμᾶς· οὕτω τε μονογενὴς [t] καὶ πρωτότοκος [u].
120 Καὶ γοῦν ἐξεδόθη μὲν λαγόνων τῶν παρθενικῶν, καὶ ἦν ἔτι βρέφος, ἐφρόνει δὲ τὰ Θεοῦ. Καὶ μαρτυρήσει λέγων ὁ μακάριος Ἡσαΐας περὶ αὐτοῦ· « Διότι πρὶν ἢ γνῶναι τὸ παιδίον ἀγαθὸν ἢ κακόν, ἀπειθεῖ πονηρίᾳ τοῦ ἐκλέξασθαι τὸ ἀγαθόν [v]. » Ὅσον μὲν γὰρ ἧκεν εἴς γε τὸν τῆς ἀνθρωπότητος

Mss : A DEFG BHI (= b) CKLM (= c)

101 ἐνηνθρωπικώς I edd. ‖ 110 σύγκρισιν I edd. ‖ ἕτερον μέν τι : ἕτερον μέντοι BH ἕτερος μέντοι I edd. ‖ 111 λίθων Sal. ‖ 115 συνηνεγμένα b edd. ‖ 123 ἐκλέξασθαι *LXX* : ἐξελέσθαι I edd. ἐξελέξασθαι I[mg]

---

s. Cf. 1 Co 8, 6 t. Cf. Jn 1, 14 u. Cf. Col 1, 15 v. Is 7, 16.

---

1. Dans ce contexte christologique, la traduction de ὑποκείμενον, terme peu fréquent chez Cyrille, par sujet plutôt que substrat (comme en *LF* XII, 3, 82) est suggérée par sa doctrine de l'unique sujet d'attribution : c'est au

plutôt comme Dieu qui est devenu homme et qui, selon l'union voulue par l'économie, je veux dire l'union avec sa propre chair, a revêtu aussi la génération à partir de la sainte Vierge. C'est ainsi, et pas autrement, qu'on peut penser un seul Christ et un seul Seigneur [s], non pas divisé entre un homme d'une part et un Dieu de l'autre après l'ineffable entrelacement, mais reçu et pensé comme faisant un seul Fils, même si la nature des éléments qui concourent à l'unité diffère dans la pensée.

Par exemple, il est des pierres somptueuses dont les éclats brillants éclairent de reflets blancs les profondeurs ; si l'on voulait faire une distinction verbale dans ce mélange, on considérerait d'un côté la pierre en elle-même, de l'autre la lumière qui se meut en elle, tout en préservant en pensée un unique sujet [1] à partir de deux ; mais en les coupant, on détruira complètement la loi qui régit la pierre, car on dissocierait avec laideur ce qui a été assemblé pour l'union. Nous disons qu'il en va de même pour le Christ : la divinité et l'humanité ont concouru ensemble d'une manière indicible, comme on ne saurait ni le penser ni le dire, pour être désormais une unité dans la pensée ; si bien que, dans le même, il est pensé à la fois homme comme nous, et Dieu au-dessus de nous ; c'est ainsi qu'il est Fils unique [t] et premier-né [u].

La Vierge mère de Dieu

De fait, il a vu le jour des flancs de la Vierge, c'était encore un nouveau-né, et il avait les pensées de Dieu ! Le bienheureux Isaïe en témoignera par ces paroles : « C'est pourquoi, avant que l'enfant connaisse le bien ou le mal, voilà qu'il refuse la méchanceté pour choisir le bien [v]. » Car pour ce qui

Verbe seul qu'on doit attribuer tous les actes et toutes les paroles du Christ, qu'elles se rapportent à sa chair ou à sa divinité (cf. *3e Lettre à Nestorius*, 8, et 4e anathématisme).

125 λόγον, οὔπω καιρὸς ἐδίδου τῷ βρέφει τὸ διακρίνειν δύνασθαι τῶν πραγμάτων τὰς φύσεις. Ἀλλ' ἦν, ὡς ἔφην, καὶ ἐν ἀνθρωπότητι Θεός, ἐφιεὶς μὲν φύσει τῇ καθ' ἡμᾶς τὸ διὰ τῶν ἰδίων ἔρχεσθαι νόμων, ἀνασώζων δὲ μετὰ τούτου τῆς θεότητος τὸ εἰλικρινές. Νοηθείη γὰρ ἂν ὧδέ τε καὶ οὐχ
130 ἑτέρως, καὶ φύσει Θεὸς τὸ τεχθέν, καὶ ἡ τεκοῦσα Παρθένος μήτηρ ἂν λέγοιτο γενέσθαι λοιπόν, οὐ σαρκὸς καὶ αἵματος ἁπλῶς, καθάπερ ἀμέλει καὶ ἐφ' ἡμῶν αἱ καθ' ἡμᾶς μητέρες, Κυρίου δὲ μᾶλλον καὶ Θεοῦ τὴν καθ' ἡμᾶς ὁμοίωσιν ὑποδεδυκότος. Ὡς γὰρ ὁ θεσπέσιος γράφει Παῦλος·
135 « Ἐξαπέστειλεν ὁ Θεὸς τὸν Υἱὸν αὐτοῦ, γενόμενον ἐκ γυναικός, γενόμενον ὑπὸ νόμον [w]. » Οὐ γάρ πώ φαμεν ἐν ἀνθρώπῳ γεννηθέντι διὰ γυναικὸς τὸν τοῦ Θεοῦ καθικέσθαι Λόγον, καθάπερ ἀμέλει καὶ ἐν προφήταις ἦν, ψήφῳ δὲ μᾶλλον ὀρθῇ στεφανώσομεν τὴν Ἰωάννου φωνὴν σοφῶς τε
140 καὶ ἀτρεκῶς εἰρηκότος· « Καὶ ὁ Λόγος σὰρξ ἐγένετο, καὶ ἐσκήνωσεν ἐν ἡμῖν [x]. »

Γεγενῆσθαι δὲ σάρκα τὸν Λόγον ὑποληψόμεθα σαρκός τε καὶ αἵματος κεκοινωνηκότα [y], καὶ τοῦτο παραπλησίως ‖ [777] τοῖς οὖσιν ἐν αἵματι καὶ σαρκί, τουτέστιν ἡμῖν. Καὶ εἰ γέγονε
145 καθ' ἡμᾶς, πῶς ἦν ἀκόλουθον τὴν ἀνθρωπίνην αὐτὸν ἀτιμάσαι γέννησιν ; Ἐσκήνωσε γὰρ ἐν ἡμῖν [z] αἵματι καὶ σαρκί, θεοπρεπῶς τε καὶ ἀρρήτως, τὴν ἰδίαν φύσιν οἱονεί πως ἀνακιρνάς. Αὕτη γὰρ ἡ τοῦ Λόγου θεότης, εἰ δὴ νοοῖτο μόνη

Mss : A DEFG BHI (= b) CKLM (= c)

137 καθηκέσθαι b edd. ‖ 139 στεφανώσομεν B[pc]H[pc] *celebrabimus* Sal.[v] *revocabimus* Sch. : -σωμεν B[ac]H[ac] Aub. Mi. *coronemus* Arn. ‖ 144 σαρ. καὶ αἵ. I edd.

w. Ga 4, 4 x. Jn 1, 14 y. Cf. He 2, 14 z. Cf. Jn 1, 14.

1. Une telle remarque (répétée un peu plus bas, en 2, 157-158) montre que Cyrille est attentif à préserver un ordre propre à l'humanité dans le Christ, qui n'est pas « envahi » par la présence divine.

2. Nous n'avons pas encore ici (ni plus loin, en 3, 8), le mot θεοτόκος que Cyrille ne tardera pas à brandir comme un étendard dans la lutte contre

est de la loi de l'humanité, le temps ne permettait pas encore au nouveau-né de pouvoir distinguer la nature des choses. Mais, comme je le disais, il était Dieu même dans l'humanité, et il laissait la nature qui est la nôtre se mouvoir selon ses propres lois [1], tout en préservant en même temps la pureté de la divinité. C'est ainsi et pas autrement que l'on pourrait penser que ce qui a été enfanté est Dieu par nature, et que la Vierge qui a enfanté pourrait dès lors être dite mère, non pas simplement de la chair et du sang, comme chez nous les mères selon notre condition, mais plutôt mère du Seigneur et Dieu [2] qui a revêtu notre ressemblance. Car comme l'écrit Paul l'inspiré : « Dieu a envoyé son Fils, né d'une femme, né sous la Loi [w]. » Nous ne disons pas que le Verbe de Dieu soit descendu dans un homme né par une femme, comme c'était le cas bien sûr chez les prophètes, mais nous couronnerons d'une juste approbation la parole de Jean qui a dit avec sagesse et exactitude : « Et le Verbe est devenu chair, et il a habité parmi nous [x]. »

Nous comprendrons que le Verbe est devenu chair parce qu'il a partagé la chair et le sang [y], et cela d'une manière analogue à ceux qui sont dans le sang et la chair, c'est-à-dire nous. Et s'il est devenu comme nous, comment s'ensuivrait-il qu'il ait méprisé la génération humaine ? Car il a habité parmi nous [z] en mélangeant pour ainsi dire sa propre nature au sang et à la chair, d'une manière digne de Dieu et ineffable.

Nestorius (dès la *Lettre aux moines*, presque contemporaine de celle-ci, § 3 s.). L'approche est prudente ici, avec son style hypothétique et les précautions prises. Du reste, le mot θεοτόκος était très peu employé par Cyrille avant cet affrontement. D'après G. JOUASSARD, « Marie à travers la patristique. Maternité divine, virginité, sainteté », dans *Maria. Études sur la sainte Vierge*, H. DU MANOIR dir., t. I, Paris 1949, p. 99, n. 59, Cyrille ne l'emploie que deux fois, et encore sujettes à caution : *Commentaire sur Zacharie* V, 13 (éd. Pusey, *In XII Prophetas*, t. II, p. 506, l. 19 avec des mss qui ignorent le mot, peut-être interpolé), et *Commentaire sur Isaïe* IV, 4, *PG* 70, 1036 D. Le petit livre de P. IMHOF-B. LORENZ, *Maria theotokos bei Cyrill von Alexandrien*, München 1981, malgré son titre, n'apporte rien sur la question.

καὶ καθ' ἑαυτήν, ἀποχρῶσαν ἔχει τὴν ἐκ Θεοῦ Πατρὸς
150 γέννησιν. Καθικομένη γε μὴν οἰκονομικῶς εἰς ἕνωσιν τὴν ὡς
πρὸς ἡμᾶς, καὶ ἀναπλεχθεῖσα σαρκὶ ἤγουν τῇ καθ' ἡμᾶς
φύσει, τελείως ἐχούσῃ κατὰ τὸν ἴδιον λόγον, τότε δή, τότε
δίχα μώμου παντός, καὶ ἀδικουμένη παντελῶς οὐδὲν εἴς γε
τὸ εἶναι τοῦθ' ὅπερ ἐστί, καὶ τὴν καθ' ἡμᾶς γέννησιν
155 παραδέξεται· οὐχ ὡς εἰς ἀρχὰς τοῦ εἶναι καλουμένη ποθὲν (ἦν
γὰρ ἀεί, καὶ ἔστι, καὶ ἔσται, καὶ χρόνου παντὸς πρεσβυτέραν
ἔχει τὴν ὕπαρξιν), ἀλλὰ τοῖς τῆς ἀνθρωπότητος νόμοις διὰ
τῶν ἰδίων ἔρχεσθαι λόγων ἐφιεῖσα σοφῶς. Ὥσπερ γὰρ ἰδία
γέγονε τοῦ ἐκ Θεοῦ Πατρὸς ὄντος Λόγου ἡ ἐκ τῆς
160 ἁγίας Παρθένου τιμία τε καὶ πάναγνος σάρξ, οὕτω καὶ πάντα
πρέποντα τῇ σαρκὶ δίχα μόνης ἁμαρτίας. Πρέποι δ' ἂν
μάλιστα σαρκί, καὶ πρό γε τῶν ἄλλων, ἡ διὰ μητρὸς
ἀπότεξις. Οὐκοῦν θεότης μὲν αὐτὴ καθ' ἑαυτήν, εἰ ἔξω νοοῖτο
σαρκός, ἀμήτωρ ἔσται καὶ μάλα ὀρθῶς.

γ'. Παρενηνεγμένου γε μὴν εἰς μέσον ἡμῖν μυστηρίου τοῦ
κατὰ Χριστόν, ἕτερος ἂν γένοιτο καὶ λίαν ἰσχνὸς ὁ ἐπὶ τῷδε
λόγος. Οἰησόμεθα γάρ, ὀρθὰ φρονεῖν ᾑρημένοι καὶ ἀπλανεσ-
τάτην ἰόντες τρίβον, οὐ θεότητα γυμνήν, ἐνηνθρωπηκότα δὲ
5 μᾶλλον καὶ ἑνωθέντα σαρκὶ τὸν ἐκ Θεοῦ Πατρὸς Λόγον
ἀποτεκεῖν τὴν Παρθένον, παραληφθεῖσαν εἰς ὑπουργίαν τοῦ
γεννῆσαι σαρκικῶς τὸν ἑνωθέντα σαρκί. Θεὸς οὖν ἄρα λοιπὸν
ὁ Ἐμμανουήλ, μήτηρ δ' ἂν λέγοιτο Θεοῦ καὶ ἡ τεκοῦσα
σαρκικῶς τὸν ἐν σαρκὶ δι' ἡμᾶς πεφηνότα Θεόν. Καὶ τὸ

Mss : A DEFG BHI (= b) CKLM (= c)

149 ἑαυτὴν b edd. : ἑαυτὸν δὲ I^{mg} c ‖ 150 καθικομένη Mi. : -ηκ- D b Sal. Aub. ‖ 153 οὐδ(ὲ)ν edd. ‖ 163 ἀπότεξις b^{mg} C^{mg2} Sch.^{mg} : -ταξις codd. edd.
γ'. 4 ἐνηνθρωπηκότα A^{ac} edd. : -ικότα A^{pc} EF C ‖ 7 θεὸν b edd.
(n.b. 9-12 = *ACO* I.1.7. p. 57, 23-25)

1. L'idée de « devenir propre » qui apparaît ici, avec l'adjectif ἴδιος, est un des concepts-clés de la christologie de Cyrille (cf. les remarques de G.-M. de Durand en *SC* 97, p. 127), par lequel il explique que tout ce qui arrive à la chair ou la caractérise peut être dit du Verbe (d'où des phrases comme : le Verbe a souffert, le Verbe est mort). C'est ce que les théologiens postérieurs nommeront la « communication des idiomes ». Cyrille reproche à la théolo-

En effet, pour cette divinité du Verbe, si on la considère seule en elle-même, la génération par Dieu le Père suffit. Mais une fois descendue selon l'économie pour s'unir à nous, et tressée avec la chair, c'est-à-dire avec notre nature, parfaite selon sa loi propre, c'est alors vraiment que, sans encourir le moindre blâme ni subir la moindre injustice quant à son identité, elle recevra en outre une génération comme la nôtre ; non pas qu'elle soit appelée à un commencement d'être (elle était toujours, elle est et elle sera, et son existence est antérieure à tout temps), mais elle laisse sagement les lois de l'humanité aller selon leur propre logique. Car de même que la chair précieuse et toute pure issue de la sainte Vierge est devenue propre [1] au Verbe issu de Dieu le Père, ainsi en va-t-il aussi pour tout ce qui se rapporte à la chair, à la seule exception du péché. Et ce qui se rapporterait le plus à la chair, avant toute chose, c'est bien l'enfantement par une mère. Donc la divinité considérée en elle-même, si on la pense en dehors de la chair, sera sans mère, à très juste titre.

3. Puisque le mystère qui concerne le Christ est intervenu dans nos propos, il y aurait là-dessus un autre discours, fort subtil, à tenir. Nous estimerons, si nous avons choisi de penser droitement et si notre chemin est vraiment sans errance, que la Vierge n'a pas enfanté la divinité nue, mais plutôt le Verbe issu de Dieu le Père, devenu homme et uni à la chair ; la Vierge a été prise pour servir la génération selon la chair de celui qui a été uni à la chair. L'Emmanuel est donc bien Dieu, et l'on pourrait dire aussi mère de Dieu celle qui a engendré selon la chair le Dieu qui s'est montré dans la chair

gie de Nestorius de ne pas honorer suffisamment cette pratique issue de l'Écriture elle-même ; les anathématismes 4, 11 et 12 lui opposent, de façon parfois abrupte, ce principe de l'appropriation. Il sera un point sensible de la théologie monophysite et néochalcédonienne : voir par exemple la formule des moines scythes : « Un de la trinité a été crucifié » (cf. A. Grillmeier, *Le Christ dans la tradition chrétienne. II-2. L'Église de Constantinople au VIe siècle*, trad. fr., Paris 1993, p. 421-453).

10 βρέφος ἦν οὐ καθ' ἡμᾶς, τουτέστιν οὐκ ἐν ψιλῇ καὶ μόνῃ τῇ πρὸς ἡμᾶς ὁμοιότητι, ἀλλ' ἐν ἀνθρωπότητι μὲν διὰ τὴν σάρκα, θεῖον δὲ ὡς ὑπὲρ ἡμᾶς καὶ ἐξ οὐρανοῦ. Καὶ γοῦν ὁ θεσπέσιος Παῦλος, « Ὁ πρῶτος, φησίν, ἄνθρωπος ἐκ γῆς, χοϊκός· ὁ δεύτερος ἄνθρωπος ἐξ οὐρανοῦ [a]. » Καὶ μὴν ὁ 15 μακάριος προφήτης Ἡσαΐας, ὡς ἐν ὁράσει προφητικῇ τὴν τοῦ μυστηρίου δύναμιν ἐπαιδεύετο. Αὐτὸν γάρ φησι τεθεᾶσθαι τὸν τῶν ὅλων Κύριον καὶ Θεὸν ἐν τῇ ἁγίᾳ Παρθένῳ, μονονουχὶ καὶ ποιούμενον τοῦ θείου βρέφους τὴν καταβολήν. Καὶ ἐσχημάτισται μὲν ἀνθρωπίνως ὁ τῆς 20 ὁράσεως τρόπος, νοεῖταί γε μὴν ἑτεροίως καὶ θεοπρεπῶς. Τὸ γάρ τοι θεῖον οὐ καθ' ἡμᾶς.

Ἔφη δὲ οὕτως· « Καὶ εἶπε Κύριος πρός με· Λάβε σεαυτῷ τόμον καινοῦ μεγάλου, καὶ γράψον εἰς αὐτὸν γραφίδι ἀνθρώπου, τοῦ ὀξέως προνομὴν ποιῆσαι σκύλων· πάρεστι 780 25 γάρ, καὶ μάρτυράς μοι ποίησον πιστοὺς ἀν‖θρώπους, τόν τε Οὐρίαν καὶ τὸν Ζαχαρίαν υἱὸν Βαραχίου. Καὶ προσῆλθε πρὸς τὴν προφῆτιν, καὶ ἐν γαστρὶ ἔλαβε καὶ ἔτεκεν υἱόν, καὶ εἶπε Κύριός μοι· Κάλεσον τὸ ὄνομα αὐτοῦ, Ταχέως σκύλευσον, ὀξέως προνόμευσον. Διότι πρὶν ἢ γνῶναι τὸ παιδίον καλεῖν 30 πατέρα ἢ μητέρα, λήψεται δύναμιν Δαμασκοῦ καὶ τὰ σκῦλα Σαμαρείας ἔναντι βασιλέως Ἀσσυρίων [b]. » Καινὸς μὲν οὖν καὶ μέγας ὁ τόμος, ὅτι καὶ αὐτὸ καινὸν τὸ Χριστοῦ μυστήριον καὶ ὁμολογουμένως μέγα [c], κατὰ τὴν τοῦ μακαρίου Παύλου φωνήν. Πλὴν ἀνθρώπου γραφίδι γράφεται, δεῖται μὲν γὰρ ὁ 35 περὶ τῆς θεότητος λόγος, εἰ γυμνὴ νοοῖτο πάλιν καὶ καθ'

Mss : A DEFG BHI (= b) CKLM (= c)

10 βρέφος + φησίν S ‖ οὐ S : εὖ S^mg ‖ καὶ S : om. S^mg ‖ 23 τόμον I^mg *LXX* : νόμον I edd. ‖ 24 σκύλων b c *LXX* : σκυλῶν F I^mg2 C^mg ‖ 25 ποίησον *LXX* : ἐποίησα edd. ‖ τε : γε edd. om. *LXX*.

3 a. 1 Co 15, 47 b. Is 8, 1-4 c. Cf. Ep 5, 32.

1. Ce passage, avec la citation qui suit, montre bien que Cyrille désigne la divinité du Christ par l'expression « homme céleste » tirée de 1 Co 15, 47, et

à cause de nous. Et le nouveau-né n'était pas comme nous, c'est-à-dire qu'il n'était pas dans une pure et simple ressemblance avec nous, mais il était dans l'humanité à cause de la chair, et il était divin en tant qu'il nous dépassait et venait du ciel [1]. De fait, Paul l'inspiré dit : « le premier homme vient de la terre, il est terrestre ; le second homme vient du ciel [a]. » Et le bienheureux prophète Isaïe nous enseignait bien le sens du mystère, dans une sorte de vision prophétique : il dit qu'il a contemplé le Seigneur Dieu de l'univers lui-même qui opérait pour ainsi dire dans la sainte Vierge la constitution du nouveau-né divin. Et si le mode de la vision a été représenté humainement, il doit être compris autrement, d'une manière digne de Dieu. Car ce qui est divin n'est pas comme nous.

Exégèse d'Isaïe 8, 1-4

Il a parlé ainsi : « Le Seigneur m'a dit : Prends-toi un grand volume nouveau, et écris dessus, avec un stylet d'homme, de faire rapidement un pillage de dépouilles ; car le voici ; et prends-moi pour témoins des hommes de confiance, Urie et Zacharie fils de Barachie. Et il est venu vers la prophétesse, et elle a conçu dans son ventre et enfanté un fils, et le Seigneur m'a dit : nomme-le de son nom, Dépouille promptement, Pille rapidement. Car avant que l'enfant sache appeler son père ou sa mère, il prendra la puissance de Damas et les dépouilles de Samarie devant le roi des Assyriens [b]. » C'est là un volume nouveau et grand, car le mystère du Christ est nouveau [2] et reconnu grand [c], selon la parole du bienheureux Paul. Mais il est écrit avec un stylet d'homme, car le discours sur la divinité, si l'on pense celle-ci à nu, en elle-même et hors de la chair, n'a nullement besoin de la parole

non une humanité transformée comme le fait Apollinaire : la pensée diffère, malgré la ressemblance de vocabulaire qui existe entre les deux théologiens.

2. Même remarque sur l'interprétation de « nouveau » dans ce verset chez THÉODORET DE CYR, *Commentaire sur Isaïe* III[e] section, 540-542, éd. J.-N. Guinot, *SC* 276, p. 302.

ἑαυτὴν καὶ ἔξω σαρκός, ἥκιστα μὲν τοῦ ἐν ἡμῖν ὄντος λόγου φράζειν οὐκ εἰδότος τὰ ὑπὲρ νοῦν, οὔτε μὴν οἵου τε διατρανοῦν τὰ παντὸς ἐπέκεινα λόγου. « Δόξα γὰρ Κυρίου κρύπτει λόγον [d] », κατὰ τὸ γεγραμμένον. Ἐπειδὴ δὲ
40 γέγονεν ἄνθρωπος ὁ μονογενὴς τοῦ Θεοῦ Λόγος καὶ ἐσκήνωσεν ἐν ἡμῖν [e], τῇ καθ' ἡμᾶς γραφίδι γράφεται τὰ περὶ αὐτοῦ. Πλὴν ἐκεῖνο δὴ πάλιν, φέρε δή, φέρε καταθρήσωμεν.

Προστεταχὼς γὰρ τῷ προφήτῃ Θεὸς λαβεῖν τε τὸν τόμον καὶ γράψαι γραφίδι τῇ καθ' ἡμᾶς τὰ ἐν αὐτῷ, προσῆλθε πρὸς
45 τὴν προφῆτιν [f]. Καὶ τί τὸ « προσῆλθεν » ἐστίν ; Ἀντὶ τοῦ τὸν συνόδου νόμον ἐσχηματίζετο. Προφῆτιν δὲ τὴν ἁγίαν ἀποκαλεῖ Παρθένον, προεφήτευσε γὰρ κυοφοροῦσα Χριστόν [g]. Εἶτά φησι· « Καὶ ἐν γαστρὶ ἔλαβε καὶ ἔτεκεν υἱόν [h] », ᾧ καὶ ὁ νόμος τίθησι, οὐχ ὡς ἀνθρώπῳ πάλιν ἰδικόν,
50 ἀλλ' ἐκ τῶν κατορθωμάτων ὡς Θεῷ. « Κάλεσον γάρ, φησί, τὸ ὄνομα αὐτοῦ, Ταχέως σκύλευσον, ὀξέως προνόμευσον [i]. » Γεννηθὲν γὰρ εὐθὺς τὸ βρέφος τὸ θεῖον καὶ ὑπερκόσμιον, ἦν μὲν ἐν σπαργάνοις [j], ἔτι καὶ ἐν κόλπῳ μητρὸς διὰ τὸ ἀνθρώπινον· ἐπειδὴ δὲ ἦν πρὸς τούτῳ καὶ φύσει Θεός,
55 ἀπόρρητος δύναμις προενόμευσεν εὐθὺς τὰ σκεύη τοῦ Σατανᾶ [k]. Ἀφίκοντο γὰρ ἐξ Ἀνατολῆς οἱ μάγοι, ζητοῦντες αὐτὸ καὶ λέγοντες· « Ποῦ ἔστιν ὁ τεχθεὶς βασιλεὺς τῶν Ἰουδαίων ; Εἴδομεν γὰρ αὐτοῦ τὸν ἀστέρα ἐν τῇ ἀνατολῇ καὶ ἤλθομεν προσκυνῆσαι αὐτό [l]. »

Mss : A DEFG BHI (= b) CKLM (= c)

37 εἰδότος : εἰδότα edd. ‖ οἵου τε : οἷου τε M οὔτε I edd. ‖ 41 τὰ : τὴν A (vid.) F c I^{mg} τὴν τὰ G (cum punctis sub τὴν pos.) ‖ 43 τόμον I^{mg} : νόμον EF I edd. ‖ 52 βρέφος I^{mg} : βλέφος BI ‖ 53 ἔτι I^{mg} : ὅτι b edd. ‖ 54 τούτῳ I^{mg} M : τοῦτο A DEFG b CKL edd. ‖ 57 αὐτὸ A DEFG c : αὐτὸν b edd. ‖ 59 αὐτὸ BI : αὐτῷ HI^{mg} *NT* αὐτὸν edd.

d. Pr 25, 2 e. Cf. Jn 1, 14 f. Cf. Is 8, 3 g. Cf. Lc 1, 46
h. Is 8, 3 i. Is 8, 3 j. Cf. Lc 2, 12 k. Cf. Mt 12, 29 ; Mc 3, 27
l. Mt 2, 2.

qui est en nous, elle qui ne sait pas exprimer ce qui dépasse l'intelligence, ni certes exposer clairement ce qui est au-delà de tout discours. « Car la gloire du Seigneur voile le discours [d] », selon ce qui est écrit. Mais puisque le Verbe Fils unique de Dieu est devenu homme et a habité parmi nous [e], c'est avec un stylet comme le nôtre que ce qui le concerne est écrit. Eh bien allons, examinons donc cela.

Comme Dieu avait ordonné au prophète de prendre un volume et d'écrire ce qu'il y a dedans avec un stylet comme le nôtre, celui-ci s'est approché de la prophétesse [f]. Qu'est-ce que ce mot : « s'est approché » ? Il représentait la loi de l'union. Il appelle aussi la sainte Vierge prophétesse, car elle a prophétisé quand elle portait le Christ dans son sein [g]. Il dit ensuite : « Et elle a conçu dans son ventre et enfanté un fils [h] », auquel aussi la Loi donne un nom, non plus cette fois un nom propre comme à un homme, mais un nom tiré de ses hauts faits, comme à Dieu : « Nomme-le, dit-elle, de son nom, Dépouille promptement, Pille rapidement [i]. » Car le nouveau-né divin qui dépasse le monde, tout juste engendré, était encore dans les langes [j] et dans le giron de sa mère, à cause de l'humanité ; mais comme il était en outre Dieu par nature, une force indicible se mit aussitôt à piller les armes de Satan [k]. De fait, les mages arrivèrent du Levant, le cherchant et disant : « Où est le roi des Juifs qui a été enfanté ? Nous avons vu son étoile au Levant, et nous sommes venus nous prosterner devant lui [l]. »

60 Οὐκοῦν θεία μὲν ἡ γέννησις, εἰ καὶ ἀνθρωπίνως ἐπράττετο διὰ τὸ ἀνθρώπινον· Θεὸς δὲ κατὰ φύσιν ὁ Ἐμμανουήλ, καὶ αὐτοῦ τὰ σπάργανα, συνεχομένου μὲν ἀνθρωπίνως, ἀναπιμπλάντος δὲ θεϊκῶς τῆς ἰδίας ὑπεροχῆς οὐρανὸν καὶ γῆν καὶ τὰ κατωτέρω, καὶ πάντα συνέχοντος τὰ δι' αὐτοῦ 65 γεγονότα πρὸς τὸ εὖ εἶναι καὶ συνεστάναι. Κἂν ἀκούσῃς ὅτι προέκοπτεν ἡλικίᾳ καὶ σοφίᾳ καὶ χάριτι [m], μὴ σοφὸν ἐξ ἐπιδόσεως γενέσθαι νομίσῃς τὸν τοῦ Θεοῦ Λόγον. Διαμέμνησο δὲ μᾶλλον γεγραφότος ὡδί που τοῦ θεσπεσίου Παύλου· « Χριστός, Θεοῦ δύναμις καὶ Θεοῦ σοφία [n]. » Μηδ' 70 αὖ ἐκεῖνο φληνάφως τολμήσῃς εἰπεῖν, ὅτι τὸ « προκόπτειν ἐν ἡλικίᾳ τε καὶ σοφίᾳ καὶ χάριτι », τῷ ἀνθρώπῳ προσάψομεν. Τοῦτο γάρ, οἶμαι, ἐστὶν ἕτερον οὐδὲν ἢ διελεῖν εἰς δύο τὸν ἕνα 781 Χριστόν· ἀλλ' ὥσπερ ἔφην ἀρτίως, προαιώνιος ὢν ὁ ‖ Υἱός, ἐν ἐσχάτοις τοῦ αἰῶνος καιροῖς εἰς Υἱὸν ὡρίσθαι λέγεται 75 Θεοῦ [o], τῆς ἰδίας σαρκὸς τὴν γέννησιν οἰκειούμενος οἰκονομικῶς. Οὕτω καὶ ὑπάρχων σοφία τοῦ γεγεννηκότος, προκόπτειν ἐν σοφίᾳ λέγεται, καίτοι παντέλειος ὢν ὡς Θεός, τὰ τῆς ἀνθρωπότητος ἴδια διὰ τὴν εἰς ἄκρον ἕνωσιν εἰς ἑαυτὸν εἰκότως ἀναλαβών.

Mss : A DEFG BHI (= b) CKLM (= c)

(n.b. 65-79 = ACO I.1.7. pp. 41, 44)

63 ἀναπιμπλάντος $C^{pc2}L^{sl}$: -τως A DEF $C^{ac}KL^{ac}$ ‖ 64 τὰ^{2} : τὴν A(vid.) CKL ‖ 65-71 κἄν — προσάψομεν haec verba in *ACO* bis citantur : sigillis S^{1} et S^{2} distinguuntur ‖ 66 προέκοπτεν + ὁ Ἰησοῦς S^{2} (ὁ om. in mg.) : om. S^{1} ‖ ἡλικίᾳ + τε S^{2mg} : om. codd. edd. S^{1} (cf. Luc 2,52) ‖ 67 γενέσθαι νομίσῃς S(ambo) : γεν. om. S^{1mg} : ~ S^{2mg} ‖ τοῦ om. S^{1mg} ‖ 68-69 διαμέμνησο — σοφία om. S^{1} ‖ 68 διαμεμνήσομαι S^{2mg} ‖ μᾶλλον + γε S^{2mg} ‖ 69 θεοῦ^{1} om. S^{2mg} ‖ 70 αὖ : ἂν S^{2mg} ‖ ἐν om. S^{1mg} ‖ 71 τε om. S^{1} ‖ προσάψωμεν $S^{1\ et\ 2}$ (corr. in 2) ‖ 72-79 τοῦτο — ἀναλαβών om. S^{1} ‖ 72 ἐστιν οἶμαι S^{2mg} ‖ 73 ὁ S^{2mg} : om. F S^{2} ‖ 77 παντέλως S^{2mg} ‖ ὢν om. S^{2mg} ‖ 78 ἄκραν S^{2mg}

m. Cf. Lc 2, 52 n. 1 Co 1, 24 o. Cf. Rm 1, 4.

1. Ce verset de 1 Co 1, 24 vient de la controverse arienne, où il était utilisé par Arius et Astérius (cf. E. Boularand, *L'hérésie d'Arius et la « foi » de*

Donc sa génération était divine, même si elle s'accomplissait d'une manière humaine à cause de l'humanité ; mais l'Emmanuel est Dieu par nature, et les langes sont à lui qui est venu humainement mais qui remplit divinement de son excellence le ciel, la terre et ce qui est en dessous, et qui maintient toute chose venue à l'être par lui, pour qu'elle existe et subsiste comme il faut. Et si tu entends qu'il a progressé en âge, en sagesse et en grâce [m], ne pense pas que le Verbe de Dieu soit devenu sage par l'effet d'un accroissement. Souviens-toi plutôt de ce qu'a écrit Paul l'inspiré : « Christ, puissance de Dieu et sagesse de Dieu [n]. » [1] Mais en revanche, n'aie pas non plus cette sotte audace de dire : Nous attribuerons à l'homme [2] le progrès en âge, en sagesse et en grâce. Car cela, je pense, n'est rien d'autre que de diviser en deux l'unique Christ. Or, comme je le disais à l'instant, le Fils qui est avant les siècles est dit dans les derniers temps du siècle avoir été établi Fils de Dieu [o] parce qu'il s'appropriait selon l'économie la génération de sa propre chair. C'est ainsi que, tout en étant la sagesse de celui qui l'a engendré, il est dit progresser en sagesse, bien qu'il soit parfait comme Dieu, parce qu'il a été amené à assumer en lui-même les propriétés de l'humanité, à cause de l'union au plus haut degré.

Nicée, Paris 1972, t. 1, p. 75 et 89), et rétorqué par Athanase dans un sens antiarien (par exemple *Oratio contra Arianos* I, 11, *PG* 26, 36 A, et voir déjà Origène, *De Principiis* I, 2, 1 ; Augustin le discutera aussi dans les livres VI et VII du *De Trinitate*) ; Cyrille reprend ici l'interprétation athanasienne contre le thème arien de la croissance du Christ (Verbe) en âge et en sagesse. On voit, et cela pèsera lourd sur sa compréhension de l'adversaire, que Cyrille aborde la controverse nestorienne avec les arguments théologiques et scripturaires issus de la crise arienne.

2. Cyrille dénonce souvent la théologie de « l'homme » assumé, chez Diodore de Tarse, Théodore de Mopsueste ou Nestorius ; cf. *Le Christ est Un*, 728 c-729 b, ou 760 e sur cette citation de Lc 2, 52. Voir les remarques du P. de Durand, *SC* 97, p. 65-66, et p. 454-455, n. 1. Nestorius semble avoir utilisé volontiers Lc 2, 52 : voir les fragments cités par Cyrille dans le Livre III de l'*Adv. Nest.* (*ACO* I, 1, 6, p. 9, l. 17 et p. 70-71).

80 Ἀλλ' ἴσως ἐρεῖ τις· Εἶτα πῶς κεχώρηκεν ἡ ἀνθρώπου φύσις τῆς ἀπορρήτου θεότητος τὴν ὑπεροχήν ; Καίτοι Θεοῦ φύσιν ἀκούω λέγοντος ἐναργῶς τῷ μακαρίῳ Μωϋσῇ, ὅτι « Οὐδεὶς ὄψεται τὸ πρόσωπόν μου καὶ ζήσεται [p]. » Εἰ δὲ ἄτλητος ἡ θέα καὶ δύσοιστον ἔχει τὴν προσβολήν, ποῖον ἂν 85 ἔχοι λόγον ἡ σύνοδος ; Ἐγὼ δὲ πρὸς τοῦτο φαίην ἄν, ὅτι καὶ πέρα λόγου τὸ θαῦμα καὶ ταῖς καθ' ἡμᾶς ἐννοίαις οὐχ ἁλώσιμος τῆς εἰς ἅπαν οἰκονομίας ὁ τρόπος. Πλὴν σοφῶς ἐπράττετο, Θεοῦ τὴν ἰδίαν φύσιν καὶ τοῖς ἄγαν ἀσθενεστάτοις οἰστὴν ἀποφαίνοντος.

90 Καὶ γοῦν τὸ σεπτὸν δὴ τοῦτο καὶ ἀξιάγαστον ἀληθῶς μυστήριον ὁ τῶν ὅλων Θεὸς φανερὸν ἐποίει τῷ πανσόφῳ Μωϋσῇ, παραδείγματι χρώμενος σαφεῖ καὶ ἐναργεστάτῳ. Τίς δ' ἂν νοοῖτο καὶ ὁ τοῦδε τρόπος, αὐτὸ διδάξει τὸ Γράμμα τὸ ἱερόν. Ἔχει δὲ οὕτω· « Καὶ Μωϋσῆς ἦν ποιμαίνων τὰ 95 πρόβατα Ἰοθὸρ τοῦ γαμβροῦ αὐτοῦ, τοῦ ἱερέως Μαδιάμ· καὶ ἤγαγε τὰ πρόβατα ὑπὸ τὴν ἔρημον, καὶ ἦλθεν εἰς τὸ ὄρος Χωρήβ. Ὤφθη δὲ αὐτῷ ἄγγελος Κυρίου ἐν πυρὶ φλογὸς ἐκ τοῦ βάτου. Καὶ ὁρᾷ ὅτι ὁ βάτος καίεται πυρί· ὁ δὲ βάτος οὐ κατεκαίετο. Εἶπε δὲ Μωϋσῆς· Παρελθὼν ὄψομαι τὸ ὅραμα 100 τὸ μέγα τοῦτο, ὅτι οὐ κατακαίεται ὁ βάτος. Ὡς δ' εἶδε Κύριος ὅτι προσάγει ἰδεῖν, ἐκάλεσεν αὐτὸν Κύριος ἐκ τοῦ βάτου λέγων· Μωϋσῆ, Μωϋσῆ. Ὁ δὲ εἶπε· Τί ἐστι ; Καὶ εἶπε· Μὴ ἐγγίσῃς ὧδε· λῦσαι τὸ ὑπόδημα ἐκ τῶν ποδῶν σου, ὁ γὰρ τόπος ἐν ᾧ σὺ ἕστηκας γῆ ἁγία ἐστί. Καὶ εἶπεν αὐτῷ· Ἐγώ 105 εἰμι ὁ Θεὸς τοῦ πατρός σου, Θεὸς Ἀβραάμ, καὶ Θεὸς Ἰσαάκ,

Mss : A DEFG BHI (= b) CKLM (= c)

81 ὑπεροχὴν c I^{mg} *excellentiam* Sch. *maiestatem* Arn. : ἰσχὺν b C^{mg2} edd. *vim* Sal.^{v} ‖ 82 Μωσῇ G b edd. ‖ 84 δύσοιστον leg. putamus *terribilem* Sch. *inaccessibilem* Arn. : ἀδύσοιστον codd. edd. ((ἀ) Mi.) ‖ 89 οἰστὴν : ὀϊστὴν D I^{mg} εἰστὴν E ‖ 92 Μωσῇ I edd. ‖ 93 τοῦδε : τῆσδε c ‖ 94 Μωϋσῆς *LXX* : Μωσῆς edd. ‖ 96 ὑπὸ I^{mg} *LXX* : ἐπὶ I edd. ‖ 97 αὐτῷ I^{sl} : om. BH ‖ 98 τοῦ *LXX* : τῆς Mi. *puto ἐκ τῆς* (+ *βάτου* I^{mg}) Sal.^{mg} ‖ 99 Μωϋσῆς *LXX* : Μωσῆς edd. ‖ 100 ὁ : ἡ c ‖ εἶδε + ὁ I edd. ‖ 102 Μωϋσῆ (bis) *LXX* : Μωσῆ (bis) edd. ‖ 104 ἐν ᾧ BH *LXX* : ὃν I edd.

p. Ex 33, 20.

Exégèse du buisson ardent

Mais on dira peut-être : « Alors, comment la nature de l'homme a-t-elle pu contenir l'excellence de la divinité ineffable ? C'est pourtant le Dieu par nature que j'entends dire clairement au bienheureux Moïse : Nul ne verra ma face et vivra [p]. » Mais si la vision [1] est insupportable et que son rayonnement est difficile à soutenir, quelle pourrait être la loi de cette union ? Je répondrais pour ma part à cela que c'est une merveille qui dépasse le discours, et que le mode de l'économie fixée pour toujours ne peut être saisi par nos pensées. Mais les choses étaient faites avec sagesse, car Dieu rendait sa propre nature supportable même à ceux qui étaient trop faibles.

De fait, le Dieu de l'univers rendait visible pour le très sage Moïse ce mystère vénérable et vraiment digne d'être admiré, au moyen d'un exemple clair et tout à fait évident. Comment en penser le mode, c'est la sainte Écriture qui l'enseignera. Voici ce qu'il en est : « Et Moïse paissait le troupeau de son beau-père Jéthro, le prêtre de Madiân ; et il mena le troupeau dans le désert, et il arriva à la montagne de l'Horeb. L'ange du Seigneur lui apparut dans le flamboiement de la flamme qui sortait du buisson. Et il voit que le buisson brûlait dans le feu ; mais le buisson ne se consumait pas. Moïse dit : Je vais m'approcher pour voir cette grande vision, parce que le buisson ne se consume pas. Lorsque le Seigneur vit qu'il s'avançait pour voir, le Seigneur l'appela du buisson en disant : Moïse, Moïse. Il répondit : Qu'y a-t-il ? Il dit : Ne t'approche pas ainsi ; dénoue la sandale de tes pieds, car le lieu où tu te tiens est une terre sainte. Et il lui dit : Je suis le Dieu de ton père, le Dieu d'Abraham, le Dieu d'Isaac et le

1. La version latine antique a lu θεά, et traduit Deitas ; mais il s'agit bien de θέα, vision, comme l'ont lu les mss et les éditeurs. La suite, sur la vision du Sinaï, le confirme.

καὶ Θεὸς Ἰακώβ [q]. » Ἀπρόσιτον μὲν οὖν ἀποφαίνει τὴν προσβολήν, καὶ αὐτῷ δὴ τότε τῷ μακαρίῳ Μωϋσῇ κατασημαίνων, ὅτι ταῖς τοῦ νόμου παιδαγωγίαις [r] καὶ ταῖς διὰ τύπων σκιαῖς εἰ ἀποχρῷτό τις, οὐκ ἂν ἐγγὺς γένοιτο τοῦ
110 Χριστοῦ. Τετελείωκε γὰρ ὁ νόμος οὐδέν [s].

Πλὴν ἐκεῖνο καταθαυμάζειν ἄξιον· πῦρ ἦν ὁρώμενον ἐν τῷ βάτῳ, καὶ φωνὴν ἠφίει λέγον· « Ἐγώ εἰμι ὁ Θεὸς Ἀβραὰμ τοῦ πατρός σου [t]. » Οὐκοῦν αὐτὸς ἦν ὁ Κύριος ἐν εἴδει πυρός, καταδραττόμενος μὲν τοῦ φυτοῦ καὶ ὅλον ἐξ ὅλου διέπων,
115 καταπιμπρὰς δὲ οὐδαμῶς. Καίτοι πῶς οὐ πέρα λόγου παντὸς τὸ δρώμενον ἦν, τὴν οὕτω λεπτὴν καὶ εὐκατάπρηστον ὕλην τῆς τοῦ πυρὸς ἀλογῆσαι προσβολῆς ; Μᾶλλον δὲ πῶς οὐκ ἂν ἀγάσαιτό τις τὴν τῆς φλογὸς ἡμερότητα, φειδομένην ὁρῶν τοῦ βάτου ; Ἀλλ' ἦν ὁ τύπος, ὡς ἔφην, εἰς παράδειγμα σαφὲς
120 μυστηρίου τοῦ κατὰ Χριστόν. Ὥσπερ γὰρ γέγονεν οἰστὸν τῷ θάμνῳ τὸ πῦρ, οὕτω καὶ τῇ καθ' ἡμᾶς φύσει τῆς θεότητος ἡ ὑπεροχή.

784 Οὐκοῦν ὅσον μὲν ἧκεν εἰς νοῦν τε ‖ καὶ λόγους τοὺς ἐν ἡμῖν, ἀσύμβατα μὲν ἀλλήλοις εἶεν ἂν εἰκότως εἰς ἑνότητα
125 φυσικὴν θεότης καὶ ἀνθρωπότης. Συνέβη δ' οὖν ὅμως, ὡς ἔν γε Χριστῷ, καὶ εἷς ἐξ ἀμφοῖν ὁ Ἐμμανουήλ. Ὁ δὲ δὴ τιθεὶς ἀνα μέρος, καὶ ἄνθρωπον ἡμῖν ἀνιστὰς καὶ υἱὸν ἕτερον ἰδικῶς, παρὰ τὸν ἐκ Θεοῦ κατὰ φύσιν, οὐ συνίησιν ἀκριβῶς τοῦ μυστηρίου τὸ βάθος. Οὐ γὰρ ἀνθρώπῳ λελατρεύκαμεν,
130 καὶ προσκυνεῖν ἐγνώκαμεν μυσταγωγούντων ἁγίων, Θεῷ δὲ μᾶλλον, ὡς ἔφην, ἐνηνθρωπηκότι, καὶ ὡς ἓν νοουμένῳ μετὰ τοῦ ἰδίου σώματος τῷ ἐκ Πατρὸς ὄντι Λόγῳ.

Mss : A DEFG BHI (= b) CKLM (= c)

107 Μωσῇ edd. ‖ 112 λέγων D M edd. ‖ 117 ἀλογίσαι I edd. ἀλογῆται DE ‖ 119 σαφὲς + τοῦ I edd. : forte τοῦ μυστηρίου κατὰ Χρ. leg. ‖ 120 οἰστὸν b : ὀϊστὸν D I[mg] ‖ 121 οὕτω : οὕτη A ‖ 128 συνίσησιν BH Aub. -η- Sal. συνίστησιν I Mi.

q. Ex 3, 1-6 r. Cf. Ga 3, 24 s. Cf. He 7, 19 t. Ex 3, 6.

1. Le texte du buisson ardent revient ailleurs chez Cyrille comme figure christologique (le feu de la divinité respecte le buisson humain au lieu de le

Dieu de Jacob [q]. » [1] Il montre donc qu'on ne peut pas s'approcher du rayonnement, et il signifie au bienheureux Moïse lui-même que si quelqu'un se contente de la pédagogie de la Loi [r] et des ombres qu'elle contient dans les figures, il ne saurait s'approcher du Christ. Car la Loi n'a rien achevé [s].

Mais il vaut la peine de s'étonner de ceci : on voyait un feu dans le buisson, qui émettait une voix en disant : « Je suis le Dieu d'Abraham ton père [t]. » Donc, c'était le Seigneur lui-même sous l'apparence du feu, qui s'emparait de la plante, l'occupant entièrement, mais sans l'embraser du tout. Ce qui se faisait là n'était-il pas au-delà de tout discours, qu'une matière si fine et facile à embraser puisse être indifférente au rayonnement du feu ? Comment ne pas admirer la clémence de la flamme, en la voyant épargner le buisson ? Mais, comme je le disais, c'était une figure, pour donner un exemple clair du mystère qui concerne le Christ. Car de même que le feu est devenu supportable pour le taillis, de même aussi l'excellence de la divinité pour notre nature.

Donc, pour autant que l'intelligence et nos discours puissent le saisir, l'humanité et la divinité seraient selon toute vraisemblance incapables d'accéder à une unité naturelle l'une avec l'autre. C'est pourtant arrivé, dans le Christ, et l'Emmanuel est un à partir de deux. Mais celui qui le sépare, et qui nous présente un homme et un autre fils séparément, à côté de celui qui vient de Dieu par nature, il ne comprend pas exactement la profondeur du mystère. Car ce n'est pas à un homme que nous rendons un culte, et devant lui que nous avons appris des saints mystagogues à nous prosterner, mais bien devant Dieu devenu homme, comme je le disais, devant le Verbe issu du Père qui ne fait qu'un dans la pensée avec son propre corps.

consumer) : *Le Christ est Un* 737 bc ; *Glaph. in Ex.* I, *PG* 69, 412 D-417 A. Il deviendra par la suite un symbole marial. Pour un commentaire théologique de l'idée, très forte chez notre auteur, que l'humanité du Christ est l'image visible de Dieu, voir C. von Schönborn, *L'icône du Christ*, Fribourg 1976 (*Paradosis* 24), p. 85-105.

Ταύτῃτοι καὶ βασιλέα φαμὲν ἀναδεδεῖχθαι πάλιν ἐφ' ἡμᾶς τὸν Ἐμμανουήλ. Ὁ μὲν γὰρ Θεὸς καὶ Πατὴρ διὰ φωνῆς
135 προφητῶν ἐποιεῖτο τὴν ἀνάρρησιν, αὐτοῦ τε πέρι καὶ τῶν ἁγίων ἀποστόλων εἰπών· « Ἰδοὺ δὴ βασιλεὺς δίκαιος βασιλεύσει, καὶ ἄρχοντες μετὰ κρίσεως ἄρξουσιν [u]. » Αὐτός γε μὴν ἔφη διὰ φωνῆς τοῦ Δαβίδ· « Ἐγὼ δὲ κατεστάθην βασιλεὺς ὑπ' αὐτοῦ, ἐπὶ Σιὼν ὄρος τὸ ἅγιον αὐτοῦ,
140 διαγγέλλων τὸ πρόσταγμα Κυρίου [v]. » Καὶ μὴν καὶ τῆς ὑπ' αὐτοῦ βασιλείας τὸν ζυγὸν ὑποτρέχειν ἐκέλευε, προστιθεὶς ἐναργῶς· « Δεῦτε πρός με, πάντες οἱ κοπιῶντες καὶ πεφορτισμένοι, κἀγὼ ἀναπαύσω ὑμᾶς. Ἄρατε τὸν ζυγόν μου ἐφ' ὑμᾶς [w]. » Ἀλλ' εἴπερ ἐστὶ βασιλεύς, αὐτὸ δὴ τοῦτο ψιλὸς
145 καὶ καθ' ἡμᾶς νοούμενος ἄνθρωπος, καὶ οὐχὶ δὴ μᾶλλον τῇ καθ' ἡμᾶς φύσει συμβεβηκὼς εἰς ἕνωσιν ὁ μονογενὴς τοῦ Θεοῦ Λόγος, οὐδέν τι μᾶλλον τὰ καθ' ἡμᾶς ἐν ἀμείνοσι τῶν ἀρχαιοτέρων, καίτοι κεκαινουργῆσθαι λεγόμενα πρὸς τὸ ἀσυγκρίτως ὑπερκείμενον, διά τοι τὸ βασιλεῦσαι Χριστὸν
150 ἐφ' ἡμᾶς.

δ'. Ἔστι δὲ ἐφ' ἡμῖν τοιόνδε τι πάλιν. Βεβασίλευκε μὲν γὰρ τῶν ἐξ Ἰσραὴλ ὁ τῶν ὅλων Θεὸς διὰ προφητῶν ἁγίων. Προκέχριστο δὲ εἰς τοῦτο καὶ πρό γε τῶν ἄλλων ὁ θεσπέσιος Μωϋσῆς, εἶτα μετ' ἐκεῖνον οἱ καθεξῆς. Διέποντος δὲ τὴν
5 οἰκονομίαν τοῦ ἁγίου Σαμουήλ, πρὸς ἀπονοίας ἐκτόπους ὠλισθηκότες οἱ ἐξ Ἰσραὴλ καὶ τῆς ὑπὸ Θεῷ βασιλείας, οὐκ οἶδ' ὅπως, ὀλιγωρήσαντες, προσῄεσαν λέγοντες· « Ἰδοὺ σὺ γεγήρακας, καὶ οἱ υἱοί σου οὐ πορεύονται ἐν τῇ ὁδῷ σου. Καὶ νῦν κατάστησον ἐφ' ἡμᾶς βασιλέα τοῦ δικάζειν ἡμᾶς, καθὰ
10 καὶ τὰ λοιπὰ ἔθνη [a] ». Καὶ κατεπικραίνετο μὲν ὁ προφήτης ἐν τούτῳ λίαν. Εἶπε δέ, φησί, Κύριος πρὸς αὐτόν· « Ἄκουε τῆς φωνῆς τοῦ λαοῦ, καθὰ ἂν λαλήσωσι πρός σε· ὅτι οὐ σὲ

Mss : A DEFG BHI (= b) CKLM (= c)

137 βασιλεύει c ‖ 145 καὶ[1] om. I edd.
δ'. 3 προκέχριστο b edd. : προκέχρηστον I[mg] Aub.[mg] Mi.[mg] — χρηστο D Sal.[mg] ‖ γε om. edd. ‖ 4 Μωσῆς Aub. Mi. ‖ 11 φησί om. edd.

u. Is 32, 1   v. Ps 2, 6-7   w. Mt 11, 28-29.
4 a. 1 S 8, 5.

La royauté du Christ

C'est ainsi que nous disons aussi que l'Emmanuel a été manifesté à nous comme roi. Car Dieu le Père en faisait l'annonce par la voix des prophètes, en disant à son sujet et au sujet des saints apôtres : « Voici qu'un roi juste régnera, et que des chefs commanderont avec jugement [u]. » Et il a dit lui-même par la voix de David : « J'ai été établi roi par lui, sur sa sainte montagne de Sion, proclamant le commandement du Seigneur [v]. » Et il ordonnait de courir sous le joug de sa royauté, en ajoutant clairement : « Venez à moi, vous tous qui êtes las et accablés, et moi, je vous ferai reposer. Prenez mon joug sur vous [w]. » Mais s'il est roi, et qu'on le considère comme un simple homme comme nous, et non pas plutôt comme le Verbe Fils unique de Dieu qui est venu s'unir à notre nature, alors notre condition ne s'améliore en rien par rapport au passé. Et pourtant, nous sommes dits avoir été renouvelés pour un état incomparablement supérieur, du fait que le Christ a régné sur nous.

4. C'est de nouveau quelque chose de semblable qui se produit pour nous. Car le Dieu de l'univers a régné sur ceux d'Israël par les saints prophètes. Moïse l'inspiré avait été oint pour cela avant tous les autres, et après lui ceux qui lui ont succédé. Et, au moment où le saint Samuel administrait le pays, les fils d'Israël étaient tombés dans des folies absurdes et avaient négligé, je ne sais comment, la royauté exercée par Dieu. Ils s'avançaient en disant : « Voici, tu as vieilli, et tes fils ne marchent pas dans ta voie. Maintenant, établis sur nous un roi pour nous juger, comme les autres nations [a] ». Et le prophète en était tout rempli d'amertume. Il dit que le Seigneur lui a dit : « Écoute la voix du peuple, ce qu'ils vont

ἐξουθενήκασι, <ἀλλ' ἢ ἐμὲ ἐξουθενήκασι>, τοῦ μὴ βασιλεύειν
ἐπ' αὐτῶν [b].» Ἀνεδείκνυτο δὲ οὕτως ὁ Σαούλ, περὶ οὗ
15 φησιν ἐν προφήταις ὁ τῶν ὅλων Θεός· « Καὶ ἔδωκα αὐτοῖς
βασιλέα ἐν ὀργῇ μου, καὶ ἔσχον ἐν τῷ θυμῷ μου συστροφὴν
ἀδικίας [c]. »

Ἔστι τοίνυν οὐδαμόθεν ἀμφιβάλλειν, ὡς ἐν ὀργῇ δέδοται
βασιλεύς, ἄνθρωπος ὢν ὁ Σαούλ, τοῖς τὴν ὑπ' αὐτῷ τῷ τῶν
20 ὅλων Θεῷ βασιλείαν διωθουμένοις. Ἀσυγκρίτως γὰρ
ἄμεινον τὸ αὐτῷ μᾶλλον ἐπείγεσθαι κατεζεῦχθαι Θεῷ. Ἀλλ'
785 εἴπερ ἐστὶ καθ' ‖ ἡμᾶς ἄνθρωπος ὁ Χριστός, καὶ οὐχὶ δὴ
μᾶλλον ἐν ἀνθρωπείᾳ μορφῇ πεφηνὼς ὁ Λόγος, δέδοται δὲ
βασιλεὺς καὶ κεκράτηκε τῶν ἐπὶ τῆς γῆς, ἄρα τίς εἰς τοῦτο
25 ληρίας καθίκοιτο ἄν, ὡς οἴεσθαι καὶ εἰπεῖν, ὅτι καὶ αὐτὸς
βεβασίλευκεν ὡς ἐν ὀργῇ τοῦ Θεοῦ καὶ Πατρός, καί,
ἐπειδήπερ ἐσμὲν ἐν προσκρούσει καὶ ἁμαρτίαις, ὑπέθηκε καὶ
ἡμᾶς τοῖς ἀνθρώπου ζυγοῖς ; Καίτοι πῶς ἂν ἐνδοιάσειέ τις ὡς
ἁπάσης ἁμαρτίας ἀπηλλάγμεθα διὰ τῆς πίστεως ; Πῶς οὖν
30 ἔτι λυπεῖται Θεός ; πῶς ἔτι κολάζει τοῖς ἐξ ὀργῆς κινήμασι
τοὺς ἡγιασμένους ; Ἀλλ' ἔγωγε φαίην ἂν ὅτι καὶ ἁμαρτιῶν
ἀπηλλάγμεθα, καὶ τοῖς ἐκ θείας ἡμερότητος ἀγαθοῖς
καταμεθύει τὰ καθ' ἡμᾶς. Οὐκοῦν οὐκ ἄνθρωπος
βεβασίλευκεν ἐφ' ἡμᾶς, Θεὸς δὲ μᾶλλον ἐν ἀνθρωπότητι
35 πεφηνώς, ὁ Υἱός, οὔτε τῶν ἰδίων ἀξιωμάτων ἐκβεβηκὼς τὴν
δόξαν διὰ τὸ ἀνθρώπινον, οὔτε μὴν τὴν καθ' ἡμᾶς ὁμοίωσιν
ἀτιμάζων οἰκονομικῶς.

Ἄλλως τε (χρῆναι γὰρ οἶμαι κἀκεῖνο ἰδεῖν), εἰ κατηγο-
ροῦνταί τινες τῶν πεπλανημένων καὶ εἰσὶν ἐν τῷ διαβε-
40 βλῆσθαι λίαν, ὡς ἀλλάξαντες « τὴν δόξαν τοῦ ἀφθάρτου Θεοῦ
ἐν ὁμοιώματι εἰκόνος φθαρτοῦ ἀνθρώπου [d] », παραι-

Mss : A DEFG BHI (= b) CKLM (= c)

13 <ἀλλ' ἢ ἐμὲ ἐξουθενήκασι> rest. Mi. e *LXX* : om. codd. Sal. Aub. ‖ 19 αὐτῷ : αὐτῶν I edd. ‖ 25 καθίκοιτο B[pc] : -ηκ- B[ac]HI Sal. Aub. ‖ 28 ἡμᾶς *nos verss.* : ὑμᾶς A EFG c ‖ 30 ἔτι[2] : ὅτι Sal. Aub. ‖ 32 ἀπηλάγμεθα A DEF C ‖ τοῖς L[sl] : τῆς A DEFG CKL ‖ 33 οὐκ οὖν A DEFG om. H

b. 1 S 8, 7 c. Os 13, 11-12 d. Rm 1, 23.

te dire : ce n'est pas toi qu'ils ont méprisé, mais c'est moi qu'ils ont méprisé, pour que je ne règne pas sur eux [b]. » C'est ainsi que Saül était proclamé roi, lui dont le Dieu de l'univers dit chez les prophètes : « Je leur ai donné un roi dans ma colère, et j'ai eu dans mon emportement un accès d'injustice [c]. »

Le Christ règne comme Dieu, non comme homme

Il est tout à fait incontestable que c'est dans la colère qu'un roi a été donné, un homme, Saül, à ceux qui refusaient d'être sous le règne du Dieu de l'univers lui-même. Car il vaut infiniment mieux se hâter d'être plutôt sous le joug de Dieu lui-même. Mais si le Christ est un homme comme nous, et non pas plutôt le Verbe apparu dans une forme humaine, et s'il a été donné comme roi et a régné sur les habitants de la terre, alors qui en arriverait à ce degré de sottise, de penser et dire qu'il a régné aussi, pour ainsi dire, dans la colère de Dieu le Père, et que c'est parce que nous sommes dans l'offense et les péchés qu'il nous a mis nous aussi sous le joug d'un homme ? Comment douter que nous avons été débarrassés de tout péché par la foi ? Comment donc Dieu est-il encore fâché ? Comment châtie-t-il encore, dans des mouvements de colère, ceux qui ont été sanctifiés ? Je dirais quant à moi que nous avons été débarrassés des péchés, et que notre condition s'enivre désormais des bienfaits venus de la clémence de Dieu. Ce n'est donc pas un homme qui a régné sur nous, mais plutôt Dieu apparu dans l'humanité, le Fils, qui n'a pas quitté la gloire de ses propres prérogatives à cause de l'humanité, ni ne méprise, bien sûr, notre ressemblance selon l'économie.

D'autre part (car je crois qu'il faut voir aussi cela), si certains de ceux qui sont dans l'erreur sont accusés et en butte à bien des attaques pour avoir changé « la gloire du Dieu incorruptible en la ressemblance d'une image d'homme corruptible [d] », il nous faut nous-mêmes aussi nous garder

τητέον εὖ μάλα καὶ ἡμῖν αὐτοῖς τὸ ἐν ψιλῇ καὶ μόνῃ τῇ καθ' ἡμᾶς φύσει καταλογίζεσθαι τὸν Χριστόν, ἀδιάσπαστον δὲ τὴν ἕνωσιν, τὴν πρός γέ φημι τὸν ἐκ Θεοῦ Πατρὸς Λόγον, τῇ
45 ἀνθρωπείᾳ φυλάττωμεν φύσει, ἵν' ὡς Θεὸς προσκυνῆται λοιπὸν πρός τε ἡμῶν αὐτῶν καὶ τῶν ἄνω πνευμάτων.

Καὶ εἰ παγχάλεπον ἀληθῶς τὸ λατρεύειν τῇ κτίσει παρὰ τὸν κτίσαντα [e], τετάγμεθα δὲ λατρεύειν Χριστῷ, ἀνωτέρω κτιστῆς νοείσθω φύσεως ὡς Θεός, κἂν εἰ ἐκτίσθαι νοοῖτο διὰ
50 τὸ ἀνθρώπινον. Ταύτην ἐφ' ἑαυτῷ κρατύνων τὴν δόξαν, τοῖς ἀπειθεῖν ἑλομένοις ἐπεφώνει ποτέ, μονονουχὶ καὶ νωθείαν ἐγκαλῶν. « Εἰ οὐ ποιῶ τὰ ἔργα τοῦ Πατρός μου, μὴ πιστεύετέ μοι. Εἰ δὲ ποιῶ, κἂν ἐμοὶ μὴ πιστεύητε, τοῖς ἔργοις μου πιστεύετε [f]. » Ἦσαν γάρ, ἦσαν τῶν ἀσυνέτων
55 τινές, οἱ σμικρὰ περὶ αὐτοῦ διὰ τὴν σάρκα φρονοῦντες, κατεξανιστάμενοί τε φληνάφως καὶ κυνηδὸν ἐπιτρέχοντες, προφασιζόμενοί τε προφάσεις ἐν ἁμαρτίαις, ἐπαιτιωμένῳ τε λέγοντες· « Περὶ καλοῦ ἔργου οὐ λιθάζομέν σε, ἀλλὰ περὶ βλασφημίας, ὅτι συ ἄνθρωπος ὤν, ποιεῖς σεαυτὸν Θεόν [g]. »
60 Ἡμεῖς δὲ ταῖς τῶν ἐκεῖνα πεφρονηκότων ἀβελτηρίαις ἐρρῶσθαι φράσαντες, μακραῖς καὶ ἀκαταλήκτοις εὐφημίαις καταγεραίρωμεν, καὶ τῆς Φαρισαίων σκαιότητος τὰ ἀμείνω φρονεῖν ἐγνωκότες ἐροῦμεν αὐτῷ· Περὶ καλοῦ ἔργου καταπεπλήγμεθά σε, ὅτι Θεὸς ὢν φύσει γέγονας ἄνθρωπος.

65 Καὶ διὰ ποίαν αἰτίαν ; Ἐπειδὴ γάρ ἐστι ζωὴ κατὰ φύσιν ὁ τοῦ Θεοῦ Λόγος, ἴδιον σῶμα ἐποιήσατο τὸ φθείρεσθαι πεφυκός, ἵνα τῆς ἐν αὐτῷ νεκρότητος παραλύσας τὴν δύναμιν, μεταστοιχειώσῃ πρὸς ἀφθαρσίαν [h]. Ὥσπερ γὰρ ὁ

Mss : A DEFG BHI (= b) CKLM (= c)

45 φυλάττωμεν *conservemus* Sal.[v] *servemus* Sch. et Arn. : — ομεν G b c edd. ‖ 49 νοείσθω : νοοῖτο b edd. ‖ 60 ἐκεῖνα I[ac] : ἐκείνῳ I[pc] CKL ἐκεῖνο M ‖ 62 καταγεραίρωμεν BI[mg] *veneremur* Sal.[v] *celebremus* Sch. *adoremus* Arn. : -ομεν HI K edd.

e. Cf. Rm 1, 25 f. Jn 10, 37-38 g. Jn 10, 33 h. Cf. 1 Co 15, 53.

1. Cette fois, après le dossier antiarien, c'est le vieux dossier apologétique antipaïen (et antijuif, dans les lignes qui suivent) qui est réemployé ici contre

soigneusement de mettre le Christ au rang d'une pure et simple nature comme la nôtre, et conserver à la nature humaine une union indéchirable, je veux dire celle qu'elle a avec le Verbe issu de Dieu le Père, afin que nous-mêmes et les esprits d'en haut, nous nous prosternions désormais devant lui comme Dieu [1].

Et s'il est vraiment odieux d'adorer la créature au lieu du créateur [e], et qu'on nous a ordonné d'adorer le Christ, pensons qu'il est en tant que Dieu au-dessus de la nature créée, même si, à cause de l'humanité, il est pensé avoir été créé. Possédant en lui-même cette gloire, il s'adressait parfois à ceux qui avaient choisi de ne pas croire, en leur reprochant presque leur lourdeur d'esprit : « Si je ne fais pas les œuvres de mon Père, ne croyez pas en moi. Si je les fais, et si vous ne croyez pas en moi, croyez en mes œuvres [f]. » Car il y en avait, oui, il y en avait des insensés qui le méprisaient à cause de la chair, qui se rebiffaient stupidement, et qui attaquaient comme des chiens, trouvant des prétextes dans leurs péchés et disant à celui qu'ils accusaient : « Ce n'est pas pour une bonne œuvre que nous te lapidons, mais pour un blasphème, parce que toi, qui es un homme, tu te fais Dieu [g]. » Mais nous, qui avons dit adieu aux bêtises de ceux qui pensent ainsi, honorons-le de longues et incessantes bénédictions ; alors, sachant dépasser les pensées grossières des pharisiens, nous lui dirons : C'est pour une bonne œuvre que tu nous as frappés d'admiration, parce qu'étant Dieu par nature, tu es devenu homme.

Histoire du salut

Et pour quelle raison ? Eh bien, comme le Verbe de Dieu est vie par nature, il s'est approprié le corps voué par nature à la corruption, afin qu'ayant délié en lui la puissance de la mortalité, il le transforme en incorruptibilité [h]. De même en effet que le fer,

Nestorius, accusé de ne proposer que « l'homme », dans le Christ, à l'adoration.

σίδηρος ταῖς ἀκμαιοτάταις τοῦ πυρὸς ὁμιλήσας προσβολαῖς,
70 πρὸς ἰδέαν εὐθὺς τὴν ἐκείνου μεταχρώννυται καὶ τὴν τοῦ
788 νικῶντος ὠδίνει δύναμιν, οὕτω καὶ ἡ τῆς σαρκὸς ‖ φύσις τὸν
ἄφθαρτον καὶ ζωοποιὸν τοῦ Θεοῦ Λόγον εἰσδεδεγμένη,
μεμένηκε μὲν ἐν οἷς ἦν οὐκέτι, φθορᾶς δὲ ἀμείνων ἀπεφάνθη
λοιπόν. Καὶ ἐπείπερ ἐστὶν αὐτὸς τοῦ κόσμου τὸ φῶς [i],
75 ταύτητοι τὰς τῆς ἀληθοῦς θεογνωσίας αὐγὰς ταῖς ἁπάντων
διανοίαις ἐνιείς, πάντας ἐκάλει πρὸς τὸ φῶς· τοῦτο μὲν ταῖς
ἀμωμήτοις διδασκαλίαις χρώμενος, καὶ πανσόφους
ἀποτελῶν τοὺς προσιόντας αὐτῷ διὰ τῆς πίστεως· τοῦτο δὲ
ποικίλως τερατουργῶν, ἵνα τοῖς ὑπὲρ λόγον ἐξειργασμένοις
80 καταπλήττων τοὺς θεωμένους, μὴ ἀπιστῆται πρός τινος, ὅτι
Θεὸς ὢν φύσει γέγονεν ἄνθρωπος, μεμένηκε δὲ ὅπερ ἦν καὶ ἐν
εἴδει τῷ καθ' ἡμᾶς οἰκονομικῶς καθιγμένος.

'Αλλ' οὐ συνέντες 'Ιουδαῖοι τὸ μυστήριον, καίτοι καὶ διὰ
νόμου καὶ τῶν ἁγίων προφητῶν πλείστην τε ὅσην καὶ
85 ἐμφανεστάτην ἔχον τὴν προαγόρευσιν, κατὰ πολλοὺς μὲν
τρόπους καταλυπεῖν ἀπετόλμων· ἐπεγνωκότες δὲ ὅτι καὶ
αὐτός ἐστιν ὁ κληρονόμος, ἐκβεβλήκασί τε καὶ ἀπεκτόνασι [j],
συλλήπτορα καὶ συμπαραστάτην ἑαυτοῖς παραλαβόντες εἰς
τοῦτο τὸν τῆς ἁμαρτίας εὑρετήν, φημὶ δὴ τὸν Σατανᾶν· ὃς
90 ᾠήθη μέν, κατὰ τὸ εἰκός, ἀπηλλάχθαι πραγμάτων, ὅτι
παθόντα τεθέαται. Συνηγνόηκε δὲ τοῖς ἐσταυρωκόσιν, ὅτι

Mss : A DEFG BHI (= b) CKLM (= c)

70 ἰδέαν C[mg2] : ἰουδαίων C[ac] ἰδέων EF ‖ 73 ἐν οἷς ἦν οὐκέτι : οἷς + οὐκ b edd. *hic aliud deest* cum signo omissionis post οὐκέτι C[mg] ‖ φθορᾷ legit Arn. et *nec ulterius remansit in peste* vertit. ‖ 80 ἀπιστῆται : ἀπιστῆτε b Sal. Aub. ἀπιστηθῇ Mi. ‖ 82 τῷ : τὸ B ‖ 84 ὅσην C[pc2] : ὅσον F C[ac] ὅσους Sal. Aub. ‖ 86 ὅτι + δὲ I edd.

i. Cf. Jn 8, 12 j. Cf. Mt 21, 38-39 et par.

1. Sur la comparaison du fer rougi au feu, voir un parallèle dans *Le Christ est Un* 776 bc, où une note du P. de Durand (*SC* 97, p. 506-507, n. 1) fait l'historique de la comparaison. L'image très « physique » du salut obtenu par cette sorte de mélange de l'incorruptible au corruptible (avec 1 Co 15, 54 à l'arrière-plan) est dans la tradition d'ATHANASE, *De incarnatione* 44 (éd. C.

lorsqu'il est mêlé aux plus ardents rayonnements du feu, prend tout de suite la couleur et l'aspect de celui-ci et engendre la puissance de celui qui le vainc, de même la nature de la chair elle aussi, une fois qu'elle a reçu le Verbe de Dieu incorruptible et vivifiant, n'est plus restée dans sa condition, mais a été rendue désormais plus forte que la corruption [1]. Et puisqu'il est lui-même la lumière du monde [i], glissant ainsi dans les pensées de tous les rayons de la véritable connaissance de Dieu, il appelait tout le monde à la lumière ; tantôt il usait d'enseignements irréprochables, et remplissait de sagesse ceux qui s'approchaient de lui par la foi ; tantôt il accomplissait diverses merveilles, frappant d'admiration les spectateurs par des actions qui dépassent le discours, pour que personne ne refuse de croire qu'étant Dieu par nature il est devenu homme, tout en restant ce qu'il était, même une fois descendu dans notre espèce selon l'économie.

Mais les juifs n'ont pas compris le mystère, qui avait pourtant été annoncé d'avance, très souvent et très clairement, aussi bien par la Loi que par les saints prophètes ; et ils osaient l'ennuyer de bien des manières. Mais quand ils eurent découvert qu'il était lui-même l'héritier, ils l'ont chassé et tué [j], s'étant trouvé pour cela un complice et un aide : l'inventeur du péché, je veux dire Satan. Celui-ci pensa, selon la vraisemblance, être tiré d'affaire lorsqu'il l'a vu dans sa Passion. Mais il a ignoré [2], comme ceux qui l'ont crucifié, qu'il avait souffert de son plein gré et qu'il avait lui-même

Kannengiesser, *SC* 199, p. 424-430) ; dans ce traité se trouvent entrecroisées toutes les dimensions du salut, physique comme ici-même, éthique (réconciliation avec Dieu et sortie du péché) comme ici un peu plus haut, et intellectuelle (illumination de l'esprit humain) comme ici dans la phrase suivante. Cyrille a certainement fait son profit du traité d'Athanase.

2. L'ignorance de Satan est un thème ancien (voir déjà IGNACE D'ANTIOCHE, *Lettre aux Éphésiens*, 19, éd. P.-Th. Camelot, *SC* 10[4], p. 74), parfois associé au thème de la ruse de Dieu ; mais cette ignorance concerne plus souvent la naissance cachée du Fils de Dieu que le caractère volontaire de la Passion.

πέπονθεν ἑκὼν καὶ τέθεικεν αὐτὸς τὴν ἰδίαν ψυχήν [k], οὐχ ὑπό του βεβιασμένος, ἀλλ' ἐθελοντής, ὡς ἔφην, ἵνα τοῖς ἐν ᾅδου καθειργμένοις διακηρύξῃ πνεύμασι [l], καὶ ἀναπετάσῃ τοῖς
95 κάτω τὰς ᾅδου πύλας· ὡς γὰρ ὁ σοφὸς ἡμῖν ἐπιστέλλει Παῦλος, « Διὰ τοῦτο Χριστὸς ἀπέθανε καὶ ἔζησεν, ἵνα καὶ νεκρῶν καὶ ζώντων κυριεύσῃ [m]. » Ἐπειδὴ γὰρ ἐξείλετο τοὺς ἐν σκότῳ [n], πεπάτηκε τοῦ θανάτου τὸ κράτος [o] καὶ ἀνεβίω τριήμερος. Εἶτα τοῖς ἁγίοις ἀποστόλοις ἑαυτὸν ἐμφανίσας,
100 καὶ μαθητεύειν προστεταχὼς « πάντα τὰ ἔθνη, βαπτίζειν τε αὐτοὺς εἰς τὸ ὄνομα τοῦ Πατρὸς καὶ τοῦ Υἱοῦ καὶ τοῦ ἁγίου Πνεύματος [p] », ἀναβέβηκεν εἰς τὸν οὐρανὸν καὶ ἔστιν ἐν δεξιᾷ τοῦ Θεοῦ καὶ Πατρός [q]· ἥξει τε κατὰ καιροὺς τῶν ὅλων κριτής, ἐν δυνάμει τε καὶ δόξῃ τῇ θεοπρεπεῖ, δορυφορούντων
105 ἀγγέλων, καθιεῖται δὲ καὶ ἐπὶ θρόνου δόξης αὐτοῦ [r], κρίνων τὴν οἰκουμένην ἐν δικαιοσύνῃ [s] καὶ ἀποδιδοὺς ἑκάστῳ κατὰ τὸ ἔργον αὐτοῦ [t].

ε'. Οὐκοῦν ἐπειδήπερ τιμῆς ἠγοράσμεθα [a] καὶ οὐκ ἐσμὲν ἑαυτῶν [b], τῷ πριαμένῳ δουλεύσωμεν ὡς ἔνι, καὶ ἀμείνους μὲν σαρκικῶν εὑρισκώμεθα παθῶν· ἀποσειόμενοι δὲ τὴν βέβηλον ἁμαρτίαν καὶ διὰ πάσης ἐπιεικείας ἑαυτοὺς
5 καταφαιδρύνοντες, τὸν καλὸν ἀγῶνα ἀγωνιζώμεθα, τὸν δρόμον τελέσωμεν, τὴν πίστιν τηρήσωμεν [c]· τοῖς ἐν ἐνδείᾳ τοὺς πόνους ἐπελαφρίζοντες, ὀρφανοὺς παραμυθούμενοι, χήραις ἐπαμύνοντες [d], τὰς τῶν τὸ σῶμα λελωβημένων
789 αἰκίας ἀνακτώμενοι, τοὺς ἐν ‖ δεσμοῖς ἐπισκεπτόμενοι [e],
10 χρηστοὶ καὶ φιλάλληλοι [f] περὶ πάντας εὑρισκόμενοι. Τότε

Mss : A DEFG BHI (= b) CKLM (= c)

92 τέθεικεν I^{mg2} : τέθυκεν b edd. ‖ 93 τοῖς b : τῶν D I^{mg2} ‖ 99 ἁγίοις + αὐτοῦ b edd.

ε'. 1 οὐκ οὖν A EF ‖ ἠγοράσμεθα b L^{sl} : -μένα CKL I^{mg} ‖ 3 σαρκικῶν I^{mg} : om. b edd. ‖ ἀποσειόμεθα I edd. ‖ τὴν oblitt. I om. edd. ‖ 9 ἀνακτώμενοι b^{mg} : -μεθα b edd.

---

k. Cf. Jn 10, 18 l. Cf. 1 P 3, 19 m. Rm 14, 9 n. Cf. Lc 1, 79
o. Cf. He 2, 14 p. Mt 28, 19 q. Cf. Ac 2, 33 r. Cf. Mt 19, 28
s. Cf. Ac 17, 31 t. Cf. Mt 16, 27

livré sa propre âme [k], sans subir aucune violence, mais volontairement, comme je le disais, pour prêcher aux esprits qui étaient enfermés dans l'Hadès [l] et ouvrir largement à ceux d'en bas les portes de l'Hadès ; car comme nous l'écrit le sage Paul : « Christ est mort et a vécu pour ceci : avoir seigneurie sur les morts et les vivants [m]. » En effet, lorsqu'il eut fait sortir ceux qui étaient dans les ténèbres [n], il a foulé aux pieds le pouvoir de la mort [o], et il ressuscita le troisième jour. Puis s'étant montré aux saints apôtres avec « l'ordre d'enseigner toutes les nations et de les baptiser au nom du Père et du Fils et du Saint-Esprit [p] », il est monté au ciel et il est à la droite de Dieu le Père [q] ; il viendra aux temps voulus comme juge de l'univers, dans la puissance et la gloire qui conviennent à Dieu, escorté des anges, et il siégera sur le trône de sa gloire [r], jugeant le monde entier avec justice [s], et rendant à chacun selon son œuvre [t].

Exhortation finale et date de Pâques

5. Donc, puisque nous avons été achetés à grand prix [a] et que nous ne nous appartenons pas à nous-mêmes [b], servons le plus possible celui qui nous a, acquis, et montrons-nous supérieurs aux passions de la chair ; secouons l'impureté du péché et illustrons-nous en observant une conduite modérée en toutes choses ; menons le bon combat, finissons la course, gardons la foi [c] ; allégeons les peines de ceux qui sont dans le besoin, consolons les orphelins, secourons les veuves [d], prenons sur nous les blessures de ceux qui ont été maltraités dans leur corps, visitons ceux qui sont dans les liens [e], et montrons nous bons et pleins d'amour mutuel [f] envers tous. C'est alors, oui, alors que

---

5 a. Cf. 1 Co 6, 20 b. Cf. 1 Co 6, 19 c. Cf. 2 Tm 4, 7 d. Cf. Jc 1, 27 e. Cf. Mt 25, 43 f. Cf. Ep 4, 32.

γάρ, τότε νηστεύσομεν καθαρῶς· ἀρχόμενοι τῆς μὲν ἁγίας Τεσσαρακοστῆς ἀπὸ νεομηνίας τοῦ Φαμενὼθ μηνός, τῆς δὲ ἑβδομάδος τοῦ σωτηριώδους Πάσχα ἀπὸ ἕκτης τοῦ Φαρμουθὶ μηνός· περιλύοντες μὲν τὰς νηστείας τῇ ἑνδεκάτῃ
15 τοῦ αὐτοῦ Φαρμουθὶ μηνός, ἑσπέρᾳ βαθείᾳ Σαββάτου, κατὰ τὸ εὐαγγελικὸν κήρυγμα· ἑορτάζοντες δὲ τῇ ἑξῆς ἐπιφωσκούσῃ Κυριακῇ τῇ δωδεκάτῃ τοῦ αὐτοῦ μηνός, συνάπτοντες ἑξῆς καὶ τὰς ἑπτὰ ἑβδομάδας τῆς ἁγίας Πεντηκοστῆς. Οὕτω γὰρ βασιλείαν οὐρανῶν κληρονο-
20 μήσομεν [g], ἐν Χριστῷ Ἰησοῦ τῷ Κυρίῳ ἡμῶν, δι' οὗ καὶ μεθ' οὗ τῷ Πατρὶ σὺν τῷ ἁγίῳ Πνεύματι δόξα καὶ κράτος εἰς τοὺς αἰῶνας. Ἀμήν.

11 νηστεύσομεν edd. : -ωμεν codd. ‖ 14 ἑνδεκάτῃ I[mg] : ἑκκαιδεκάτῃ b edd. ‖ 20-21 μεθ' οὗ καὶ δι' οὗ I edd.

---

g. Cf. 1 Co 6, 9.

notre jeûne sera pur. Commençons le saint Carême à la néoménie du mois de phamenoth, la semaine de la Pâque salutaire le six du mois de pharmouthi ; rompons le jeûne le onze du même mois de pharmouthi en fin de soirée, le samedi, selon la proclamation évangélique ; et célébrons la fête le matin du dimanche qui suit, le douze du même mois [1], enchaînant ensuite les sept semaines de la sainte Pentecôte. Car c'est ainsi que nous hériterons du royaume des cieux [g], dans le Christ Jésus notre Seigneur, par qui et avec qui gloire et puissance soient au Père avec le Saint-Esprit, pour les siècles. Amen.

1. Le 7 avril 429.

NOTE COMPLÉMENTAIRE

Le vocabulaire christologique de Cyrille en *LF* XVII.

N.B. Quelques titres utiles à consulter :

L'introduction de G.M. de Durand à CYRILLE D'ALEXANDRIE, *Deux dialogues christologiques*, *SC* 97, Paris 1964, surtout p. 121-143.

J. LIÉBAERT, « L'évolution de la christologie de S. Cyrille d'Alexandrie à partir de la controverse nestorienne. La lettre pascale XVII et la lettre aux moines (428-429) », *Mélanges de Science Religieuse* 27 (1970) 27-48.

M. SIMONETTI, « Alcune osservazioni sul monofisismo di Cirillo d'Alessandria », *Augustinianum* 22 (1982) 493-511.

R.M. SIDDALS, « Logic and christology in Cyril of Alexandria », *Journal of Theological Studies* N.S. 38 (1987) 341-367.

J.A. MCGUCKIN, *St. Cyril of Alexandria : The Christological Controversy. Its history, Theology and texts*, Leiden 1994 (*Suppl. to V.C.* XXIII), voir p. 175-226.

B. MEUNIER, *Le Christ de Cyrille d'Alexandrie. L'humanité, le salut et la question monophysite*, Paris 1997 (*Théologie historique* 104).

Voici, dans l'ordre du texte, le relevé des principaux termes par lesquels Cyrille désigne l'union du Verbe à sa chair dans la présente *Lettre* (outre les allusions directes à Jn 1, 14 avec les expressions « devenir chair » et « habiter ») : venir dans notre condition : καθίκετο... ἐν τοῖς καθ' ἡμᾶς (2, 69-70) ; endurer une génération humaine : ἀνθρωπίνην ἀνέτλη γέννησιν (2, 74) ; devenir dans la chair : ἐν σαρκὶ γεγονότα (2, 81) ;

assumer la chair : ἐν προσλήψει σαρκός (2, 86) ; attacher le Verbe à notre nature pour l'y unir, en les tressant pour faire une seule chose à partir de deux : φύσει τῇ καθ' ἡμᾶς τὸν... Λόγον συνδοῦντες εἰς ἕνωσιν, καὶ εἰς ἕν τι τὸ ἐξ ἀμφοῖν ἀναπλέκοντες (2, 98-99) ; la divinité et l'humanité ont concouru ensemble : συνδεδραμήκασι... θεότης ὁμοῦ καὶ ἀνθρωπότης (2, 115-118) ; devenir chair, c.-à-d. avoir en commun la chair et le sang (cf. Jn 1, 14 + He 2, 14) : σαρκός τε καὶ αἵματος κεκοινωνηκότα (2, 142-143) ; la divinité est descendue s'unir à nous, tressée avec la chair : καθικομένη... εἰς ἕνωσιν τὴν ὡς πρὸς ἡμᾶς καὶ ἀναπλεχθεῖσα σαρκί (2, 150-151) ; la loi de la réunion : τὸν συνόδου νόμον (3, 45-46) ; assumer les propriétés de l'humanité, à cause de l'union au plus haut degré : τὰ τῆς ἀνθρωπότητος ἴδια, διὰ τὴν εἰς ἄκρον ἕνωσιν... ἀναλαβών (3, 78-79) ; unité naturelle : ἑνότητα φυσικήν (3, 124-125) ; le Christ un à partir de deux : εἷς ἐξ ἀμφοῖν (3, 126, cf. 2, 99) ; le Verbe est venu s'unir à notre nature : τῇ καθ'ἡμᾶς φύσει συμβεβηκὼς εἰς ἕνωσιν (3, 145-146) ; union indéchirable : ἀδιάσπαστον τὴν ἕνωσιν (4, 43-44) ; le Verbe s'est approprié le corps : ἴδιον σῶμα ἐποιήσατο (4, 66).

A l'inverse, il y a des expressions refusées : homme qui a porté Dieu : ἄνθρωπος θεοφορήσας (2, 100) ; descendre dans un homme : ἐν ἀνθρώπῳ καθικέσθαι (2, 136-137).

On le voit, les mots un, unité, union reviennent sans cesse (ἕν, ἑνότης, ἕνωσις), parfois assortis de l'expression « en pensée » avec le verbe νοεῖν (cf. 2, 103-104.118 ; 3, 131). On trouve à deux reprises l'expression « un à partir de deux » appliquée au Christ, qui annonce les discussions de Chalcédoine où les « monophysites » refusaient de dire le Christ un « en » deux natures et le disaient un « de » (*i.e.*, à partir de) deux natures, au nom de cet usage cyrillien. Il y a une forte insistance ici sur cette unité de sujet (cf. le mot ὑποκείμενον employé en 2, 113), qu'elle soit exprimée par des mots ou simplement par la structure même des phrases, mettant en évidence le fait que c'est le Verbe lui-même auquel on attribue tout, conformément à la loi de l'appropriation. Les intuitions fortes de

Cyrille en christologie sont globalement bien présentes, y compris le thème de l'appropriation (cf. 2, 158 et la note). Pourtant, il faut noter la présence de mots un peu faibles comme σύνοδος (3, 46) et des métaphores tresser-attacher (2, 98-99), qui sont un des cas où l'écrivain l'emporte sur le théologien : Cyrille se prive rarement d'une métaphore, quitte à risquer l'imprécision ; notons les images du buisson ardent (3, 120-122) et du fer rougi au feu (4, 68-74). En revanche celle, plus dualiste, du temple, encore présente en *LF* XV, 3, 106, a disparu ici.

Cyrille en christologie sont globalement bien présentes, y compris le thème de l'appropriation (cf. 2, 158 et la note). Pourtant, il faut noter la présence de mots un peu faibles comme ἔνοικος (3, 46) et des métaphores tresser-attacher (2, 98-99), qui sont un des cas où l'écrivain l'emporte sur le théologien : Cyrille se prive rarement d'une métaphore, quitte à risquer l'imprécision ; notons les images du buisson ardent (3, 120-122) et du fer rougi au feu (4, 68-74). En revanche celle, plus dualiste, du temple, encore présente en *LF* XV, 3, 106, a disparu ici.

INDEX SCRIPTURAIRE

Le chiffre romain renvoie à la *Lettre*, le chiffre en gras au paragraphe, le dernier au numéro de la ligne. Quand il s'agit d'une simple allusion, ce dernier chiffre est en italique.

INDEX DES NOMS PROPRES

Le chiffre romain renvoie à la Lettre, le chiffre en gras au paragraphe, le dernier au numéro de la ligne. Quand il s'agit d'une citation biblique, ce dernier chiffre est en italique.

TABLE DES MATIÈRES

SOURCES CHRÉTIENNES

Fondateurs : † *H. de Lubac, s.j.*
† *J. Daniélou, s.j.*
† *C. Mondésert, s.j.*
Directeur : D. Bertrand, s.j.
Directeur de la Collection : J.-N. Guinot

Dans la liste qui suit, dite « liste alphabétique », tous les ouvrages sont rangés par nom d'auteur ancien, les numéros précisant pour chacun l'ordre de parution depuis le début de la collection. Pour une information plus complète, on peut se procurer au secrétariat de « Sources Chrétiennes », 29, rue du Plat, 69002 Lyon (France), Tél. : 04.72.77.73.50, deux autres listes :

1. la « liste numérique », qui présente les volumes et leurs auteurs actuels d'après les dates de publication ; elle indique les réimpressions et les ouvrages momentanément épuisés ou dont la réédition est préparée.
2. la « liste thématique », qui présente les volumes d'après les centres d'intérêt et les genres littéraires : exégèse, dogme, histoire, correspondance, apologétique, etc.

LISTE ALPHABÉTIQUE (1-434)

SOUS PRESSE

La Doctrine des douze apôtres (Didachè). W. Rordorf, A. Tuilier (2e édition).

EUDOCIE, **Centons homériques.** A.-L. Rey.

ÉVAGRE LE PONTIQUE, **Sur les pensées.** P. Géhin, A. et C. Guillaumont.

GALAND DE REIGNY, **Petit livre de proverbes.** A. Grélois.

HILAIRE DE POITIERS, **La Trinité.** Tome I. J. Doignon (†), G. M. de Durand (†), M. Figura, Ch. Morel, G. Pelland.

MARC LE MOINE, **Traités.** Tome I. G. M. de Durand (†).

SULPICE SÉVÈRE, **Chroniques.** G. Housset.

TERTULLIEN, **Contre Hermogène.** F. Chapot.

PROCHAINES PUBLICATIONS

Les Apophtegmes des Pères. Tome II. J.-C. Guy (†).

Bernard de Clairvaux, **Lettres.** Tome II. M. Duchet-Suchaux, H. Rochais.

Cyprien, **La Bienfaisance et les Aumônes.** M. Poirier.

Grégoire le Grand, **Commentaire sur le Premier Livre des Rois.** Tome IV. A. de Vogüé.

Livre d'heures ancien du Sinaï. M. Ajjoub.

Pseudo-Philon, **Homélies synagogales.** F. Siegert.

Syméon le Studite, **Discours ascétique.** H. Alfeyev, L. Neyrand.

RÉIMPRESSIONS PRÉVUES EN 1998

5 bis. Diadoque de Photicé, **Œuvres spirituelles.** É des Places.

10 bis. Ignace d'Antioche, **Lettres et Martyre de Polycarpe de Smyrne.** P.-T. Camelot.

11 bis. Hippolyte de Rome, **La Tradition apostolique.** B. Botte.

26 bis. Basile de Césarée, **Homélies sur l'Hexaéméron.** S. Giet.

35. Guillaume de Saint-Thierry, **Traité de la contemplation de Dieu.** J. Hourlier.

63. Richard de Saint-Victor, **La Trinité.** G. Salet.

80. Jean Damascène, **Homélies sur la Nativité et la Dormition.** P. Voulet.

82. Guillaume de Saint-Thierry, **Exposé sur le Cantique des Cantiques.** J.-M. Déchanet.

87. Origène, **Homélies sur saint Luc.** H. Crouzel, F. Fournier, P. Périchon.

208. Grégoire de Nazianze, **Lettres théologiques.** P. Gallay, M. Jourjon.

310. Tertullien, **De la patience.** J.-C. Fredouille.

ÉGALEMENT AUX ÉDITIONS DU CERF

LES ŒUVRES DE PHILON D'ALEXANDRIE

publiées sous la direction de

R. ARNALDEZ, C. MONDÉSERT, J. POUILLOUX.

Texte original et traduction française.

1. **Introduction générale. De opificio mundi.** R. Arnaldez.
2. **Legum allegoriae.** C. Mondésert.
3. **De Cherubim.** J. Gorez.
4. **De sacrificiis Abelis et Caini.** A. Méasson.
5. **Quod deterius potiori insidiari soleat.** I. Feuer.
6. **De posteritate Caini.** R. Arnaldez.

7-8. **De gigantibus. Quod Deus sit immutabilis.** A. Mosès.

9. **De agricultura.** J. Pouilloux.
10. **De plantatione.** J. Pouilloux.

11-12. **De ebrietate. De sobrietate.** J. Gorez.

13. **De confusione linguarum.** J.-G. Kahn.
14. **De migratione Abrahami.** J. Cazeaux.
15. **Quis rerum divinarum heres sit.** M. Harl.
16. **De congressu eruditionis gratia.** M. Alexandre.
17. **De fuga et inventione.** E. Starobinski-Safran.
18. **De mutatione nominum.** R. Arnaldez.
19. **De somniis.** P. Savinel.
20. **De Abrahamo.** J. Gorez.
21. **De Iosepho.** J. Laporte.
22. **De vita Mosis.** R. Arnaldez, C. Mondésert, J. Pouilloux, P. Savinel.
23. **De Decalogo.** V. Nikiprowetzky.
24. **De specialibus legibus.** Livres I-II. S. Daniel.
25. **De specialibus legibus.** Livres III-IV. A. Mosès.
26. **De virtutibus.** R. Arnaldez, A.-M. Vérilhac, M.-R. Servel et P. Delobre
27. **De praemiis et poenis. De exsecrationibus.** A. Beckaert.
28. **Quod omnis probus liber sit.** M. Petit.
29. **De vita contemplativa.** F. Daumas et P. Miquel.
30. **De aeternitate mundi.** R. Arnaldez et J. Pouilloux.
31. **In Flaccum.** A. Pelletier.
32. **Legatio ad Caium.** A. Pelletier.
33. **Quaestiones in Genesim et in Exodum. Fragmenta graeca.** F. Petit.

34 A. **Quaestiones in Genesim,** I-II (e vers. armen.). Ch. Mercier.

34 B. **Quaestiones in Genesim,** III-VI (e vers. armen.). Ch. Mercier et F. Petit

34 C. **Quaestiones in Exodum,** I-II (e vers. armen.). A. Terian.

35. **De Providentia,** I-II. M. Hadas-Lebel.
36. **Alexander** *vel* **De animalibus** (e vers. armen.). A. Terian.

ACHEVÉ D'IMPRIMER
EN AOÛT 1998
SUR LES PRESSES
DE
L'IMPRIMERIE F. PAILLART
À ABBEVILLE

DÉPÔT LÉGAL : 3e TRIMESTRE 1998
N° D'IMP. 10255